BIBLIOTHÈQUE NORDIQUE

ÉTRANGES RIVAGES

DU MÊME AUTEUR
CHEZ LE MÊME ÉDITEUR

La Cité des Jarres
Prix Clé de Verre 2002 du roman noir scandinave
Prix Cœur Noir 2006 de la ville de Saint-Quentin-en-Yvelines
Prix Mystère de la critique 2006

La Femme en vert
Prix Clé de Verre 2003 du roman noir scandinave
Prix CWA Gold Dagger 2005 (UK)
Prix Fiction 2006 du livre insulaire de Ouessant
Grand Prix des lectrices de *Elle* policier 2007

La Voix
Trophée 813, 2007
Grand Prix de littérature policière 2007

L'Homme du lac
Prix Le Polar européen Le Point 2008

Hiver arctique

Hypothermie

La Rivière noire

Bettý

La Muraille de lave

Arnaldur INDRIDASON

ÉTRANGES RIVAGES

Traduit de l'islandais
par Éric Boury

Éditions Métailié
20, rue des Grands Augustins, 75006 Paris
www.editions-metailie.com
2013

Titre original : *Furðustrandir*
© Arnaldur Indridason, 2010
Publié en accord avec Forlagid, www.forlagid.is
Traduction française © Éditions Métailié, Paris, 2013
ISBN : 978-2-86424-901-6

Sois brise, mon poème,
caresse les joncs du Styx
chante, apaise et endors
ceux qui attendent.

Snorri Hjartarson

Il n'a plus froid. Au contraire, une étrange vague de chaleur lui envahit le corps. Lui, qui pensait que toute chaleur l'avait déserté, il a l'impression qu'elle se diffuse dans ses bras et ses jambes, jusqu'à ses mains et ses pieds, et brusquement son visage lui semble s'enflammer.

Allongé dans le noir, ses pensées vont et viennent, désordonnées, il ne distingue qu'à peine la frontière entre le sommeil et la veille. Il a beaucoup de peine à se concentrer et à évaluer son état. Comme plongé dans une confortable torpeur, il ne souffre pas. Des rêves, des images, des bruits et des lieux qui lui sont à la fois connus et inconnus défilent dans son esprit qui lui joue d'étranges tours et le projette constamment à travers le passé et le présent, défiant l'espace et le temps. Il n'a aucune véritable prise sur ces errances. Un instant, il est assis à l'hôpital, au chevet de sa mère qui se meurt et le quitte. L'instant d'après, un hiver sombre s'est abattu et il se retrouve à nouveau allongé sur le sol de cette ferme abandonnée qui était jadis sa maison. Il a toutefois bien conscience que ce n'est là qu'une illusion.

— Que faites-vous ici ?

Il se redresse, s'assoit et aperçoit un homme à la porte.

Un voyageur vient de tomber sur lui par hasard. Il ne comprend pas sa question.

— Que faites-vous ici ? répète l'homme.

— Qui êtes-vous ?

Il ne distingue pas son visage et ne l'a pas entendu entrer, tout ce qu'il voit se résume à cette silhouette qui répète inlassablement la même question insupportable.

— Que faites-vous ici ?

— Je suis chez moi. Qui êtes-vous ?

— J'ai l'intention de passer la nuit avec vous, si ça ne vous dérange pas.

L'homme assis par terre à côté de lui a allumé un feu. Il sent la chaleur se diffuser sur son visage et tend ses mains vers les flammes. Il n'a eu aussi froid qu'une seule fois dans sa vie.

— Qui êtes-vous? demande-t-il une nouvelle fois à son visiteur.

— Je suis venu vous écouter.

— M'écouter? Qui est avec vous?

Il a l'impression qu'ils ne sont pas seuls, que quelqu'un d'autre accompagne cet homme, quelqu'un qu'il ne parvient pas à distinguer.

— Personne, répond le voyageur, je suis venu seul. Vous habitiez ici?

— Êtes-vous Jakob?

— Non, je ne suis pas Jakob. Je m'étonne que ces murs tiennent encore debout, je vois que la maison est solide.

— Qui êtes-vous? Êtes-vous Boas?

— Je passais par là.

— Vous êtes déjà venu ici?

— Oui.

— Quand ça?

— Il y a des années. À l'époque où cette maison était encore habitée. Que sont devenus ces gens? Savez-vous ce qu'est devenue la famille qui vivait ici?

Allongé dans le noir et transi, il ne parvient plus à faire aucun mouvement. Il est à nouveau seul, le feu a disparu, de même que la maison abandonnée. Les ténèbres et le froid le cernent, la chaleur déserte peu à peu ses membres et son visage.

Quelque part, il entend à nouveau ce grattement.

Venu des profondeurs glacées et lointaines, le bruit approche et enfle constamment, bientôt suivi par de déchirants cris d'effroi.

Debout à côté d'Urdarklettur, il voyait le chasseur approcher à pas lents. Les deux hommes se saluèrent poliment sous la bruine et, comme venues d'un monde lointain, leurs paroles vinrent troubler la quiétude des lieux.

On ne voyait pas le soleil depuis des jours. Les fjords reposaient sous la brume, un temps plus froid et des chutes de neige étaient prévus au cours des prochaines journées. La nature était plongée en hibernation. Le chasseur lui demanda ce qu'il venait faire ici, plus personne ne s'y rendait, à l'exception de quelques vieux entêtés, de plus en plus rares, qui venaient chasser le renard. Il essaya de changer de conversation et répondit qu'il était de Reykjavik. L'homme lui confia qu'il avait remarqué une présence humaine dans la maison abandonnée, plus bas dans le fjord. C'est sans doute moi, dit-il. L'inconnu ne lui demanda pas de détails et lui expliqua qu'il était un paysan des environs ; il était parti chasser seul.

— Comment vous vous appelez ?

— Erlendur, répondit-il.

— Je m'appelle Boas. Les deux hommes se serrèrent la main. Un prédateur se cache dans les failles, ici, en haut de cette lande, un nuisible qui se manifeste de plus en plus souvent.

— Un renard ?

Boas se caressa le menton.

— Je l'ai vu traîner aux abords de mes bergeries l'autre jour, il m'a tué un agneau et a effrayé tout le troupeau.

— Et il se cache par ici ?

— Je l'ai aperçu qui montait vers les montagnes. Je l'ai vu deux fois et je crois savoir où se trouve sa tanière. Vous êtes aussi en route vers la lande ? Si vous voulez faire le chemin avec moi, vous êtes le bienvenu.

Il hésita, puis accepta d'un signe de tête. Le paysan semblait satisfait, sans doute était-il heureux d'avoir un peu de compagnie. Son fusil de chasse sur l'épaule droite et une vieille cartouchière en cuir sur l'autre, vêtu d'une veste élimée vert foncé et d'un pantalon imperméable assorti, l'homme était petit et alerte. Âgé d'une bonne soixantaine d'années, tête nue, son épaisse tignasse lui couvrait le front et dissimulait ses yeux vifs. Son nez était tordu et aplati, comme s'il avait été fracturé et n'avait pas ensuite été soigné correctement. Sa barbe en broussaille dissimulait sa bouche lorsqu'il parlait, ce qui était souvent le cas puisque l'homme était bavard et semblait avoir une opinion sur tout ce qui existait entre ciel et terre. Il s'abstint toutefois de trop interroger Erlendur sur les raisons de sa présence sur la lande ou sur celles qui l'avaient conduit à choisir la métairie abandonnée de Bakkasel comme lieu de séjour.

Erlendur s'était installé dans la vieille maison. Le toit était en assez bon état, même s'il fuyait çà et là et que les poutres de la charpente commençaient à pourrir. Il avait trouvé un endroit au sec dans la pièce qui avait jadis été la salle à manger. Il s'était mis à pleuvoir, le vent qui s'était levé hululait sur les murs nus qui offraient toutefois un abri suffisant contre ce frimas tout en grisaille. La petite lampe à gaz qu'il avait apportée lui procurait un peu de chaleur, il l'avait réglée au niveau le plus bas, de manière à ce qu'elle dure le plus longtemps possible. Elle projetait sur lui une clarté blafarde, crépusculaire, et tout autour il faisait aussi noir que dans un cercueil.

Au fil du temps, une banque avait acquis à la fois les bâtiments et les terres de la ferme, Erlendur n'avait aucune idée de l'identité du propriétaire actuel des lieux. Personne n'avait jamais rien trouvé à redire au fait qu'il occupe cette maison abandonnée lorsqu'il venait séjourner dans les fjords de l'est. Il avait emporté très peu de bagages. La voiture qu'il avait louée était garée devant la maison, c'était une jeep bleue de taille modeste qui avait un peu de mal à gravir le chemin permettant d'y accéder. Ce dernier avait d'ailleurs pour ainsi dire disparu, envahi par la végétation qui estompait peu à peu les traces d'une ancienne occupation humaine. Il s'était fait la réflexion que la nature accomplirait lentement le même travail sur le reste des lieux.

Ils montèrent un peu plus en altitude. La visibilité était de plus en plus mauvaise et, pour finir, un brouillard d'une blancheur laiteuse les enveloppa entièrement. La bruine se déposait sur les landes, la végétation humide de pluie gardait les traces de leur passage. Prêtant l'oreille aux chants des oiseaux, le chasseur s'efforçait de déceler la piste de son ennemi sur le sol mouillé. Erlendur le suivait sans un mot. Il n'avait jamais chassé à l'affût, il n'avait jamais tué le moindre animal, pas plus qu'il n'avait pêché dans les lacs et rivières, et encore moins abattu du gros gibier comme les rennes. On aurait dit que Boas lisait dans ses pensées.

— Vous n'êtes peut-être pas chasseur ? lui demanda-t-il à la faveur d'une brève halte.

— En effet.

— C'est normal que je le sois, j'ai grandi avec ça, déclara Boas en ouvrant son havresac en cuir pour en sortir une tranche de pain de seigle qu'il tendit à Erlendur, accompagnée d'un morceau de pâté de foie de mouton dur et sec qu'il venait de couper. Cela dit, aujourd'hui, on chasse surtout le renard, déclara-t-il. Il faut bien le réguler un peu. Cette brave bête vient de plus en plus souvent importuner l'homme. Si on peut dire. Je n'ai rien contre elle. Elle a autant le droit de vivre que n'importe quel autre animal. Mais il faut quand même bien l'empêcher de s'attaquer aux troupeaux. Il faut qu'une certaine harmonie règne.

Ils mangèrent le pain de seigle et le pâté qu'Erlendur s'imagina fait maison. C'était un véritable délice qui s'accordait parfaitement à ce pain. Lui-même n'avait emporté aucun casse-croûte. Il ignorait pour quelle raison il avait accepté l'invitation polie et inattendue que lui avait adressée cet homme. Peut-être avait-il besoin d'un peu de compagnie. Il n'avait pas eu le moindre contact humain depuis des jours et se disait que c'était sans doute aussi le cas de ce Boas.

— Que faites-vous à Reykjavik ? lui demanda le paysan.

Il ne lui répondit pas immédiatement.

15

– Ah, excusez-moi, c'est toujours ma satanée curiosité, s'excusa Boas.

– Je vous en prie, ça ne me gêne pas, répondit-il. Je travaille dans la police.

– Vous ne devez pas beaucoup vous amuser.

– Non. Souvent, ce n'est pas drôle.

Ils continuèrent de gravir le flanc de la montagne, Erlendur prenait garde à ne pas abîmer les bruyères par des foulées trop brusques. Par moments, il se baissait, passait sa main sur la végétation tandis qu'il sondait sa mémoire afin de savoir si, au cours de son enfance, il avait entendu le nom de Boas. Mais rien ne lui revenait à l'esprit. Cela dit, il n'était pas très étonnant qu'il ne se souvienne pas des noms de tous ces gens, puisqu'il avait vécu brièvement dans la région. De plus, il était rare qu'on voie des armes à feu à la maison. Il se souvenait vaguement d'un homme qui avait un jour rendu visite à ses parents, son fusil pointé en direction de la rivière, et qui avait discuté avec son père. Et il se rappelait son oncle maternel qui possédait une jeep et chassait le renne. Ce dernier conduisait des chasseurs venus de la capitale jusqu'aux terres où vivaient les rennes et fournissait la famille d'Erlendur en viande délicieuse qu'on cuisait à la poêle. Il n'avait pas souvenir de battues au renard et ne se rappelait aucun paysan du nom de Boas, mais bon, il avait déménagé très jeune à la capitale et perdu tout contact avec cet endroit.

– On trouve des choses incroyables dans la tanière d'un renard, observa Boas sans ralentir le pas. En général, le garde-manger est bien garni. Ils descendent jusqu'à la mer et ramassent des cadavres de macareux rapportés par la marée, des mollusques, des crabes ; quant aux renardeaux, ils se nourrissent de baies de camarines et de quelques mulots pendant leur croissance. Si la chance est avec le renard, il tombe sur le cadavre d'un mouton ou d'un agneau. Parmi eux, il y a des prédateurs qui prennent goût à cette chair et s'attaquent au troupeau, et là, on peut dire adieu à la tranquillité. Boas doit alors aller trouver cette petite saleté pour la tuer, même si ça ne l'amuse pas.

Il eut l'impression que le paysan pensait simplement tout haut et préféra garder le silence. Ils traversèrent des landes couvertes de bruyères et ponctuées d'ornières, il suivait le chasseur, heureux de sentir cette bruine fraîche sur son visage. Il connaissait plutôt bien les lieux mais, s'étant entièrement fié à son guide, n'était plus certain de savoir avec précision où ils se trouvaient. Son compagnon continuait d'avancer d'un pas résolu, sûr de lui, l'air serein, et parlait constamment sans vraiment se soucier de savoir s'il suivait le fil de son monologue.

— Et pas mal de choses ont changé depuis le début de ces grands travaux. Boas s'immobilisa et sortit une paire de jumelles de son sac en cuir. La nature est transformée. Le goupil l'a sans doute remarqué. Peut-être n'ose-t-il plus descendre jusqu'à la côte à cause de ces usines et de ces navires qui vont et viennent sans cesse. Enfin, comment savoir ? Voilà, on ne devrait plus être très loin, ajouta-t-il en rangeant ses jumelles dans son sac.

— En arrivant de Reykjavik, j'ai aperçu l'usine d'aluminium qu'ils construisent, nota Erlendur.

— Ce monstre infâme ! maugréa Boas.

— Je suis aussi allé au barrage. Je n'ai jamais rien vu d'aussi gigantesque.

Il entendit Boas marmonner comme en lui-même tandis qu'il continuait de monter vers le sommet de la lande. Et dire qu'ils permettent une telle ignominie, semblait-il s'agacer, mais Erlendur n'était pas sûr de bien entendre. Il le suivait en méditant sur les raisons qui avaient conduit à l'installation de ce gigantesque complexe d'aluminium et sur les navires titanesques qui accostaient à la jetée, chargés de matériaux pour la construction de l'usine et du barrage. Il ne comprenait absolument pas comment diable il était possible de laisser une compagnie américaine dénuée de scrupules et implantée à mille lieues d'ici avoir la main mise sur un paisible fjord et sur un morceau vierge du désert d'Islande.

3

Posté au milieu du chaos rocheux, Boas lui fit signe de s'immobiliser aussi. Il imita le chasseur, s'agenouilla et scruta la brume.

Un long moment s'écoula sans qu'il distingue le moindre mouvement, puis tout à coup ses yeux plongèrent dans ceux d'une renarde qui se trouvait à une quinzaine de mètres. Les oreilles dressées, l'animal fixait les deux hommes. Boas attrapa son fusil avec une incroyable dextérité, mais vite lassée du face-à-face, la renarde déguerpit en quelques bonds et disparut en un instant.

— Voilà cette chère petite, fit le chasseur. Il se leva et remit son fusil à l'épaule avant de reprendre sa route.

— C'est elle, le prédateur?

— Oui, c'est bien cette saleté. Je connais les tanières des parages comme ma poche et j'ai l'impression que nous approchons. Ils occupent les mêmes de génération en génération, certaines de ces tanières sont vieilles, et sacrément, je peux vous dire, même si leur existence ne remonte peut-être pas à la dernière glaciation.

Cernés par le silence de la nature, les deux hommes continuèrent leur marche, jusqu'à un petit abri constitué de pierres entassées et tapissé de mousse. Boas lui conseilla de rester là et de se reposer, le sens du vent leur était favorable, mais il devait aller examiner la situation d'un peu plus près. Assis sur la mousse, Erlendur l'attendit patiemment. Il lui revint en mémoire le peu qu'il savait du renard d'Islande: on affirmait qu'il avait été le premier à coloniser le pays où il s'était implanté à la fin de la dernière glaciation, ce qui remontait à environ dix mille ans. Il remarquait que Boas témoignait un grand respect à l'animal qu'il appelait cette chère petite, et dont il parlait comme d'une vieille amie. Pourtant, il la chassait quand cela lui semblait nécessaire, il l'abattait et tuait sa progéniture comme s'il s'était acquitté là d'une simple tâche ménagère.

– Elle est là, cette brave petite, nous n'avons plus qu'à être un peu patients, annonça-t-il à son retour avant de s'allonger à plat ventre dans l'abri à côté d'Erlendur. Il ôta le fusil et la cartouchière de son épaule, se débarrassa de son sac de cuir dont il sortit une flasque qu'il lui tendit. Erlendur grimaça en avalant la gorgée offerte. Boas s'adonnait manifestement à la fabrication d'alcool, mais ne semblait pas être un bouilleur de cru très doué ni très patient.

– En quoi est-ce gênant de voir des lieux désertés par l'homme? demanda-t-il en reprenant la flasque. Ils étaient inoccupés lorsque nous sommes arrivés ici, pourquoi ne retour-neraient-ils pas à l'abandon quand nous disparaîtrons? pour-suivit-il. Pourquoi vendre le pays à des gens qui brassent des sommes colossales pour freiner et empêcher une évolution tout à fait normale? Vous pouvez me le dire? Les gens vont et viennent. Il y a quelque chose de plus naturel?

Erlendur secoua la tête.

– Voyez ce qu'ils ont fait de ce pauvre fjord de Hvalfjördur. À Reykjavik, vous l'avez presque à votre porte, poursuivit Boas. Il y a là-bas des monstres qui crachent leur poison sur tout le pays de jour comme de nuit! Pour le compte de qui? De quelques étrangers pleins aux as et ridicules qui ne seraient même pas capables de placer l'Islande sur un planisphère! On est le four à charbon de toute cette clique-là?!

Il tendit à nouveau la flasque à Erlendur qui, cette fois-ci, prit bien garde à n'en avaler qu'une toute petite gorgée. Boas plongea la main dans son sac et en sortit un gros paquet en plastique qu'il déplia, et dont émanait une odeur pestilentielle. C'était un morceau de viande en décomposition qu'il balança aussi loin qu'il le put en direction de la tanière. Puis, il s'essuya les mains sur la mousse et s'allongea, son fusil posé à côté de lui.

– Il ne devrait pas tarder à sortir, attiré par l'odeur.

Puis, ils restèrent un moment sous la bruine sans rien dire.

– Je suppose que vous ne vous souvenez pas du tout de moi, observa Boas au terme d'un long silence.

— Je devrais? interrogea Erlendur, pris d'une quinte de toux.

— Non, ce serait même bizarre si c'était le cas, répondit Boas. Vous étiez dans un état second, évidemment. D'ailleurs, je ne connaissais pas vos parents, on n'avait aucune relation.

— Comment ça, j'étais dans un état second, à quelle occasion?

— Pendant les recherches, autrefois, précisa Boas. Lorsque vous vous êtes perdus, vous et votre frère.

— Vous étiez là?

— Oui, j'y ai pris part. Comme tout le monde. J'ai entendu dire que vous reveniez parfois ici, dans l'est, que vous dormiez en bas, à Bakkasel, et que vous montiez sur la lande. Vous croyez encore pouvoir le retrouver.

— Non, pas du tout. C'est ce qu'on raconte?

— Avec les anciens comme moi, on parle parfois de vieilles histoires qui sont arrivées dans nos campagnes et quelqu'un a raconté qu'aujourd'hui encore vous montiez sur la lande. C'est donc vrai, je suppose.

Erlendur n'avait aucune envie de se justifier devant cet inconnu, pas plus que de lui expliquer comment il entendait mener son existence. Ces lieux étaient ceux de son enfance et il y revenait de temps à autre, quand cela lui semblait nécessaire. Il marchait beaucoup dans la région et préférait s'installer dans cette maison abandonnée plutôt que de mariner dans une chambre d'hôtel. Parfois, il campait. Parfois, il trouvait un endroit au sec à l'intérieur de la maison.

— Vous vous souvenez de ces recherches? s'enquit-il.

— Je me souviens de quand ils vous ont retrouvé, répondit Boas sans quitter des yeux l'appât qu'il venait de lancer. Je faisais partie d'un autre groupe de sauveteurs, mais la nouvelle s'était répandue à toute vitesse et nous a rendus fous de joie. On était alors convaincus qu'on ne tarderait plus à retrouver votre frère.

— Mais il est mort.

— Oui.

Erlendur se tut.

— Il était un peu plus jeune que vous, poursuivit Boas.

– Oui, j'étais son aîné de deux ans. Il n'avait que huit ans.

Les deux hommes restèrent assis, plongés dans un long silence, jusqu'à ce que Boas perçoive dans l'environnement un changement qui échappa à Erlendur, mais qui, pensa-t-il, devait être en rapport avec le vol des oiseaux. Un certain temps s'écoula, puis le chasseur retrouva son calme. Boas lui tendit un deuxième morceau de ce solide pâté de foie, une autre tranche de pain de seigle et une autre gorgée de l'infect breuvage que contenait la flasque. Le brouillard les recouvrit comme un duvet immaculé. En dehors des quelques cris d'oiseaux qu'on entendait ici et là, ils étaient cernés par la quiétude.

Il n'avait conservé aucun souvenir particulier de ceux qui avaient pris part aux recherches. Il avait brièvement repris conscience quand ces hommes l'avaient descendu de la lande, aussi transi qu'un glaçon. Il se rappelait ce lait tiède qu'on lui avait fait boire en chemin. Ensuite, il avait à nouveau perdu connaissance et s'était réveillé emmitouflé dans son lit, un médecin à son chevet. Il avait entendu des voix inconnues dans la maison, il savait qu'une chose horrible était arrivée, mais ne parvenait pas à se rappeler laquelle. Puis tout lui était revenu. Sa mère l'avait serré contre sa poitrine en lui disant que son père était sain et sauf, qu'il avait réussi à grand-peine à rentrer à la maison. Les sauveteurs qui continuaient de rechercher son frère étaient certains de bientôt le retrouver. Elle lui avait demandé s'il pouvait leur communiquer des éléments susceptibles de les aider. Il lui avait répondu qu'il se souvenait seulement de cette tempête blanche qui hurlait autour d'eux, cette tempête qui l'avait frappé et plaqué à terre jusqu'à ce qu'il n'ait plus la force de se relever.

Il vit Boas empoigner plus fermement son fusil lorsque la renarde quitta tout à coup sa tanière pour venir prudemment flairer l'appât. Elle humait l'air et s'approchait de plus en plus. Avant qu'Erlendur ait le temps d'interroger Boas sur la nécessité de tuer l'animal, le chasseur avait tiré et la bête était tombée à terre. Il se leva et alla ramasser le cadavre.

– Un peu de café? proposa-t-il dès qu'il revint dans l'abri, son trophée à la main. Il sortit le thermos de son sac en cuir et en dévissa les deux couvercles qui faisaient office de tasses. Il en tendit un à Erlendur après l'avoir rempli de café fumant, puis lui demanda s'il prenait du lait. Erlendur lui répondit que non, il ne buvait que du café noir.

— Il faut absolument y ajouter du lait, ne pas le faire ne serait pas naturel, observa Boas en farfouillant au fond de son sac sans y trouver ce qu'il cherchait. Mince alors, j'ai oublié d'en emporter, s'agaça-t-il.

Il avala une gorgée de café, mais trouva le breuvage imbuvable. Visiblement bouleversé, il jetait des regards perdus alentour et tapotait toutes les poches de sa veste comme s'il était persuadé d'avoir été sur le point d'emporter un peu de lait, mais qu'il l'avait oublié au dernier moment. Son regard s'arrêta sur la renarde morte, allongée tout près de lui.

— Je suppose que ça ne sert à rien, mais sait-on jamais, déclara-t-il en attrapant l'animal, il lui tâta le ventre, trouva ses mamelles et comprit qu'il était vain d'attendre quelque secours de ce côté-là.

4

Erlendur montait d'un pas lent jusqu'à une maison du village de Reydarfjördur et voyait une femme assise à sa fenêtre regarder fixement dans sa direction. On aurait presque pu croire qu'elle était restée là toute la journée à l'attendre. Il n'avait pourtant pas annoncé sa visite et n'était pas certain de bien faire en venant la voir. Sa curiosité avait toutefois balayé tous ses doutes.

En descendant de la lande avec Boas, il avait parlé au paysan d'une histoire qu'il avait entendue lorsqu'il était encore enfant, une histoire qui l'accompagnait partout, et ce depuis toujours. Ses parents la connaissaient, de même que la plupart des gens de la région, et peut-être était-ce l'une des raisons qui l'avaient amené, cette fois-ci, dans les fjords de l'est.

— Vous êtes entré dans la police ? lui avait demandé Boas. Vous dirigez la circulation à la capitale ?

— J'ai fait partie de la brigade de la circulation un moment, mais il y a très longtemps, avait-il répondu. Vous n'êtes peut-être pas au courant, mais aujourd'hui nous utilisons plutôt les feux tricolores.

Boas avait souri du trait d'humour. Il avait mis la renarde sur son épaule. Sa veste était tachée de sang et il en avait encore sur les mains, même après se les être essuyées dans la mousse humide. Il lui avait confié qu'il avait compté passer la nuit à l'affût, mais la chasse avait été plus brève qu'il ne l'avait imaginée et il pensait donc pouvoir rejoindre les terres habitées avant la nuit.

— Vous avez toujours vécu ici, n'est-ce pas ? s'était enquis Erlendur.

— Et je n'ai jamais rêvé de vivre ailleurs, avait répondu le chasseur. Les gens d'ici sont les meilleurs qui soient.

– Vous connaissez l'histoire de cette femme qui s'est perdue sur le chemin qui franchit les failles de Hrævarskörd ?

– Oui, ça me parle.

– Elle s'appelait Matthildur, avait ajouté Erlendur. Elle était partie seule.

– Je sais comment elle s'appelait.

Boas s'était immobilisé et avait regardé Erlendur.

– Qu'est-ce que vous me disiez que vous faites dans la police ?

– Je dirige des enquêtes.

– De quel genre ?

– De différentes natures, grand banditisme, meurtres, crimes violents.

– Toute la lie de l'humanité ?

– On peut le dire.

– Et les disparitions ?

– Oui, aussi.

– Elles sont nombreuses ?

– Non, en réalité, non.

– L'histoire de Matthildur s'éteindra en même temps que les vieux comme moi, avait dit Boas.

– La première fois que j'en ai entendu parler, c'était chez mes parents, avait avoué Erlendur. Ma mère connaissait un peu cette femme et j'ai toujours trouvé cette histoire…

Il cherchait le terme adéquat.

– Mystérieuse ? avait suggéré Boas.

– Intéressante, avait corrigé Erlendur.

Boas avait posé son fardeau par terre, s'était redressé et avait baissé les yeux sur le brouillard, vers l'endroit où cette ferme devait se trouver, juste à côté de la mer. Ils étaient à nouveau tout près d'Urdarklettur, il commençait à faire froid et sombre. Boas avait remis le renard sur son épaule. Erlendur lui avait proposé de le prendre sur la sienne pendant leur descente, mais Boas avait refusé, arguant qu'il était inutile de répandre le sang sur les vêtements de deux personnes.

– Vous vous intéressez bien sûr à ces horreurs, avait-il déclaré, parlant des disparitions.

Il s'adressait plus à lui-même qu'à Erlendur et était resté pensif un long moment avant de continuer à descendre les pentes couvertes de bruyères et parsemées de gros blocs de pierre.

– Dans ce cas, vous connaissez sans doute aussi l'histoire des soldats britanniques qui se sont perdus sur cette lande pendant la Deuxième Guerre mondiale, avait-il repris. Des hommes de l'armée d'occupation, basés dans le fjord de Reydarfjördur.

Erlendur lui avait répondu qu'il avait en effet entendu parler de cette histoire dans son enfance et que, bien plus tard, il avait lu le récit de ces événements, mais Boas avait la ferme intention de les lui retracer. L'observation qu'il venait de faire n'était qu'une précaution oratoire, il était exclu que quelqu'un le prive de raconter une bonne histoire.

Un groupe d'une soixantaine de jeunes Britanniques avait quitté le village de Reydarfjördur dans l'intention de rallier celui d'Eskifjördur en passant par les failles de Hrævarskörd. Ils avaient été surpris par une violente tempête. Les failles étaient impraticables, à cause du gel intense qui avait sévi et du verglas mais, au lieu de rebrousser chemin, les soldats s'étaient enfoncés dans les terres, ils étaient passés par la vallée de Tungudalur, puis redescendus par la lande d'Eskifjardarheidi. C'était fin janvier, le temps s'était considérablement dégradé pendant qu'ils étaient en route, en outre la nuit était tombée alors qu'ils avaient pensé arriver à destination bien avant.

Ce soir-là, le paysan de la ferme de Veturhus, située au fond du fjord d'Eskifjördur, se dirigeait vers son écurie à travers ce temps déchaîné et il avait trouvé l'un de ces soldats, presque mort de froid et d'épuisement. L'homme avait toutefois pu signaler que ses compagnons étaient en danger et, armés de lampes-tempêtes, les gens de la ferme s'étaient lancés à leur recherche. On en avait immédiatement retrouvé deux autres en bas du champ. Les soldats descendaient un à un de la lande, aidés par ceux de la ferme de Veturhus, finalement on n'en retrouva que quarante-huit. Des trombes de pluie s'étaient déversées; les trois rivières des environs, l'Eskifjardara, l'Innri-Thvera et l'Ytri-Thvera avaient considérablement gonflé, or il fallait les traverser pour rejoindre la bourgade d'Eskifjördur. Quelques-uns des soldats étaient parvenus à franchir l'une des rivières Thvera avant qu'elle ne déborde, mais s'étaient retrouvés piégés entre les deux rivières, sans pouvoir rebrousser chemin, et on entendait leurs appels de détresse jusqu'à la ferme de Veturhus. Quatre d'entre eux étaient restés sur l'autre rive et ce n'est qu'à grand-peine qu'ils étaient parvenus à rejoindre la bourgade. Au matin, la tempête était un peu retombée et le paysan avait remonté la vallée du fjord d'Eskifjördur avec le sous-lieutenant. Ils avaient retrouvé d'autres soldats, certains étaient encore vivants, d'autres morts, et parmi eux il y avait leur chef. On avait retrouvé l'un des cadavres sur la côte. On pensa qu'il avait été emporté par la rivière Eskifjardara jusqu'à la mer. Tous les soldats avaient finalement été retrouvés, vivants ou morts. Il fut longtemps question dans les conversations de la lutte impitoyable que ces Britanniques avaient dû livrer contre les forces naturelles ; tout le monde disait que les choses auraient pu se terminer bien plus mal si ceux de la ferme de Veturhus n'avaient pas réagi de manière aussi rapide et adéquate.

— Beaucoup de gens se souviennent de l'histoire de ces militaires britanniques, mais bien peu de Matthildur, reprit Boas qui ouvrait toujours la marche, le renard sur son épaule. C'est pendant cette même tempête qu'elle a disparu de sa ferme. Son mari a déclaré qu'elle prévoyait de se rendre à Reydarfjördur en empruntant le même chemin que ces soldats et en passant, elle aussi, par les failles de Hrævarskörd. Ce n'était pas la première fois qu'elle prenait cette route, elle la connaissait bien, quand on a demandé aux soldats s'ils l'avaient aperçue, ils étaient certains que non.

— Ils n'auraient pas dû la croiser ? avait interrogé Erlendur.

— Ils se trouvaient au même endroit, au même moment, dans la même tempête. Les soldats allaient certes dans la direction opposée, mais ils auraient dû la croiser. Cela dit, ils étaient perdus, craignaient pour leur vie et avaient peut-être d'autres choses à quoi penser. Tous les soldats ont été retrouvés, qu'ils soient morts ou vivants, mais elle a disparu

26

sans laisser aucune trace. Des recherches ont été lancées quand on s'est rendu compte qu'elle n'était jamais arrivée à Reydarfjördur, mais à ce moment-là un certain temps s'était écoulé depuis son départ.

— Et qu'a déclaré son mari ?

— Rien d'autre. La mère de Matthildur vivait à Reydarfjördur, elle avait décidé d'entreprendre ce voyage en empruntant ce chemin de montagne qu'elle pensait bien connaître. Son mari, à ce qu'il disait, avait tenté de l'en dissuader, mais elle était fermement résolue. Il a expliqué que tout portait à croire qu'elle marchait vers une mort inéluctable.

— Pourquoi ne l'a-t-il pas accompagnée ?

— Je n'en sais rien. En revanche, il a signalé son départ sur cette route de montagne avant qu'on apprenne ce qui arrivait à ces soldats britanniques. Par conséquent, il ignorait que ces hommes empruntaient le même chemin.

— A-t-il dit qu'elle s'était perdue ?

— Non, simplement qu'elle était partie sur ce sentier.

— C'est important ?

— Ces soldats auraient dû la croiser ou, du moins, l'apercevoir. Cela dit, on ne peut pas en être absolument certain si la tempête sévissait déjà. Quand on a demandé aux membres de sa famille, à Reydarfjördur, s'ils attendaient sa visite, tous ont répondu que non, pas plus ce jour-là qu'un autre.

— Pourquoi n'y est-elle pas allée en voiture ou en barque ? s'était enquis Erlendur. À cette époque, une route convenable reliait déjà Eskifjördur à Reydarfjördur.

— Elle voulait y aller à pied. Elle avait parlé de prendre le sentier à travers les montagnes. C'était d'ailleurs également le cas de ces Britanniques. Ils considéraient leur expédition comme une excursion qu'ils s'offraient pour passer le temps, lutter contre l'ennui et le désœuvrement. En réalité, ils n'avaient aucune raison précise de se rendre au village d'Eskifjördur. Comme vous le savez peut-être, cet itinéraire est magnifique par beau temps. Et rien ne laissait présager qu'une telle tempête se préparait.

— Elle avait parlé de ce voyage à son mari ?

— Oui.

27

— Elle en avait parlé à d'autres personnes ?

— Je n'en sais rien, sans doute que non.

Les deux hommes avaient baissé les yeux vers la bourgade tapie dans le calme du fjord.

— Que croyez-vous qu'il soit arrivé ? avait interrogé Erlendur.

— Je n'en sais rien, avait répondu Boas. Je n'en ai pas la moindre idée.

Erlendur avait frappé plusieurs fois, il attendait depuis un certain temps que la femme à la fenêtre vienne lui ouvrir sa porte et décida finalement d'entrer sans y être invité. Il ignorait pour quelle raison elle ne venait pas et se disait que c'était peut-être simplement parce qu'elle était dans l'impossibilité de le faire. Il s'avança jusqu'à la porte du salon où la femme était toujours assise au même endroit, immobile. Il lui dit bonjour, mais elle ne lui répondit pas, les yeux toujours rivés sur la vitre.

Il s'approcha et lança un second bonjour. Elle tourna alors la tête et leva vers lui un regard furieux.

— Je ne vous ai pas invité à entrer, déclara-t-elle.

— Excusez-moi. J'aurais dû vous téléphoner pour vous prévenir de ma visite.

— Que me voulez-vous ?

— Je m'en vais, veuillez m'excuser.

Erlendur se disait qu'il était allé trop loin. Il n'aurait pas dû pénétrer dans cette maison sans y être invité. Il n'avait aucun droit d'entrer ainsi par effraction dans l'intimité des gens. Puisqu'elle n'était pas venue l'accueillir à sa porte, il aurait dû disparaître et la laisser tranquille. Elle était très petite, assise sur un coussin posé sur le fauteuil, les cheveux gris, elle approchait les quatre-vingts ans, estimait Erlendur. Ses yeux perçants étaient à l'affût et le toisaient, inquisiteurs. Elle tenait à la main une paire de jumelles.

— Je n'ai aucune envie de vendre cette maison, s'énerva-t-elle. Je vous l'ai déjà dit plusieurs fois. Plusieurs. Je ne vais pas aller en maison de retraite et je suis fermement opposée à ces grands travaux. Vous n'avez qu'à ramener toutes ces saloperies à Reykjavik! Je ne veux pas le moindre contact avec les rois de l'aluminium!

Il se retourna dans l'embrasure de la porte du salon.

— Je ne venais pas acheter votre maison, objecta-t-il. Et je n'ai rien à voir avec cette usine.

— Ah bon? Dans ce cas, qui êtes-vous donc?

— Je voulais vous parler de Matthildur, votre sœur. Votre sœur défunte.

La femme le dévisagea longuement. On aurait dit qu'elle n'avait pas entendu ce prénom depuis des années et qu'elle ne parvenait pas à dissimuler sa surprise de voir ce parfait inconnu débarquer chez elle pour lui parler de Matthildur.

— Il n'y a pas moyen d'avoir la paix, on est toujours dérangé par des gens de Reykjavik qui veulent acheter la maison, finit-elle par dire. Je vous ai pris pour l'un d'entre eux.

— Eh bien, ce n'est pas le cas.

— On vit bien des choses étranges, ces temps-ci.

— Je vous crois.

— Redites-moi qui vous êtes? interrogea-t-elle.

— Je suis policier à Reykjavik. Je suis en vacances et...

— Comment se fait-il que vous connaissiez le nom de ma sœur? s'enquit la vieille femme.

— J'en ai simplement entendu parler.

— Entendu parler, où ça? interrogea-t-elle d'un ton brutal.

— Eh bien, quand j'étais enfant, répondit Erlendur, et aussi récemment, j'ai discuté avec un chasseur de renard que j'ai rencontré pendant que je marchais sur la lande. Il s'appelle Boas. Je ne sais pas si vous le connaissez.

— Je suis bien placée pour le connaître, je l'ai eu comme élève tout gamin, c'était le plus terrible de toute l'école. En quoi Matthildur vous concerne-t-elle?

— Comme je viens de vous le dire, j'ai entendu parler d'elle quand j'étais petit, j'ai interrogé Boas à son sujet et...

Erlendur ne savait pas vraiment comment expliquer l'intérêt qu'il portait à cette histoire de femme disparue depuis longtemps, originaire de la région, et qui ne le concernait, à vrai dire, pas du tout. Lui-même était devenu étranger à ces lieux, il n'était pas membre de sa famille et ne se rendait dans les fjords de l'est qu'en coup de vent. Parfois plusieurs années s'écoulaient entre ses visites. Même s'il avait passé son enfance ici jusqu'à sa communion, il ne connaissait pas les habitants, n'avait gardé contact avec personne et n'était revenu ici qu'à l'âge adulte. Toute sa vie était à Reykjavik, que cela lui plaise ou non.

En revanche, une partie de son histoire était consignée là pour l'éternité, témoin sans concession d'une nature âpre et impitoyable autant que de l'impuissance de l'homme.

— ... et je m'intéresse aux gens qui disparaissent dans les tempêtes ou se perdent dans les montagnes, déclara-t-il sans ambages.

5

La femme changea immédiatement d'attitude. Elle lui demanda son nom, il se présenta, se bornant à dire qu'il passait par là et prévoyait de rester quelques jours dans les fjords de l'est. Elle le salua d'une poignée de main et précisa qu'elle s'appelait Hrund. Il voyait maintenant ce qu'elle regardait ainsi à sa fenêtre. Il comprit qu'elle ne l'avait pas observé, pas plus qu'elle ne l'avait attendu, mais qu'elle surveillait la construction des gigantesques pylônes électriques qui surplomberaient bientôt la bourgade et alimenteraient la fonderie d'aluminium dont les bâtiments longeaient le fjord. Elle l'invita à s'asseoir avec elle dans le salon. Il prit place sur un vieux canapé qui grinçait et elle opta pour le fauteuil face à lui. Cette petite femme tout en finesse n'hésitait pas à lui poser des questions, maintenant qu'une certaine forme de connivence s'était installée entre eux. Il lui parla en détail de son intérêt pour les disparitions, ces gens qui se perdaient et périssaient dans les montagnes et sur les hautes landes dans des conditions météorologiques particulières et difficiles. Elle l'écouta et, peu à peu, il orienta la conversation sur la disparition de Matthildur en janvier 1942, au cours de cette terrible tempête dans laquelle des soldats britanniques s'étaient également perdus, et où certains avaient péri.

Elle était l'une des quatre filles d'un couple de Reydarfjördur. Son père et sa mère étaient arrivés ici dans la deuxième décennie du siècle dernier depuis le fjord de Skagafjördur et la commune de Lytingsstadahreppur, dans le nord du pays où ils possédaient une ferme qui leur assurait tout juste leur subsistance. Le mari avait des origines dans les fjords de l'est où il avait repris la ferme de son oncle. Ce n'était pas un paysan très doué, mais aux dires de Boas très porté sur la boisson, et il était mort quelques années plus tard. Son épouse s'était alors retrouvée seule avec leurs quatre filles, elle était parvenue à s'occuper de la ferme et même à redresser l'exploitation avec l'aide de ses voisins. Elle avait épousé un homme de la région et élevé ses filles. Les deux aînées avaient quitté la province pour aller s'installer à Reykjavik, Matthildur avait épousé un pêcheur originaire d'Eskifjördur. Ils vivaient ensemble depuis un certain temps et n'avait pas eu le bonheur d'avoir des enfants lorsque Matthildur avait disparu dans la tempête. Hrund était la benjamine, elle s'était également mariée et était restée à Reydarfjördur.

— Mes sœurs sont mortes toutes les trois, dit-elle. Je n'avais pas beaucoup de relations avec celles qui étaient parties à Reykjavik. Parfois, elles ne venaient pas nous voir plusieurs années de suite. Il y avait des lettres, mais les visites étaient rares, un de leurs fils, celui d'Ingunn, est venu s'installer, encore jeune, dans la région, il vit maintenant à Egilsstadir, en maison de retraite, mais nous ne sommes pas en contact. Je ne garde de Matthildur que de bons souvenirs, elle a disparu à l'époque où je faisais ma communion. Les gens affirmaient qu'elle était la plus jolie de nous quatre. Mais vous savez comment ils sont. Ils disaient peut-être ça simplement parce qu'elle était morte. Vous imaginez bien que son décès a été une tragédie pour la famille.

— On m'a raconté qu'elle avait quitté Eskifjördur dans l'intention de rendre visite à votre mère, ici, à Reydarfjördur, déclara Erlendur.

— C'est ce que disait Jakob, son mari. Elle s'est retrouvée piégée dans la même tempête que ces soldats britanniques. Vous connaissez peut-être cette histoire ?

Erlendur hocha la tête.

— Les recherches lancées pour la retrouver sont restées vaines. On a passé la région au peigne fin, ici, sur le versant de Reydarfjördur, et bien sûr, sur celui d'Eskifjördur depuis lequel elle est partie, mais on ne l'a jamais retrouvée.

— Il est tombé des trombes de pluie, reprit Erlendur, les rivières sont soudainement entrées en crue. L'un des soldats qui a perdu la vie s'est sans doute noyé dans l'Eskifjardara avant d'être emporté par le courant jusqu'à la mer.

– Tout le monde le savait, on a arpenté le rivage de long en large. Mais peut-être qu'elle a été emportée jusqu'en haute mer. Cette explication est sans doute la plus probable.

– On s'estimait heureux qu'un aussi grand nombre de soldats aient survécu à cette tempête, observa Erlendur. Peut-être les gens ont-ils pensé qu'il convenait de se réjouir d'une telle bénédiction et de s'en contenter. D'autres personnes étaient-elles au courant de son projet de se rendre à Reydarfjördur? Je veux dire, autres que son époux.

– Je ne crois pas. Elle n'avait prévenu personne.

– Quelqu'un l'aurait-il aperçue? A-t-elle fait une halte quelque part où elle a été vue pendant qu'elle montait sur la lande?

– La dernière personne à l'avoir vue était son mari, quand elle lui a dit au revoir. Il a déclaré qu'elle s'était bien équipée pour le voyage, qu'elle avait emporté un pique-nique en lui disant qu'elle avait sans doute toute une journée de marche devant elle. Elle était partie très tôt parce qu'elle voulait arriver à Reydarfjördur à une heure convenable. C'est pour ça que peu de gens étaient levés à l'heure de son départ. Elle n'avait prévu de s'accorder aucune halte.

– Les soldats ont déclaré ne pas l'avoir aperçue.

– En effet.

– Elle passait pourtant aux mêmes endroits qu'eux.

– Oui, mais le temps était tel qu'on y voyait à peine à deux mètres.

– Et votre mère ignorait qu'elle viendrait lui rendre visite, n'est-ce pas?

– Je vois que Þoas vous a tout raconté.

– Il m'a vaguement dit un certain nombre de choses.

– Jakob était…

Hrund regarda par cette fenêtre où elle passait toutes ses journées, assise sur un coussin, une paire de jumelles à la main. Au crépuscule, la lueur des travaux de construction de la fonderie d'aluminium éclairait la nuit. Ses lèvres laissèrent affleurer un sourire indéchiffrable.

– Le présent est un drôle d'animal, déclara-t-elle, changeant subitement de conversation. Elle se mit à parler des temps qui changent et de transformations dont le sens lui échappait grandement : les grands travaux de la fonderie d'aluminium, la retenue d'eau de Karahnjukar, les gorges de la rivière glaciaire, aujourd'hui englouties en aval du barrage, qui formait le plus grand lac artificiel d'Islande. Apparemment, rien de tout cela ne la réjouissait. Erlendur pensa à Boas et à ce moment où ils étaient tous deux descendus de la lande. Le paysan lui avait parlé des soupçons qui s'étaient éveillés et continuaient de hanter ceux qui avaient vécu et conservé le souvenir de la disparition de Matthildur. Mais la plupart d'entre eux reposaient six pieds sous terre ou bien étaient aujourd'hui séniles et avaient atteint un âge avancé.

— Jakob Ragnarson a eu la vie difficile, reprit Hrund au terme de sa digression.

— Difficile, comment ? s'enquit Erlendur.

— Disons qu'avec le temps, les gens se sont mis à raconter toutes sortes d'histoires. Certains disaient même qu'elle était revenue pour le hanter, qu'elle ne lui avait laissé aucun répit au cours des quelques années qui lui restaient à vivre. Ce genre d'imbécilités. Comme si ma sœur avait été une revenante... une Solveig de Miklabær !

— Mais vous, le reste de la famille, quelle était votre opinion ? Vous aviez des griefs contre lui, des griefs justifiés ?

— Aucune enquête n'a été ouverte, répondit Hrund. Mais le corps de Matthildur n'ayant jamais été retrouvé, cela n'a pas manqué d'éveiller les soupçons sur son mari, certains s'imaginaient qu'il avait quelque chose à cacher, ce n'est pas très étonnant. On racontait que Matthildur l'avait quitté et était partie dans la tempête, qu'elle n'avait jamais eu l'intention de se rendre à Reydarfjördur, que c'était lui qui l'avait jetée dehors, la livrant à cette tourmente. Je suppose que ce filou de Boas ne s'est pas privé de vous raconter ça en détail quand vous avez discuté avec lui.

Erlendur secoua la tête.

— Il ne m'en a pas dit un mot. Mais, rappelez-moi, qu'est devenu Jakob ? Il est mort, n'est-ce pas ?

— Il s'est noyé, il est enterré à Djupavogur. C'est arrivé quelques années après le décès de ma sœur. Sa barque a chaviré sur le fjord d'Eskifjördur au cours d'une tempête déchaînée, les deux hommes présents à bord ont péri.

— Et ça a été la conclusion de cette histoire.

— Je suppose, répondit Hrund. La dépouille de Matthildur n'a jamais été retrouvée. Des années plus tard, un petit garçon est lui aussi mort sur la lande. On ne l'a jamais retrouvé non plus. C'est que la vie est rude dans ce pays.

— C'est vrai, convint Erlendur.

— Vous vous intéressez aussi à cette affaire ?

— Non, pas vraiment.

— Certains disaient que Matthildur s'est attaquée à lui jusqu'à finalement causer sa mort. Elle a même été accusée de cet accident en mer. C'est n'importe quoi, bien sûr. Les Islandais aiment les histoires de revenants et adorent en inventer. Tout cela est allé si loin que l'un des porteurs de son cercueil a raconté avoir entendu ses gémissements dans le cimetière au moment où on l'a mis en terre. Franchement, quelles salades ! Mais ce n'était pas tout.

— Je me souviens avoir entendu parler de ces Britanniques, observa Erlendur.

— Certains racontaient qu'elle s'en était trouvé un. Qu'elle avait eu un amant, qu'elle voyait l'un de ces soldats en secret et qu'elle avait quitté l'Islande avec lui à bord d'un navire. Qu'elle avait eu tellement honte de sa conduite qu'elle n'avait jamais osé envoyer de lettres au pays.

— Ou bien qu'elle était morte ?

— Oui, morte peu de temps après avoir quitté son domicile. On a posé des questions aux soldats de l'armée d'occupation présents dans la région, mais cela ne disait rien à aucun d'entre eux. D'ailleurs, c'était n'importe quoi. Vraiment n'importe quoi.

— Y a-t-il des membres de la famille ou des amis de Jakob qui seraient encore vivants et que je pourrais interroger ?

— Ils ne sont pas nombreux. À l'époque, quand il est arrivé de Reykjavik, il a habité chez son oncle maternel à Djupavogur, mais cet homme est mort depuis longtemps. Vous pourriez peut-être aller voir Ezra. Il était ami avec Jakob.

6

Autour de lui, il fait froid, il fait noir. Des pensées, des silhouettes et des événements passés lui traversent constamment l'esprit sans qu'il puisse rien y faire. Il a énormément de peine à distinguer les lieux et les époques. Il est partout et nulle part en un seul et même instant.

Allongé dans sa chambre, il est envahi par un calme étrange après cette piqûre. C'est en vain qu'il continue de lutter. On dirait que le sang cesse de couler dans ses veines et ses pensées se perdent dans le brouillard.

Le médecin lui explique ce qu'il va faire, mais il l'entend à peine. Il se débat et crie tout ce qu'il peut jusqu'au moment où on l'attrape pour le remettre dans le lit. Le médecin suggère à mi-voix une solution à sa mère qui hoche la tête d'un air résigné. Il aperçoit la seringue entre ses mains, sent la douleur de la piqûre qui entre dans son bras et se calme peu à peu.

Assise sur le bord du lit, sa mère lui caresse le front. Elle a l'air infiniment triste et il ferait n'importe quoi pour mettre fin à sa mélancolie.

– Tu peux nous dire quelque chose sur ton frère? murmure-t-elle.

Les engelures bénignes dont il souffre aux bras et aux jambes ne lui font pas mal. Il ne reprend conscience que dans les bras d'un des sauveteurs qui s'efforce de lui faire avaler du lait tiède. On se relaie pour le descendre de la lande et l'emmener au chaud aussi vite que possible. C'est sa mère qui le porte sur les derniers mètres jusqu'à ce que le médecin prenne le relais pour l'examiner et panser ses engelures. On lui dit que son père est sain et sauf. Pourquoi ne le serait-il pas? pense-t-il. Il ne se souvient de rien. Il regarde autour de lui et voit tous ces inconnus dans la maison, des hommes équipés de talkies-walkies et de longs bâtons sur le seuil de la ferme, des gens qui le regardent comme s'ils voyaient un revenant. Il reprend graduellement conscience, dans sa tête s'assemblent des fragments d'événements survenus depuis qu'ils ont quitté la maison, d'abord de manière décousue, puis l'ensemble du puzzle se reconstitue. Il attrape le bras de sa mère.

— Où est Beggi? s'inquiète-t-il.

— Il n'était pas avec toi, lui répond-elle. On le cherche à l'endroit où nous t'avons trouvé.

— Il n'est pas rentré à la maison?

Sa mère secoue la tête.

Il commence alors à s'agiter et perd pied. Il se lève de son lit dans l'intention de quitter la chambre, mais sa mère l'en empêche. Furieux, il parvient à se libérer de ses bras et à gagner le couloir où il tombe nez à nez avec le médecin et l'un des deux sauveteurs qui l'ont ramené à Bakkasel. Il tente de leur échapper, mais les deux hommes l'attrapent fermement et lui parlent pour le raisonner et le calmer. Sa mère le serre dans ses bras, elle lui explique qu'une foule de gens est à la recherche de son frère Bergur, qu'ils ne tarderont plus à le retrouver et que tout va rentrer dans l'ordre. Il ne l'écoute pas, mord, griffe et tente d'atteindre l'endroit où sont rangés ses bottes et son manteau. Il est fou de colère quand on lui interdit de sortir. Finalement, le médecin doit opter pour une solution radicale et lui administre un calmant.

— Tu peux nous dire quelque chose sur Beggi? lui demande à nouveau sa mère, lorsqu'il est enfin de nouveau au lit et qu'il n'a plus la force de lutter. C'est très important que tu nous répondes, mon petit chéri.

— Je le tenais par la main, murmure-t-il. J'ai tenu sa main tant que j'ai pu. Puis, tout à coup, il a disparu. Je me suis retrouvé seul. Je ne sais pas ce qui est arrivé.

— Ça fait combien de temps?

Il sent que sa mère s'efforce de garder son calme même si elle est morte d'inquiétude. Deux membres de sa famille sont sortis sains et saufs de cette tempête et l'idée que Bergur ne rentre pas à la maison lui est insupportable.

— Je ne sais pas, répond-il.

– Il faisait encore jour?

– Je crois. Je ne suis pas sûr. J'avais tellement froid.

– Tu sais dans quelle direction vous marchiez? Est-ce que vous descendiez ou est-ce que vous montiez?

– Je ne sais pas. Je tombais tout le temps, tout était blanc autour de moi et je ne voyais rien. Je me souviens que papa nous a dit qu'il fallait rentrer à la maison immédiatement. Ensuite, il a disparu.

– Cela fait plus d'une journée, soupire sa mère. Je vais remonter sur la lande, mon petit. Il n'y a jamais trop de bras. Repose-toi, tout ira bien. Nous allons retrouver Beggi. Ne t'inquiète pas trop.

Le médicament fait effet et les paroles rassurantes de sa mère l'apaisent légèrement. Il s'endort et s'oublie quelques heures. À son réveil, tout est étrangement calme autour de lui, un silence inquiétant a envahi la maison. Il a l'impression de sortir d'un cauchemar affreux et interminable, mais comprend bien vite qu'il n'en est rien, il conserve à l'esprit un souvenir très vif des événements des jours précédents. Encore un peu assommé par le calmant, il quitte son lit et va dans le couloir. La porte de la chambre de ses parents est fermée. Il s'avance, l'ouvre et découvre son père qui, assis au bord du lit, ne remarque pas que son fils vient d'entrer. Immobile, tête baissée, ses mains reposent sur les cuisses. Il dort peut-être. Dans la chambre, c'est la pénombre. Le fils n'a aucune idée de l'ampleur des souffrances physiques que son père a endurées, il ignore qu'il a parcouru à quatre pattes les derniers mètres jusqu'à Bakkasel, transi et sans bonnet, rendu presque fou par cette bataille qu'il a livrée contre la tempête.

– Tu ne vas pas le chercher?

Son père ne répond rien et se contente de scruter ses mains inertes. Il s'approche, lui pose une main sur le genou et l'interroge à nouveau. On dirait que cet homme a vieilli de plusieurs années. Les traits de son visage se sont creusés. La lueur qui animait ses yeux a disparu, ils sont froids, lointains, et ne lui jettent même pas un regard. Jamais il ne l'a vu aussi triste, solitaire et déprimé que là, au bord du lit, dans cette chambre enténébrée. Il reste debout, angoissé, terrifié, et s'efforce de s'excuser en prononçant les paroles les plus humbles qui soient.

— Je n'ai rien pu faire, murmure-t-il. Je ne pouvais rien faire.

7

Lorsque Erlendur lui rendit visite, Ezra était assis dans un petit hangar à claire-voie vieilli par le temps, un peu en contrebas de sa maison, occupé à attendrir du poisson séché à l'aide d'un maillet. Après avoir frappé à sa porte, Erlendur s'était laissé guider par le bruit. Il entendait des coups étouffés qui montaient du bâtiment, cet assemblage de bois de récupération et de plaques de tôle ondulée, muni d'une porte qui se fermait par un bout de ficelle. Cette dernière était grande ouverte à l'arrivée d'Erlendur qui découvrit Ezra, assis sur un tabouret, penché, un maillet à la main. Il tenait la queue d'un aiglefin séché qu'il avait posé sur une pierre grisâtre et frappait le poisson à un rythme soutenu afin de l'attendrir. Ezra ne leva pas les yeux de son ouvrage et ne remarqua pas la présence d'Erlendur qui resta un long moment debout dans l'embrasure à l'observer travailler. Le vieil homme avait une goutte au nez qui revenait constamment et qu'il essuyait de temps à autre d'un revers de main. Il portait des moufles en laine munies de deux pouces et sur la tête un bonnet en cuir ridiculement grand avec deux rabats qui lui couvraient les oreilles et lui tombaient sur les joues. Il était vêtu d'un pull islandais sous sa combinaison de travail brune, sa barbe était hirsute et il marmonnait constamment des paroles incompréhensibles à travers sa lèvre inférieure renflée, manifestement abîmée dans un passé lointain. Extrêmement ridé, le menton large et fort, le nez imposant, Ezra était loin d'être bel homme, mais son attitude laissait entrevoir qu'il ne manquait pas de caractère. Ses sourcils broussailleux surmontaient ses yeux gris qui semblaient constamment mouillés.

Il s'accorda enfin une brève pause, cessa de battre le morceau d'aiglefin, leva les yeux et découvrit Erlendur à la porte.

— Vous venez m'acheter du poisson ? interrogea-t-il d'une voix usée et rauque.

— Je vous en prendrais bien un peu, répondit Erlendur, brusquement en proie au sentiment d'être revenu au XIXe siècle.

— Je peux vous en vendre, répondit Ezra. Le magasin m'en prend une bonne partie, mais ça vous reviendra moins cher de me l'acheter directement.

— Et il est bon ?

Erlendur s'approcha d'un pas.

— Oh que oui ! s'exclama Ezra en forçant sa voix. C'est le meilleur de tous les fjords de l'est !

— Vous l'attendrissez encore au maillet ?

— J'en produis tellement peu que ça ne vaut pas le coup d'acheter une machine, confia Ezra. En plus, je ne tarderai plus à casser ma pipe. En fait, il y a longtemps que je devrais avoir débarrassé le plancher.

Les deux hommes convinrent du prix et de la quantité, puis discutèrent un moment du temps qu'il faisait, de la pêche, du barrage et des travaux de construction de la fonderie d'aluminium qui ne semblaient pas passionner Ezra.

— Que les gens s'empoisonnent la vie comme ils veulent, je m'en fiche, résuma-t-il.

Hrund avait confié à Erlendur qu'Ezra avait toujours vécu seul, qu'il ne s'était jamais marié, pas plus qu'il n'avait eu d'enfants — en tout cas, pour autant qu'elle sache. Il avait vécu ici du plus loin que les plus anciens se souviennent, ne s'était jamais occupé des affaires des autres, et personne ne s'était jamais mêlé des siennes. Il avait été ouvrier à terre et avait aussi travaillé en mer, longtemps en solitaire. Ses forces commençaient à décliner, ce qui était compréhensible puisqu'il n'allait pas tarder à fêter ses quatre-vingt-dix ans. De braves gens avaient tenté de le faire entrer en maison de retraite, mais il n'avait pas voulu en entendre parler. Il n'hésitait pas à aborder le sujet de son décès imminent face au premier venu et à lui dire qu'il avait hâte d'aller vers son destin. Depuis des années, il refusait d'entreprendre quoi que ce soit puisque, étant à l'article de la mort, tout était perte de temps. Hrund avait confié à Erlendur que c'était bien la plus

41

étrange forme de paresse dont elle ait été témoin de toute son existence.

Erlendur orienta peu à peu la conversation sur les histoires de gens qui se perdaient dans les tempêtes ou sur les chemins de montagne tandis qu'Ezra continuait de battre son poisson.

— Je me suis un peu penché sur les récits de ce genre d'événements dans la région, expliqua-t-il.

— Ah bon, s'étonna Ezra. Vous êtes historien ?

— Non, mais tout ça m'intéresse beaucoup. J'ai lu l'histoire de ces soldats anglais qui voulaient traverser la lande en passant par les failles de Hrævarskörd. Cela remonte à, disons, une bonne soixantaine d'années, non ?

— Je m'en souviens très bien, répondit Ezra. J'en ai même rencontré certains. Tous ces braves garçons se sont retrouvés piégés par une affreuse tempête. Quelques-uns ont péri, mais tous ont été retrouvés, vivants ou morts. Et permettez-moi de vous dire que ce n'est pas quelque chose qui va de soi.

— C'est vrai, convint Erlendur.

Ezra porta sa moufle à son nez et lui demanda s'il voulait prendre un café pendant qu'ils concluraient la transaction concernant l'aiglefin. Erlendur accepta son invitation, ils remontèrent vers la maison et entrèrent dans la cuisine où Ezra mit en route une vieille cafetière qui rotait et crachotait mais filtrait un excellent café, fort et riche en arôme. La cuisine était propre, meublée d'un antique frigo et d'une cuisinière de marque Rafha, plus vieille encore. Par la fenêtre, on avait vue sur le fjord et sur la lande d'Eskifjardarheidi. Ezra attrapa deux tasses et les remplit, il ajouta quatre sucres à la sienne et en proposa à Erlendur qui déclina l'offre. Après avoir consacré un certain temps à la tragédie vécue par les soldats Britanniques, ils en vinrent à l'histoire de cette jeune femme disparue au cours de la même tempête.

— Ah oui, observa Ezra avec douceur. Elle s'appelait Matthildur.

— On m'a dit que vous étiez ami avec Jakob, son mari.

— En effet, on faisait pas mal de choses ensemble, lui et moi, à l'époque.

42

– Donc vous la connaissiez aussi, vous les connaissiez tous les deux.

– Eh oui, évidemment.

– Ils étaient heureux ensemble?

Ezra avait jusque-là tourné son café calmement, il s'arrêta tout à coup, frappa deux ou trois fois la cuiller contre le bord de la tasse avant de la reposer sur la table.

– Je ne suis pas le premier que vous venez interroger sur cette histoire, n'est-ce pas?

– C'est vrai, avoua Erlendur.

– Redites-moi qui vous êtes?

Erlendur ne s'était pas présenté, mais il le fit à ce moment-là, il expliqua qu'il venait de Reykjavik, mais qu'il était né dans les fjords de l'est et qu'il s'intéressait aux histoires de gens qui s'étaient perdus dans les montagnes, de gens dont les corps n'avaient jamais été retrouvés et dont personne ne connaissait le destin avec certitude. Ezra le dévisagea, comprit qu'il avait en face de lui un enfant du pays qui avait quitté la région, mais qu'il pouvait très bien connaître. Il voulut savoir à quel endroit il avait habité et l'interrogea sur ses parents. Erlendur lui raconta tout cela. Ezra lui répondit qu'il se souvenait très bien de Sveinn et d'Aslaug à la métairie de Bakkasel que tout le monde appelait simplement Bakkasel.

– Vous savez tout de moi, observa Erlendur. Alors, que pouvez-vous me dire de Matthildur?

– Ils ont dû déménager, poursuivit Ezra en se penchant au-dessus de la table de la cuisine. Sveinn et Aslaug. Ils ne pouvaient plus continuer de vivre là, au pied de la lande. Pas après ce qui était arrivé. J'ai entendu dire que vous veniez parfois ici et que vous alliez dans la montagne.

– C'est exact, convint Erlendur. Je l'ai fait plusieurs fois.

– Vos parents reposent au cimetière du village, c'est ça?

– En effet.

– C'étaient de braves gens, reprit Ezra avant d'avaler une gorgée de café. De très braves gens. Votre père enseignait de temps en temps la musique à l'école du village, si je me souviens bien. Il avait un vieux violon. C'est terrible, tous ces drames! Quelqu'un m'a raconté que vous étiez policier à

Reykjavik. C'est pour cette raison que vous venez m'interroger sur Matthildur?

— Non, répondit Erlendur, plutôt par curiosité personnelle. Je m'intéresse à ce genre d'histoires.

Ezra resta un long moment pensif à regarder par la fenêtre, les yeux levés vers la lande. La montagne était encore dissimulée derrière un rideau de brume, comme lorsque Erlendur s'y était rendu, quelques jours plus tôt, après avoir fait le voyage d'une traite en voiture depuis Reykjavik. Il avait ressenti le besoin de venir dans les fjords de l'est. Il venait d'enquêter sur le prétendu suicide d'une femme à Thingvellir, à l'automne, et s'était retrouvé au fond d'une impasse. L'enquête concernait un cas d'hypothermie qui, étrangement, avait réveillé en lui le souvenir de son frère mort de froid dans une tempête déchaînée sur les hautes terres surplombant le village d'Eskifjördur.

— Jakob cachait bien son jeu, dit enfin Ezra. Je ne juge personne, je serais mal placé pour ça avec tous mes défauts, mais il y avait chez lui quelque chose qui rendait les gens méfiants à son égard... Je ne dirais pas que c'était de la malhonnêteté... hemm... non, on ne peut pas dire qu'il était malhonnête, pas vraiment, mais disons qu'il cachait bien son jeu. Et les gens le savaient. Ils le connaissaient. Ici, tout le monde connaît tout le monde. Je suppose que Reykjavik est une ville tellement grande maintenant que plus personne ne se connaît là-bas.

Erlendur hocha la tête.

— Les années passant, toutes sortes de rumeurs ont couru sur son compte, poursuivit Ezra. Certains disaient qu'il avait jeté sa femme à la porte ou qu'il l'avait chassée sur la lande, enfin, ce genre de choses. J'imagine que vous savez déjà tout ça.

— En partie, oui.

— Puis, un jour, il s'est noyé ici, dans le fjord, ce qui a mis un point final à cette histoire. Il ne s'est pas remarié après la mort de Matthildur, il a sombré dans l'alcool et laissez-moi vous dire que ce n'était pas beau à voir. Ensuite, il a eu cet accident en mer. Sa barque a chaviré. Lui et l'homme qui l'accompagnait sont morts tous les deux. On a réussi à les repêcher et à les ramener à terre, mais leur barque était en mille morceaux.

— C'est arrivé ici, à Eskifjördur?

— De l'autre côté du fjord. Ils remontaient leurs lignes, le temps était déchaîné et l'embarcation s'est retournée. C'était en plein hiver.

— Dites-moi quelque chose concernant Matthildur, on n'aurait pas dû retrouver son corps?

— Ça, vous êtes mieux placé que moi pour le savoir, répondit Ezra en le fixant de ses petits yeux humides.

Erlendur lui rendit un bref sourire.

— Et qu'en disaient les gens?

— Ils n'ont pas cherché midi à quatorze heures. Les rivières avaient débordé. Que ce soient les deux Thvera ou l'Eskifjardara qui s'étaient transformées en fleuves bouillonnants. Elles ont dû emporter Matthildur avec elles. Vous savez sans doute qu'un soldat britannique a été emporté jusqu'à la mer après avoir tenté de traverser l'un de ces cours d'eau. On a eu de la chance de retrouver son cadavre.

— Oui, on m'a dit ça.

— Je suppose qu'elle a connu le même sort, non? poursuivit Ezra, les yeux humides. À mon avis, c'est l'explication la plus probable.

8

Erlendur avala une gorgée de café bien fort, jeta un regard au vieil homme et se rappela que Hrund lui avait dit qu'il avait toujours vécu seul. Il aurait d'ailleurs pu en jurer dès qu'il avait franchi le seuil de la maison. Le caractère spartiate des lieux, l'ameublement vieillot et l'absence d'ornements, toutes ces choses qui manquaient pour créer un foyer chaleureux, étaient les signes manifestes du célibat endurci qu'Erlendur connaissait lui-même si bien. Un chat arriva dans la cuisine et se frotta contre sa jambe avant d'aller sous la table et de sauter sur les genoux d'Ezra où il s'installa, curieux, inquisiteur. Le vieil homme le caressait d'un air absent.

— Si je comprends bien, les gens regardaient Jakob de travers, observa Erlendur.

— Oui, d'une certaine manière, convint Ezra, hésitant, tandis qu'il continuait de caresser son chat. Comme je viens de vous le dire, un certain nombre de rumeurs couraient sur son compte. On ne les croyait pas vraiment... pas vraiment, mais elles lui ont collé à la peau jusqu'à sa mort. Et elles sont toujours vivaces, à ce que j'ai cru comprendre, ajouta Ezra en levant les yeux vers son visiteur.

— Et vous, qu'en pensez-vous?

— Moi? Je ne vois pas ce que ça changerait à l'affaire.

— Vous n'étiez pas amis?

— Si.

— Elle avait l'intention de le quitter?

— Ça, je n'en sais rien.

— Vous avez interrogé Jakob là-dessus?

— Non, répondit Ezra. Je ne lui ai rien demandé. Et je ne connais personne qui lui ait posé la question, d'ailleurs ces rumeurs étaient sans aucun fondement.

– On m'a raconté qu'après avoir disparu, elle était revenue pour le harceler, reprit Erlendur. Vous avez une idée de ce qu'on entend par là ?

– C'est n'importe quoi, bien sûr. Sauf si on croit aux fantômes. Et je doute que vous y croyiez, vous êtes un homme éclairé. En revanche, il est vrai qu'après ça, ce n'était plus le même. Il a changé et s'est beaucoup isolé. Peut-être pensait-il avoir une part de responsabilité. Peut-être que le souvenir de sa femme est effectivement revenu le hanter. Mais qu'elle ait arpenté leur maison en chair et en os après sa disparition avant de le conduire à cette mort en mer relève bien sûr de la pure fantaisie. Ce sont des histoires de bonnes femmes.

– Vous voulez dire qu'on l'accusait d'avoir elle-même retourné sa barque ?

– C'était ce que disait l'une de ces rumeurs, en effet. Vous voyez comme elles sont crédibles.

Erlendur hocha la tête. Il savait que, même lorsque ce genre d'histoires naissaient, peu de gens les prenaient au sérieux. Dans le passé, elles avaient bénéficié de plus de crédit. Elles faisaient partie de ces récits que le pays se racontait depuis des siècles pour se distraire, ces histoires de revenants, d'elfes, de trolls, de pierres enchantées et de gens cachés, qui unissaient l'homme à son environnement par d'invisibles liens. À cette époque-là, le pays était plus proche de la nature, dont il dépendait entièrement. Le respect de la terre et des puissances invisibles qu'elle abritait en son sein était le fil rouge de ces contes et récits. Bien souvent, ce respect se manifestait sous forme de mises en garde : personne ne devait sous-estimer les forces naturelles. C'était d'ailleurs le point de départ d'un grand nombre de récits de disparitions dans les montagnes ou sur les hautes terres, ces récits dont Erlendur était un lecteur assidu, et qu'il connaissait par cœur.

– Que pensiez-vous de ce que les gens disaient sur Jakob ?

– Ce que les gens racontent ne me regarde pas.

– Vous étiez amis d'enfance ?

– Non, je ne suis pas originaire d'ici et il ne l'était pas non plus. On avait à peu près le même âge, il avait deux ans de plus que moi. Il venait de Reykjavik, mais n'en parlait pas beaucoup.

Il y eut un silence.

— Voulez-vous un peu plus de poisson séché? proposa Ezra au bout d'un moment. Il continuait de caresser son chat qui sursauta et bondit tout à coup sur le sol avant de quitter la cuisine, tellement excité qu'Erlendur pensa qu'il avait aperçu une souris.

— Non, je vous remercie, ça ira, répondit-il en se mettant debout. Je vous ai assez dérangé comme ça.

— Je vous en prie, rassura Ezra.

— Des rumeurs affirmaient qu'elle avait rencontré un soldat britannique et qu'elle avait quitté l'Islande avec lui.

— J'ai entendu ces histoires, mais tout ça n'est qu'un tissu de bêtises. Matthildur ne couchait pas avec les Anglais, c'est ridicule et complètement faux.

Alors qu'Erlendur s'apprêtait à sortir de la cuisine, son regard s'arrêta sur un petit objet posé, parmi d'autres, en haut du réfrigérateur à côté de la porte. Il l'observa un long moment avant de s'approcher pour l'examiner d'un peu plus près. Il s'agissait d'une petite voiture qui tenait parfaitement dans la main d'un enfant. Tout usée, ses couleurs s'étaient effacées, elle avait perdu ses roues et le fond était tombé, ne laissant que la carcasse vide.

— Où avez-vous eu ça? interrogea Erlendur, les yeux rivés sur le jouet.

— Je l'ai trouvé, répondit Ezra.

— À quel endroit?

— Attendez, ce devait être à côté du terrier d'un renard. Sans doute quelque part sur les pentes de la montagne Hardskafi.

— Hardskafi?

— Eh bien, il me semble. Ça remonte à une éternité. Je l'avais complètement oubliée. Cette petite voiture se trouvait là et je l'ai gardée. Je ne sais pas pourquoi. Ça m'a amusé de la voir à côté d'un terrier.

— Ça remonte à quand, vous vous en souvenez?

— Oh mon Dieu, ça fait une paye! Je dirais que c'était dans les années 80. Je ne m'en souviens pas exactement. J'imagine que j'étais parti chasser le renard. A cette époque-là, on vous payait la queue de l'animal à un bon prix. Aujourd'hui, le renard va et vient en toute liberté.

Erlendur continuait de fixer l'objet.

— Je peux l'examiner?

— L'examiner? répliqua Ezra. Évidemment, vous n'êtes pas dans un musée.

Erlendur attrapa le jouet et le fit passer entre ses doigts.

— Vous pouvez même le garder, si vous voulez, proposa Ezra, ayant remarqué combien son hôte était bouleversé à la vue de ce petit objet. Cette voiture ne me sert à rien. Et, de toute façon, je n'en ai plus pour bien longtemps.

— Vraiment? Ça ne vous dérange pas?

— Allons, emportez-la!

— Vous avez trouvé d'autres choses aux alentours de cette tanière? interrogea Erlendur en plongeant le jouet dans sa poche.

— Non, ou alors je ne m'en souviens pas.

— Vous avez une idée de la manière dont elle est arrivée à cet endroit?

— J'imagine que le renard l'a trouvée quelque part ou qu'un oiseau l'a attrapée dans son bec et fait tomber à côté du terrier. À moins que quelqu'un l'ait perdue en passant par là. C'est difficile à dire.

— Et c'était bien sur les pentes de Hardskafi?

— Oui, c'est très probable.

— Merci beaucoup, dit Erlendur, hébété. Il quitta la maison comme hypnotisé, s'installa au volant de sa voiture et démarra. Dans son rétroviseur, il vit Ezra le suivre du regard depuis le seuil de sa maison, les paroles de Boas lui revinrent en mémoire: on trouve les choses les plus incroyables dans la tanière d'un renard.

9

Erlendur resta assis dans sa voiture jusqu'à la tombée de la nuit. Il fuma cigarette sur cigarette, laissant sa vitre entrouverte afin que l'habitacle ne s'emplisse pas de fumée. Il n'avait aucune envie de goûter le poisson séché d'Ezra qu'il avait posé sur le siège du passager. Il était descendu jusqu'à la mer pour regarder le jour s'évanouir dans le crépuscule. Il observait un gigantesque cargo qui entrait dans le fjord de Reydarfjördur et méditait sur les transformations engendrées par la grande industrie. Partout, on construisait des bâtiments, des maisons, des magasins, de nouvelles routes, témoins d'une activité florissante. Les rares personnes avec lesquelles il avait discuté ne partageaient pas l'opinion de Boas et de Hrund, tous se déclaraient extrêmement satisfaits de ces grands travaux, qu'il s'agisse des employés des magasins, de ceux qui travaillaient sur le port ou du personnel de la station-service, tous ces gens qui vivaient dans les fjords de l'est depuis des générations et voyaient la situation se transformer à une telle vitesse qu'ils avaient du mal à en suivre l'évolution. Ici, tout sommeillait et mourait à petit feu, disaient-ils. Mais nous vivons maintenant une autre époque, nettement meilleure. C'est en effet une tout autre époque, répondait Erlendur.

Il réfléchit à Matthildur, disparue dans la tempête, et à la lutte que les soldats britanniques avaient livrée pour survivre à leur nuit sur la lande. Il pensa aux failles de Hrævarskörd, impraticables, c'était cela qui avait été déterminant. C'était là qu'avait commencé la marche mortelle des soldats qui n'étaient pas du tout familiers de ce pays dont ils ignoraient la violence des tempêtes. Au lieu de rebrousser chemin, ils étaient montés plus haut sur la lande, refusant de capituler face à cette contrée inconnue et lointaine où la guerre les avait jetés, mais ils avaient dû s'avouer vaincus avant la fin du jour.

Même si elle était mieux préparée, Matthildur n'aurait jamais dû entreprendre cette marche. Il existait des tas de récits où il était question de gens qui refusaient de regarder la réalité en face et se mettaient en route sans écouter ce que commandait le bon sens, négligeant également les conseils de personnes averties. Était-ce là l'histoire de Matthildur ? Bien souvent, avant le départ, rien ne laissait présager le moindre danger, le temps était au beau, la route parfaitement praticable, la distance se parcourait aisément en l'espace d'une journée, peut-être même moins. On partait donc en toute confiance. Puis, arrivé à mi-chemin, on avait tout à coup la mort en face de soi. Peut-être était-ce effectivement l'histoire de Matthildur.

C'était une femme solide, à ce qu'Ezra lui avait dit, sans doute s'était-elle bien équipée. Elle avait emporté un casse-croûte et prévu de s'accorder au moins une petite halte en chemin. Elle avait dit au revoir à son mari aux premières heures du jour et était montée vers la lande sans l'ombre d'une hésitation. Au même moment, sur l'autre versant, les Britanniques se préparaient au départ. Sans doute quelqu'un leur avait-il indiqué la route à prendre en leur conseillant de passer par les failles, le chemin le plus court. Lorsque la tempête s'était abattue avec une violence dont ils n'étaient pas coutumiers, le groupe avait été dispersé et chacun avait dû lutter pour sa survie. Matthildur avait été confrontée à la même situation. Peut-être avait-elle décidé de redescendre de la lande et de rebrousser chemin, peut-être avait-elle traversé la rivière dont le courant l'avait emportée jusqu'à la mer, comme l'un des soldats, c'était peut-être pourquoi son corps n'avait jamais été retrouvé.

Il y avait toutefois une autre possibilité : elle n'était jamais partie de chez elle.

L'idée n'était sans doute pas nouvelle. Boas et Hrund l'avaient tous deux évoquée, sans avoir d'autre preuve que de simples rumeurs. Mais leurs dires n'étaient pas tombés dans l'oreille d'un sourd. Erlendur défendait depuis longtemps une théorie selon laquelle, parmi toutes ces disparitions, aussi diverses soient-elles, se cachaient sans doute quelques meurtres ici et là. Sa théorie s'était d'ailleurs vérifiée au moins une fois à l'occasion d'une enquête sur une disparition remontant à la guerre. Il y avait maintenant quelques années, on avait retrouvé des ossements dans le sous-sol de la colline de Grafarholt sur laquelle on construisait un nouveau quartier de Reykjavik. Pendant la guerre, un père de famille avait été assassiné, puis enterré à proximité de la maison qu'il occupait avec sa femme et ses enfants. Son épouse, qui subissait des violences conjugales depuis des années, avait déclaré qu'il s'était perdu dans la tempête et qu'elle n'avait eu aucune nouvelle de lui depuis qu'il était parti à pied pour la ville de Selfoss en passant par la lande de Hellisheidi. Aucune enquête n'avait été ouverte. On avait simplement considéré que cet homme avait disparu. Plusieurs dizaines d'années plus tard, on avait retrouvé sa tombe non loin de l'emplacement autrefois occupé par la maison aujourd'hui disparue et la vérité avait éclaté.

Erlendur éteignit une autre cigarette, plongea sa main dans sa poche de veste et en sortit la petite voiture qui avait autrefois été un jouet. Il la posa sur le tableau de bord. Il avait attendu un certain temps avant de l'examiner de plus près, se demandant si cela servait à quelque chose. Il regarda longuement ce jouet usé, décoloré et méconnaissable.

Il se souvenait bien de ce modèle aux couleurs vives et de ce rouge brillant. Il avait des vitres et, lorsqu'on regardait à l'intérieur avec des yeux d'enfant, on voyait les sièges avant et un minuscule volant. Les roues étaient blanches. La voiture appartenait à Bergur. Erlendur se souvenait très bien du jour où elle était arrivée à Bakkasel. Leur père était allé jouer dans un bal à Seydisfjördur et, à son retour, il avait rapporté un petit cadeau pour chacun de ses fils. Erlendur collectionnait les soldats de plomb et en avait eu un nouveau, armé d'un fusil à baïonnette. Le soldat était entièrement peint en vert à l'exception de ses bottes noires et on distinguait les traits de son visage rose pâle. Il en avait d'autres, nettement plus beaux que celui-là. La peinture du visage débordait sur le casque, les mains étaient aussi vertes que l'uniforme et il n'était pas très stable sur ses jambes. Bergur avait eu cette voiture qu'il avait immédiatement adorée, petite, brillante et en tous points parfaite grâce à ce minuscule volant. Erlendur était heureux d'avoir eu ce soldat avec lequel il s'était amusé avant de le placer au premier rang de sa collection, mais il était quand même jaloux de la voiture de Beggi.

Il alluma une autre cigarette qu'il fuma en regardant le jouet posé sur le tableau de bord, et repensa aux temps anciens. Il avait vu passer le cargo gigantesque tous feux allumés, décoré comme un arbre de Noël dans le crépuscule automnal, le navire venait en ces lieux reculés pour y apporter une nouvelle prospérité.

Il avait tenté de convaincre Beggi de la lui échanger contre son soldat de plomb, mais son petit frère n'avait même pas voulu réfléchir à la question. Il était allé jusqu'à lui proposer trois soldats, Beggi s'était contenté de secouer la tête en continuant de jouer avec la voiture rouge dont il ne se séparait presque jamais. Un jour, Erlendur l'avait prise pour la regarder sous toutes les coutures et pour s'amuser un peu, mais Beggi avait exigé qu'il la lui rende immédiatement. Jamais ils ne se disputaient, pas plus qu'ils n'entraient en compétition, sauf cette fois-là. Erlendur lui avait balancé le jouet, Beggi l'avait mal réceptionné et la voiture avait heurté le sol. Tous deux avaient été tellement retournés qu'ils l'avaient ensuite examinée ensemble pour voir si elle n'était pas cassée. Beggi l'avait conservée en dépit des propositions alléchantes d'Erlendur qui avait fini par renoncer.

Il écrasa une autre cigarette. Il avait éteint le moteur, il faisait froid et humide dans l'habitacle. Les vitres s'étaient couvertes de buée. Opaques, elles ne permettaient plus aucune visibilité sur l'extérieur. Il toussa et s'essuya la bouche, plongé dans cette atmosphère enfumée et âcre. Il ne pouvait dire si l'objet qu'il avait devant lui était le vieux jouet de Beggi. Il était impossible d'affirmer quoi que ce soit là-dessus et nul n'était mieux placé que lui pour le savoir. Si le morceau de métal usé qu'Ezra avait trouvé à proximité de la tanière d'un renard sur la montagne Hardskafi était effectivement la voiture rouge et brillante de Bergur, elle était le tout premier indice jamais apparu attestant du destin que son frère avait connu sur la lande.

La dispute avait eu lieu deux semaines avant que le drame ne frappe la famille.

À ce moment-là, Erlendur était encore jaloux de Bergur à cause de cette voiture.

10

Il s'est faufilé jusqu'à la chambre de ses parents en quête d'un peu de réconfort, mais son père n'a aucune réaction. Assis au bord du lit, immobile, il est froid, lointain et muet, comme cela lui arrive parfois. Un long moment s'écoule.

— Tout va s'arranger, rassure timidement Erlendur.

Il est beaucoup plus calme que lorsqu'il se débattait dans tous les sens pour quitter la maison et remonter sur la lande. Il ressent des douleurs aux doigts et aux pieds, là où les engelures ont été les plus fortes, à part ça il est en parfaite santé et son corps n'a pas souffert de ce séjour prolongé dans la tempête.

Le caractère de son père est tel que, parfois, il n'ose pas le déranger. Et Beggi agit de même. Les frères comprennent que, par moments, il ait besoin de tranquillité, il ait besoin d'être seul, à l'écart du bruit et de l'agitation des enfants. Il s'isole dans le salon où ils sont rarement autorisés à entrer et joue du violon. Il a également deux guimbardes. Il maîtrise aussi d'autres instruments, comme par exemple l'accordéon, et on lui demande de temps en temps de venir animer des fêtes ou des bals, ce qui ne lui plaît pas particulièrement car rien ne l'ennuie plus que les gens qui ont trop bu. Il préfère de loin s'installer devant l'harmonium à l'église lorsque l'organiste fait défection et prend plaisir à enseigner la musique à l'école primaire, bien qu'il ne le fasse que rarement. Il a également fondé un petit ensemble pour instruments à cordes avec des gens venus d'ici et là dans l'est du pays. L'un d'eux joue de la guitare et Erlendur trouve que les notes qui sortent de cet instrument sont beaucoup plus joyeuses que celles du violon de son père car ce guitariste, qui tient un petit magasin de disques, se tient au courant de l'actualité musicale et interprète les dernières nouveautés.

Son père range son violon dans un bel étui au fond d'un placard de la chambre conjugale. Presque chaque jour, il sort l'instrument et quelques partitions, puis va s'installer au salon. Il pratique plus ou moins longtemps et, parfois, ses fils ont le droit de venir l'écouter s'ils le désirent. Mais parfois il les met dehors et s'enferme. Lorsqu'il accorde son violon et que, comme il dit, il chauffe un peu les cordes, c'est la cacophonie ; les enfants se bouchent les oreilles. Souvent, l'instrument est d'une légèreté joueuse entre ses mains, les cordes dansent et vibrent sur une cadence rapide, emplissant la maison de notes claires et rieuses. À d'autres moments, il n'arrache à ces cordes que son désir sombre et douloureux de trouver le courage et la force de vivre.

Certaines périodes sont meilleures que d'autres. Erlendur apprend à comprendre son père, mais ne saisit que bien plus tard qu'il lutte contre une profonde dépression. Il tente d'initier ses deux fils à la pratique d'un instrument et de les familiariser avec l'univers de la musique, mais ne tarde pas à constater que ni l'un ni l'autre ne s'y intéressent vraiment. Ils intègrent un certain nombre de bases, mais il leur manque le besoin de jouer, la passion nécessaire pour aller plus loin. Il ne les force pas, leur dit que cela ne servirait à rien, mais espère que, plus tard, ils développeront pour la musique une authentique passion.

Pour sa part, il a grandi au son de l'accordéon et du chant choral, on lui a donné une guimbarde lorsqu'il était adolescent et il est allé à Akureyri pour y suivre des études de musique. Cela ne tombait pas sous le sens pour un jeune homme de se voir offrir une telle occasion alors que tout le monde luttait pour survivre. Il n'a d'ailleurs pas tardé à devoir interrompre ses études pour rentrer chez lui. Le plus souvent, il jouait sur des instruments prêtés, mais avait longtemps rêvé d'acquérir le roi de l'orchestre. Au fil du temps, il avait économisé de l'argent pour acheter un violon d'occasion que quelqu'un avait mis en vente dans la petite ville de Höfn i Hornafirdi. Beggi venait de naître.

La famille qui vit à Bakkasel n'a guère de possessions et s'interdit toute forme de luxe. On économise sur tout quand on vit dans le manque. L'exploitation est plutôt modeste, les quelques cours de musique qu'il dispense apportent parfois un petit revenu complémentaire que la mère des garçons augmente encore en travaillant dans le poisson quand elle en a l'occasion. Les cadeaux sont pour Noël et les anniversaires. Il arrive toutefois que le soleil paraisse, que leur père soit de bonne humeur et qu'il leur achète de petits riens pour les réjouir, pour compenser les heures difficiles. Ce sont des choses simples, de petits objets qui ne coûtent que quelques aurar*, mais qui sont précieux aux yeux des enfants, touchés par l'attention de leur père.

Lors des accès de mélancolie les plus intenses, leur père reste enfermé dans sa chambre et n'en sort pas. Là, un silence absolu doit régner dans la maison. C'est en général aux alentours de Noël et du début de l'année que la situation est la pire, au plus dur et au plus noir de l'hiver, lorsqu'on a l'impression que plus jamais on ne verra le soleil. Les journées longues et sombres se suivent et le violon reste dans son étui, intouché, seul avec ses notes joyeuses ou tristes.

Son père sait que l'un de ses fils a été retrouvé sain et sauf, mais cela ne suffit ni à rompre son isolement, ni à soulager son désespoir. Il est bien placé pour savoir à quel point cette tempête était violente. Il a dû lutter contre elle à la vie à la mort et a été retrouvé presque mort devant sa ferme. Il ne répond pas à Erlendur, même si ce dernier n'est venu chercher qu'un peu de réconfort. Le plus jeune de ses fils demeure introuvable et la seule chose qui lui vienne à l'esprit est qu'il est déjà mort.

Erlendur est debout à côté de son père dont l'indifférence le conduit à soupçonner qu'il a, d'une manière ou d'une autre, fait quelque chose de mal. Il s'efforce de ne pas penser à ce dont il s'agit exactement et veut avoir confirmation qu'il se trompe, qu'il ne pouvait pas faire autrement. Mais son père est muet comme la tombe, il ne lui répond pas et ne lève même

---

* Les *aurar* (singulier *eyrir*) sont la centième division de la couronne islandaise. Autant dire qu'ils n'ont plus cours aujourd'hui tant la monnaie islandaise a été dévaluée depuis l'époque où Erlendur était enfant. (*Toutes les notes sont du traducteur.*)

pas les yeux vers lui. On dirait que le fait qu'Erlendur ait été sauvé ne le console en rien. Ce silence est insupportable, c'est presque pire que d'être allongé sur cette lande, perdu dans la tempête.

— Pardonne-moi, lui dit Erlendur, si bas qu'on l'entend à peine. Je ne voulais pas... je n'aurais pas dû...

Son père lève la tête et se tourne vers lui.

— Qu'est-ce que tu caches là?

— C'est toi qui me l'as donné, c'est un soldat de plomb, explique-t-il en ouvrant sa paume pour lui montrer l'objet. Beggi a eu une petite voiture.

— Qu'est-ce que tu racontes?

— Tu m'as donné ce soldat et Beggi a eu une voiture miniature.

— Ah bon? J'ai fait ça?

— Il l'a emmenée avec lui quand nous sommes partis. Il l'avait cachée dans sa moufle.

11

Il avait passé la plus grande partie de la nuit éveillé dans la ferme abandonnée à se repasser le fil des événements précédant le moment où il était parti sur la lande avec son père et son frère. Il avait somnolé par moments, allongé dans son sac de couchage douillet, mais n'était pas véritablement parvenu à trouver le sommeil. Il se leva donc courbattu et vaseux. Il essaya de se réchauffer à la lampe-tempête, enfourna trois gâteaux secs à l'avoine et se servit un gobelet en plastique de café dont il avait rempli son thermos dans une petite gargote de la bourgade auprès d'un employé guilleret mais fouinard, un jeune homme âgé d'une vingtaine d'années. C'était tard dans la soirée, le gamin avait essayé d'engager la conversation, mais toutes ses tentatives étaient demeurées vaines.

— Vous venez travailler à l'usine d'aluminium ? avait-il commencé, montrant clairement qu'il avait compris qu'Erlendur venait d'ailleurs.

— Non, avait-il répondu d'un ton sec. Il me faudrait aussi trois paquets de Viceroy.

Le jeune homme, vêtu d'un jean troué et d'un polo élimé, avait ouvert un tiroir, puis posé les cigarettes sur le comptoir.

— Vous êtes peut-être au barrage ?

— Non. Vous pourriez me vendre du café à mettre dans mon thermos ?

— Vous n'avez qu'à vous servir là-bas, avait répondu le gamin, l'index pointé vers une cafetière dont la verseuse à moitié pleine était posée sur une table crasseuse. C'est gratuit. Alors, vous travaillez dans quoi ?

Erlendur avait rempli son thermos et payé ses cigarettes. Voyant que l'employé épiait chacun de ses mouvements, il avait compris qu'il devait s'attendre à d'autres questions et s'était précipité vers la porte.

— Vous êtes le bonhomme dans la maison aban... ?

La porte avait coupé la parole au gamin en claquant derrière Erlendur.

— Petit con, avait-il marmonné lorsqu'elle s'était refermée.

Après son café du matin, il partit pour Egilsstadir par la route qui longeait le pic de Holmatindur et observa un moment le chantier de la fonderie d'aluminium où la vie s'agitait. Il contourna la montagne de Sudurfell, puis longea la rivière Fagradalsa en remontant Fagradalur, la Belle Vallée, qui méritait largement son nom, et arriva bientôt à Egilsstadir. Il prit tout son temps. La circulation était fluide en dépit d'un grand nombre de camions dans les deux sens, ce qui perturbait la quiétude matinale.

Il trouva la maison de retraite sans grande difficulté et demanda à voir l'homme auquel il désirait parler, Kjartan Halldorsson. On le renvoya vers une jeune employée qui le conduisit à une petite salle où trônait une télévision. Un homme âgé d'environ soixante-dix ans était assis là, devant les dessins animés. La jeune femme se pencha vers lui.

— Kjartan, vous avez de la visite, lui annonça-t-elle d'une voix chantante et haut perchée, comme si elle s'était adressée à un enfant.

Kjartan se redressa sur son siège.

— Ah bon...

— Ce monsieur y aurait envie de vous parler, reprit-elle, comme si elle n'avait jamais été immunisée contre les fautes de grammaire.

Erlendur la remercia et salua Kjartan qui semblait assez peu alerte et plutôt marqué pour son âge, le cheveu gris et épais, les mains osseuses et déformées par le travail. Ils discutèrent brièvement de la pluie et du beau temps et Erlendur apprit que son interlocuteur perdait peu à peu l'usage d'un œil.

— Eh oui, je deviens complètement aveugle de ce côté-là, lui confia Kjartan.

— C'est malheureux, répondit Erlendur, simplement pour meubler.

— En effet, et ça l'est d'autant plus que l'œil valide a lui aussi la vue qui baisse. On a pensé qu'il valait mieux me mettre ici, en maison de retraite, avant qu'il ne m'arrive un mauvais coup. C'est à peine si je vois encore le poste.

Erlendur supposa qu'il parlait de l'écran de la télévision. Les deux hommes discutèrent un moment des handicaps engendrés par la perte de la vue, puis Erlendur en vint au fait. Il expliqua qu'il se documentait sur les disparations qui avaient eu lieu dans cette région d'Islande et qu'il avait entendu dire que Matthildur, la tante de Kjartan, avait péri sur le chemin de montagne entre Eskifjördur et Reydarfjördur en janvier de l'année 1942.

Une radio était allumée quelque part et les notes mélancoliques d'une chanson populaire où il était question du printemps dans la forêt de Vaglaskogur parvenaient aux oreilles d'Erlendur.

– Oui. . oui, tout à fait, confirma Kjartan, visiblement heureux de pouvoir, ne serait-ce que modestement, prêter main-forte à quelqu'un. C'était la sœur de ma mère, je vous dirais, mais je ne l'ai jamais connue.

– En revanche, vous vous souvenez de cet événement ?

– Non, pas vraiment, j'étais tout petit, de plus, je vivais à Reykjavik. Mais je me rappelle très bien en avoir entendu parler. Je devais avoir entre sept et huit ans. Ma mère était l'aînée des quatre sœurs. Elle était partie assez tôt à Reykjavik et je suis né là-bas.

– Je vois.

– Quant à moi, j'ai quitté mes parents alors que j'étais encore très jeune. J'ai fondé une famille. Je suis parti travailler en mer. À cette époque, on pouvait pêcher comme on voulait. Aujourd'hui, tout ça est réservé aux plus riches.

– Donc, vous avez déménagé dans l'Est ?

– Oui, ma femme était originaire de la région. Cela dit, je n'ai jamais entretenu beaucoup de relations avec la famille que j'ai ici, je la connais à peine.

– Matthildur a disparu la nuit où les soldats britanniques se sont perdus, reprit Erlendur.

– C'est ça, confirma Kjartan. Le temps était vraiment déchaîné là-haut, sur la lande. On ne pouvait même pas tenir debout. C'était une de ces tempêtes assassines.

— Les recherches ont duré longtemps?

— Plusieurs jours, à ce qu'on m'a dit. Mais, évidemment, elles ont été vaines.

— Vous vous souvenez d'avoir entendu votre mère évoquer ces événements de temps en temps? Vous auriez gardé en mémoire des détails particuliers? Inhabituels ou surprenants?

— Non, là, je ne vois pas.

— Ou peut-être qu'elle parlait de Matthildur? De sa vie? Des relations qu'elle avait avec elle?

— Elle ne disait pas grand-chose sur elle. Ma mère vivait à Reykjavik et, à l'époque, les transports étaient ce qu'ils étaient.

— Je me demandais si vous aviez conservé dans vos affaires des objets appartenant à votre mère ou à ses sœurs, des choses susceptibles de se rapporter à Matthildur, s'enquit Erlendur.

Il avait posé la même question à Hrund qui lui avait répondu ne rien avoir en sa possession. Matthildur avait correspondu avec ses sœurs qui avaient déménagé à Reykjavik, mais Hrund n'avait pas spécialement entendu parler de ces lettres non plus.

— J'ai bien gardé quelques petites choses, répondit Kjartan, pensif.

— Vous savez si votre tante écrivait à votre mère à cette époque?

— Après le décès de maman, ma sœur m'a envoyé une valise en me disant que c'était à moi de décider si je voulais jeter tout ça. Elle contenait toutes sortes de paperasses, des contrats de location, des vieilles factures et des déclarations d'impôts. Je me rappelle que ma mère conservait toute une pile de journaux. Elle ne jetait jamais rien. Je ne sais pas pourquoi ma sœur m'a envoyé ça. Je n'avais rien à en faire. Il y avait également quelques lettres dans cette valise, mais je ne les ai jamais regardées de près.

— Vous ne les avez pas lues?

— Non, excusez-moi, on a quand même mieux à faire que de se plonger dans ce genre de sornettes.

— Cette valise, elle existe encore?

– Je crois bien, répondit le vieil homme. Mon fils conserve chez lui mes rares affaires. Vous n'avez qu'à passer le voir. Vous prévoyez d'écrire sur cette tempête ?

– Certainement, conclut Erlendur.

12

Le fils de Kjartan s'appelait Eythor. Il était midi passé quand Erlendur se gara devant son domicile. Eythor vivait dans une grande maison individuelle, à deux pas du lycée, et était rentré en coup de vent chez lui à la pause de la mi-journée. Il travaillait pour un entrepreneur de bâtiments et travaux publics dans la construction du barrage de Karahnjukar. Erlendur lui servit son discours concernant les recherches qu'il effectuait sur les disparitions et les récits de gens qui se perdaient sur les hautes terres, puis lui expliqua qu'il avait rendu visite à son père, qui lui avait donné la permission de se pencher sur le contenu d'une vieille valise en sa possession.

Tout cela piqua la curiosité du fils qui lui posa quelques questions sur ses recherches, notamment s'il travaillait à la rédaction d'un livre. Erlendur éluda habilement et sans vraiment lui mentir. Eythor précisa qu'il ne savait pas au juste pourquoi il conservait cette valise. Il s'était débarrassé d'un certain nombre de saletés de chez son père lorsque ce dernier était entré en maison de retraite et cette valise aurait dû, elle aussi, aller à la décharge. Il avait jeté un œil à l'intérieur et n'y avait trouvé que de vieilles paperasses, il pensait donc s'en débarrasser aussi la prochaine fois qu'il mettrait un peu d'ordre dans son garage.

— À part ça, que raconte le bonhomme ? demanda-t-il à Erlendur qui mit un peu de temps à comprendre qu'il parlait de son père.

— J'ai l'impression qu'il est plutôt en forme, répondit Erlendur.

— Sa vue baisse de plus en plus.

— Oui, c'est ce qu'il m'a dit.

— Ça fait un bail que je ne suis pas passé le voir, observa le fils. C'est ça de construire le plus grand barrage d'Europe, ça vous prend tout votre temps. Vous ne pourriez pas revenir ce soir ? Je suis déjà en retard.

— C'est que je repars pour Reykjavik tout à l'heure, plaida Erlendur, risquant le tout pour le tout, cela devra donc attendre.

L'homme hésita. Son portable sonna. Il regarda le numéro affiché à l'écran et coupa la sonnerie.

— Bon, dans ce cas, suivez-moi !

La valise se trouvait dans le garage, ensevelie sous toutes sortes d'objets que l'homme dut enlever pour la dégager : pneus pour la saison d'été, boîtes de peinture et outils de jardinage. Il lui répéta ne pas en connaître le contenu précis et n'avoir pas le temps de rester avec lui, mais lui dit que, s'il avait besoin d'aide, son plus jeune fils, un lycéen qui avait un creux, était à la maison, c'était en tout cas ce qu'Erlendur avait entendu. Erlendur le remercia de sa sollicitude, présenta ses excuses pour le dérangement et lui promit de ne pas être trop long.

L'homme monta à bord de sa jeep, démarra et l'abandonna dans le garage grand ouvert, la valise à ses pieds. Il se mit à pleuvoir. Erlendur attrapa une grosse enveloppe en papier kraft contenant les déclarations d'impôts des années 1972 à 1977 qu'il posa sur l'établi. Deux livres de psaumes, très usés et polis par les ans, surmontaient tout le reste, il les feuilleta brièvement avant de les placer sur l'enveloppe. En dessous se trouvaient trois livres de la Collection historique des foyers et un certain nombre de journaux jaunis, la plupart étaient des numéros de *Timinn, Le Temps*.

— Qu'est-ce que vous fabriquez ? demanda une voix dans son dos. Il se retourna et découvrit le lycéen qui s'apprêtait à repartir en cours après sa pause de midi.

— Bonjour, je me documente sur les disparitions dans les fjords de l'est.

— Ici, dans notre garage ?

— L'une de ces histoires concerne votre grand-tante qui a péri dans la nature.

— Dans la nature ?

— Oui.

— Et qu'est-ce qu'elle faisait dans la nature ?

— Non, je veux dire qu'elle s'est perdue *dans la nature*. Elle traversait les terres inhabitées et elle est morte de froid.

— Ouh, ouh !

Le lycéen lui passa devant, puis descendit la rue, mal fagoté, la ceinture de son pantalon lui tombait à mi-fesses, laissant apparaître son caleçon. Qu'est-ce qu'on va devenir ? pensa Erlendur en suivant des yeux le jeune homme qui disparut au coin.

Il continua de sortir les journaux et les brochures de la valise et finit par tomber sur quelques lettres qu'il lut en diagonale. Certaines venaient des sœurs, d'autres de leurs mères ou des amis d'Ingunn. La dernière que Matthildur avait écrite à Ingunn remontait à trois mois avant sa disparition, elle donnait quelques nouvelles du village et fournissait une description assez détaillée de la météo, l'automne avait été plutôt variable et l'hiver serait bientôt là. Elle avait hâte d'être à Noël et se confectionnait une robe neuve pour les fêtes. Les lettres plus anciennes étaient dans le même registre et ne dévoilaient rien de sa vie conjugale avec Jakob. Erlendur avait conscience qu'il ne fallait en tirer aucune conclusion. Les gens n'exprimaient pas toutes leurs pensées sur le papier avant de les expédier aux quatre vents.

Je suis allée danser avec Ninna, disait-elle dans une lettre datée de deux ans avant son décès, *et nous nous sommes amusées comme des folles. L'orchestre vient d'ici, de l'Est, il a joué aussi bien des vieilles chansons que des nouvelles. Ninna et moi avons sacrément usé nos chaussures. Au début, les garçons étaient très timides et n'osaient pas nous inviter. Parmi eux, il y avait ce Jakob que tu connais et nous avons parlé longtemps tous les deux après le bal. Il vit maintenant à Eskifjördur.*

Erlendur éplucha le contenu de la valise sans vraiment apprendre quoi que ce soit sur Matthildur et sur Jakob, puis il remit le tout en place. Cela se voyait à peine qu'il l'avait fouillée. Il eut l'idée d'examiner les journaux d'un peu plus près et il feuilleta les numéros de *Timinn*. Il s'interrogeait franchement sur les raisons qui avaient poussé la sœur à conserver ainsi la tribune du Parti du progrès, le parti paysan. Des articles concernant la mise bas des brebis et les foins voisinaient avec les tribunes politiques haineuses et les articles rapportant les décisions des syndicats paysans. L'un des numéros parlait des soldats de l'armée d'occupation qui s'étaient perdus dans le Reydarfjördur et un petit encadré mentionnait la disparition de Matthildur au cours de cette même nuit.

Alors qu'il parcourait un autre numéro, il tomba sur une nécrologie que quelqu'un avait écrite à la mémoire de Jakob. Erlendur crut comprendre qu'elle était rédigée par l'un de ses amis, un certain Pétur Alfredsson. On y retraçait vaguement ses origines, le fjord de Hornafjördur et Reykjavik, où il avait vu le jour. Ses qualités étaient également évoquées, comme le voulait l'usage, puis on précisait que Jakob avait perdu sa jeune épouse dans une affreuse tempête, qu'il ne s'était pas remarié et qu'il n'avait jamais eu d'enfant. L'article s'achevait sur le récit de sa mort en mer, lui et son camarade avaient été repêchés et on avait conservé leurs corps dans la vieille fabrique de glace du lieudit de Framkaupstadur, à Eskifirdi, avant de les inhumer.

Ce n'était toutefois pas le contenu de cette nécrologie qui avait le plus piqué la curiosité d'Erlendur, mais le mot encore parfaitement lisible, tracé en travers de l'article au crayon gras.

ORDURE.

13

Comme lors de la précédente visite d'Erlendur, Hrund était assise à sa fenêtre, les yeux rivés sur l'endroit où les immenses pylônes s'élèveraient bientôt. Derrière sa maison, on apercevait l'océan de lumière du chantier de la fonderie d'aluminium, mais l'usine elle-même n'était pas visible. Elle le vit garer sa voiture à côté de sa maison et venir frapper à la porte. Cette fois-ci, elle se leva de son fauteuil, alla lui ouvrir et l'invita à entrer. Il la suivit jusqu'au salon où elle reprit sa place à la fenêtre.

– C'est tellement beau à cette heure, lorsque la nuit tombe, déclara-t-elle.

– Je ne vous le fais pas dire, convint Erlendur en s'installant. Hrund n'avait allumé aucune lumière, elle était assise dans le noir, un plaid sur les épaules. La lueur des lampadaires dessinait son profil en ombres chinoises sur le mur derrière elle. Erlendur regarda un long moment la silhouette qui se découpait sur la cloison. Elle ne semblait pas curieuse de ce qui l'amenait cette fois-ci. On aurait dit qu'elle considérait comme évident qu'ils restent assis tous deux sans dire un mot dans son salon alors qu'ils étaient de parfaits inconnus l'un pour l'autre.

– Je reviens tout juste d'Egilsstadir, annonça finalement Erlendur.

– Ah bon, dit-elle. Et vous allez me raconter ça? Vous pouvez aller prendre un café si ça vous dit, j'en ai une pleine cafetière. Vous trouverez les tasses dans le placard au-dessus de l'évier.

Il se leva, alla dans la cuisine et se servit un café. À son retour, Hrund s'était détournée de la fenêtre et l'attendait.

– Je suppose que vous continuez de vous intéresser à Matthildur.

– En effet.

– Vous avez sans doute rencontré mon neveu. Vous êtes passé à la maison de retraite?

Erlendur hocha la tête.

– Nous n'avons jamais été en contact. La vie a voulu qu'il en aille ainsi.

– C'est assez fréquent, répondit Erlendur en pensant à sa propre famille. Il est en forme, mais il a perdu l'usage d'un œil. Il m'a autorisé à aller fouiller dans une valise qui appartenait à votre sœur Ingunn, j'y ai trouvé de vieilles lettres et ce genre de choses.

– Elles vous ont été utiles?

– Pas vraiment.

– Je n'ai malheureusement aucune lettre de Matthildur en ma possession si c'est ce que vous cherchez.

– Non, je comprends, mais je me demandais s'il existait encore des choses qui lui auraient appartenu, des objets personnels, peut-être même une photo d'elle.

– Pour ce qui est de ses effets personnels, je ne sais pas, mais j'ai une photo où on me voit avec mes trois sœurs, si je pouvais la retrouver.

Hrund se leva pour aller dans sa chambre. Erlendur avait mauvaise conscience de l'importuner ainsi, mais il se disait aussi qu'elle était seule et qu'un peu de compagnie ne lui ferait pas de mal, même si celle qu'il lui apportait n'était pas des plus intéressantes.

Elle revint les bras chargés de deux boîtes à chaussures, reprit sa place au salon et se mit à fouiller.

– Je ne l'ai pas trouvée dans les albums, précisa-t-elle. Je n'ai jamais eu le courage de classer tout ça correctement. Mon mari est décédé, est-ce que je vous l'ai dit?

– Non, répondit Erlendur.

Boas lui avait raconté que Hrund était veuve et que ses deux fils étaient allés poursuivre leurs études à Reykjavik. Ils ne venaient dans la région que pour de brèves visites.

– Il y a là-dedans des photos de lui dont j'avais oublié jusqu'à l'existence. Et, sur celle-là, on nous voit toutes les quatre, à l'époque des foins.

Elle tendit à Erlendur la photographie noir et blanc légèrement passée. Le verso avait jauni et du café maculait le recto par endroits. Il vit les quatre sœurs dans un petit champ, chacune équipée d'un râteau. Le soleil brillait, c'était au plus fort de l'été. Elles fixaient l'appareil, radieuses, portaient des robes et, pour deux d'entre elles, un foulard sur la tête. Elles avaient posé côte à côte pour le photographe, il régnait une joie sans nuage en ce jour d'été si lointain.

— C'est maman qui a pris la photo, précisa Hrund. L'appareil appartenait à son deuxième mari, Thorbjörn. Je suis à l'extrême gauche, moi, la petite dernière. J'étais nettement plus jeune que mes sœurs. Ensuite, vous voyez Ingunn qui porte ce foulard, puis Matthildur, à côté d'elle, et ensuite, Joa, cette chère Johanna.

Les visages n'étaient pas très nets, Erlendur distinguait toutefois vaguement les traits de Matthildur, ses yeux profondément enfoncés et cet air résolu. Il chercha la date du cliché, mais ne la trouva nulle part.

— Je dirais qu'elle a été prise environ huit ans avant sa mort, observa Hrund, comme si elle lisait dans les pensées de son hôte. À l'époque de la grande crise.

— Ingunn et Johanna sont parties à Reykjavik, c'était une décision commune ?

— Non, Johanna y est allée la première, puis Ingunn l'a suivie, peu de temps après cette photo. Les choses ont changé si vite. Un jour, nous vivions toutes les quatre, heureuses, à la maison où on s'amusait comme des folles. Le lendemain nous étions séparées, éparpillées aux quatre vents. C'est arrivé en un éclair, ensuite plus rien n'a jamais été pareil.

— Vous vous souvenez d'une amie de Matthildur surnommée Ninna ? interrogea Erlendur.

— Oui, très bien. C'était une jeune fille adorable. Je crois qu'elle est toujours en vie. Vous devriez aller la voir. Ninna est son véritable prénom, ce n'est pas un diminutif ou un surnom.

— Elle a toujours vécu dans les fjords de l'est ?

— Oui. Toujours. Elle et Matthildur étaient très amies, depuis l'enfance.

— J'essaierai peut-être de la trouver, observa Erlendur en se levant. Je n'ai pas l'intention de passer la nuit à vous embêter avec mes histoires.

— Vous ne m'embêtez pas, rassura Hrund. Je n'ai pas prévu de sortir. Cela dit, je ne comprends pas pour quelle raison un parfait inconnu comme vous s'intéresse à ma sœur. Vous avez l'intention d'écrire un livre?

— Non, répondit Erlendur avec un sourire. Il n'y aura pas de livre. Mais dites-moi, votre sœur Ingunn connaissait-elle Jakob avant qu'il n'épouse Matthildur?

— Ingunn et Jakob? Pourquoi cette question?

Erlendur n'était pas certain de devoir lui raconter ce qu'il avait découvert dans la valise: la lettre de Matthildur et le mot, ordure, tracé en travers de la nécrologie de Jakob. Rien ne prouvait qu'il avait été écrit de la main d'Ingunn, n'importe qui d'autre aurait pu le faire, du reste ce journal ne lui appartenait pas nécessairement, peut-être quelqu'un le lui avait-il envoyé par courrier.

— C'est simplement une idée qui me vient comme ça, en passant, répondit-il. Les quatre jolies sœurs que vous étiez ne devaient pas manquer de prétendants.

— Qu'avez-vous découvert? interrogea Hrund, sans se laisser convaincre par les tentatives d'apaisement d'Erlendur.

— Rien du tout, répondit-il bien vite, voyant que son interlocutrice changeait brusquement d'attitude.

— Vous ne seriez tout de même pas... en train de fouiner dans les affaires privées de notre famille?

Erlendur comprenait que leur conversation tournait au vinaigre et ne voyait pas vraiment comme se tirer de ce mauvais pas. Il ressentait encore la fatigue de sa nuit d'insomnie, il avait passé la journée sur la route, ses facultés de concentration étaient affaiblies.

— Non, pas du tout, plaida-t-il, même s'il sentait qu'il ne parvenait pas à la convaincre.

— Permettez-moi de vous dire que ce genre de curiosité me déplaît au plus haut point. Ça ne me plaît pas du tout de vous voir débarquer ici pour me poser des questions sur ma famille comme le ferait un... comme le ferait un flic!

– Non, évidemment, concéda Erlendur. Je vous prie de bien vouloir m'excuser si je vous ai blessée…

– À quoi jouez-vous donc ? s'emporta Hrund. Qu'essayez-vous d'exhumer ? Quel rapport avec les disparitions ?

– Rien, je ne fais rien du tout, répondit Erlendur. C'est vous qui m'avez parlé des rumeurs qui couraient au sujet de Jakob et qui m'avez dit que Matthildur était revenue pour le hanter.

– Je vous ai surtout dit que c'était un tissu de bêtises ! Vous ne prenez tout de même pas au sérieux ces âneries répandues il y a des dizaines et des dizaines d'années ?

– Non, mais…

– Et je ne crois pas aux revenants !

– Moi non plus.

– Vous feriez peut-être mieux de partir.

Erlendur s'empressa de prendre congé de Hrund et rejoignit sa voiture sans même jeter un regard en arrière, il savait qu'elle était revenue à sa fenêtre où il s'imaginait que ses yeux lançaient des éclairs.

Il fit une nouvelle halte non loin du chantier de la fonderie d'aluminium. La construction des fourneaux était assez avancée et une foule d'ouvriers travaillait jour et nuit, se livrant à une course contre la montre. Une marée de lumières crues illuminait le crépuscule. L'activité permanente du chantier tranchait violemment avec la quiétude des lieux, le fjord encaissé, la mer d'un calme absolu et les montagnes surmontées de leurs bonnets blancs de neige qui se miraient dans l'eau.

À nouveau, il est envahi par cette sensation étrange : il est allongé par terre dans la ferme abandonnée et quelqu'un le poursuit. Ce ne peut être que le fruit de son imagination. Il sait qu'il n'est plus à l'intérieur de cette vieille maison. Il en est parti. Sinon, il n'aurait pas vu les étoiles dans le ciel.

À moins qu'elles n'aient également été le fruit de son imagination.

Il regarde la porte, mais n'y voit rien d'autre que la nuit noire. Il tend le bras et sent le mur rugueux et humide. Il cherche à tâtons la lampe de poche qu'il a emportée et l'allume. Le faisceau est faible. Il projette une lueur pâle autour de lui, il voit la porte du couloir qui n'a plus de battant, les fenêtres cassées par lesquelles le froid s'engouffre, le plafond qui, par endroits, s'est effondré. Il perçoit une présence intense et invisible.

– Qui est là ? crie-t-il, sans obtenir aucune réponse.

Il se lève et avance doucement, guidé par le faisceau de sa lampe. Il ne voit aucune trace du voyageur qu'il se souvient avoir aperçu dans l'embrasure du vestibule, cet homme qui avait ensuite allumé du feu avant de venir discuter avec lui comme s'ils se connaissaient bien. Tout cela a disparu, pourtant il lui vient à l'esprit l'idée étrange que tous ces événements sont encore à venir.

Il a installé sa couche dans le salon, à l'endroit autrefois occupé par le canapé : un matelas peu épais et deux couvertures ainsi qu'un sac à dos qui fait office d'oreiller, de vieilles chaussures de randonnée, un sac-poubelle pour les quelques restes de ses repas frugaux. Il a emporté très peu de bagages et s'efforce de respecter les lieux. Bien que cette maison ne soit plus qu'un taudis glacial, ouvert à tous les vents, il traite le salon avec le respect qui lui a été inculqué lorsque sa famille occupait les lieux.

— Il y a quelqu'un ? répète-t-il à voix basse.

La maison lui répond avec les hurlements du vent, les grincements d'une porte qui tient à peine sur ses gonds et les claquements de deux plaques de tôle ondulée qui, incroyablement entêtées, s'accrochent encore à la gouttière. Il avance jusqu'au vestibule, éclaire la porte, puis entre dans la cuisine. La lumière de sa lampe faiblit de plus en plus et le noir se fait peu à peu autour de lui. Le faisceau illumine les étagères nues. Autrefois, la table était installée à côté de la fenêtre, on y voyait la bergerie et la grange et, en surplomb, la lande et les montagnes. C'était là que commençait chaque nouvelle journée et c'était aussi là qu'elle s'achevait le soir.

— Il y a quelqu'un ? murmure-t-il.

Il quitte la cuisine et entre dans le petit couloir qui mène à la chambre de ses parents et à celle qu'il partageait avec son frère. La chambre conjugale est condamnée, le plafond s'est effondré à côté de la porte et sur une partie du couloir. C'est là que son père était assis, inconsolable, à son retour de la lande, pour ainsi dire plus mort que vif après cette tempête. Il savait que ses deux fils étaient perdus dans cette tourmente et s'imaginait leur destin déjà scellé. Il connaissait bien la lande et n'avait plus le moindre espoir. Il souffrait de graves engelures au visage et restait assis, inerte, les yeux baissés pendant que les sauveteurs se rassemblaient dans la maison.

— Il y a quelqu'un ? murmure-t-il à nouveau sans obtenir la moindre réponse. Sa lampe continue de faiblir et se met bientôt à clignoter. Il la frappe contre sa paume, la lumière reprend de la vigueur, l'espace d'un instant, mais la pile est presque usée. Il entre dans la chambre qu'il partageait avec son frère et oriente le faisceau vers l'ancien emplacement des lits, accolés au mur et séparés par une table de chevet. Il y avait aussi un petit placard à vêtements et une descente de lit pour que les enfants n'aient pas à poser les pieds sur le sol glacé quand ils se levaient.

Il n'y a maintenant plus rien que cette obscurité.

Il comprend brusquement qu'il est tout à fait seul dans la maison. Cette présence qu'il a perçue n'est qu'une illusion. Il ne reste personne d'autre que lui. Il rebrousse chemin, passe à nouveau devant la cuisine et le vestibule pour retourner dans le salon quand, tout à coup, sa lampe s'éteint. Il la frappe fermement contre sa main et une lueur faiblarde vient éclairer le mur face à lui. L'ombre d'un homme vacille sur la cloison, il l'aperçoit en un éclair : il a le dos tourné et baisse la tête, l'air désespéré. Cette vision le fait sursauter avec une telle violence que la lampe lui échappe et tombe sur le sol où elle s'éteint à nouveau.

Il se baisse pour la ramasser, la retrouve, la frappe trois fois par terre et sa clarté intense illumine un instant le salon avant de rendre l'âme définitivement. Il regarde partout autour de lui, l'homme a disparu.

— Que me voulez-vous ? murmure-t-il, plongé dans le noir.

Il est allongé dans le froid, les yeux mi-clos. Il ignore combien de temps s'est écoulé depuis que ce tremblement incontrôlable qui l'agitait s'est arrêté. Il ne sent plus ses mains ni ses pieds, ne perçoit plus le froid. Il sait qu'il s'endormira d'ici peu, peu importe combien il luttera. Il veut rester conscient le plus longtemps possible, mais ses forces déclinent. Alors qu'il repose, couché dans la neige, il se rappelle avoir vu les étoiles.

Malgré le froid, il se dit que, sans doute, il n'a plus toute sa tête.

Erlendur roulait tranquillement jusqu'à la ferme de Boas. Il le vit sortir sur le perron et l'attendre. C'était la première fois qu'il venait chez cet homme et, bien qu'il l'eût accompagné pendant la chasse, il ne le connaissait pas. Il avait toutefois une raison personnelle de passer voir le paysan qui avait tenté de tirer du lait aux mamelles d'une renarde morte.

Boas l'avait vu gravir lentement le chemin qui menait à la maison. Il était sorti pour l'accueillir en pantoufles et en chemise, une vieille pipe au coin de la bouche. Il avait reconnu la petite jeep bleue pour l'avoir vue garée devant l'ancienne ferme de Bakkasel plusieurs jours de suite. Erlendur descendit de voiture et les deux hommes se saluèrent d'une poignée de main.

— Je ne comprends franchement pas pourquoi vous traînez comme ça dans cette maison abandonnée, déclara Boas en l'invitant à entrer. Les nuits commencent à être rudement fraîches.

— Je ne m'en plains pas, répondit Erlendur.

— Je ne suis pas doué pour recevoir, vous devrez donc vous contenter de café sans rien pour l'accompagner, annonça Boas avant d'expliquer que son épouse était partie pour Egilsstadir rendre visite à de la famille dont Erlendur crut comprendre qu'il ne l'appréciait pas spécialement.

Ils s'installèrent dans la cuisine proprette. Boas posa deux tasses sur la table, y versa du café et ajouta à la sienne une bonne dose de lait jusqu'à ce que le breuvage devienne brun et froid. Puis, il suçota sa pipe et se mit à maugréer sur les barrages, l'usine d'aluminium et ces satanés capitalistes qui ridiculisaient les hommes politiques.

— Vous avez découvert de nouveaux éléments concernant Matthildur ? interrogea-t-il sans ambages, comme si Erlendur avait ouvert une enquête sur cette disparition datant de plus de soixante ans.

— Non, aucun, répondit-il en s'allumant une cigarette afin d'accompagner Boas. D'ailleurs, comment pourrait-il y avoir du neuf ? Elle a péri dans cette tempête. On en a vu d'autres.

— Ah, j'en ai bien peur, convint Boas en avalant son café coloré au lait. Oui, on en a vu d'autres.

— Vous connaissez un peu ses sœurs ? Deux d'entre elles sont parties vivre à Reykjavik et il y a bien sûr celle qui habite à Reydarfjördur.

— Naturellement, je connais assez bien Hrund, répondit Boas. C'est une femme très bien. Vous êtes allé l'interroger ?

Erlendur hocha la tête.

— Bon, je vois que tout cela vous intéresse.

— Vous savez quelque chose sur la vie conjugale de Matthildur et Jakob ? Ils étaient heureux en ménage ? Peut-être avez-vous entendu ses sœurs en parler ?

— Qu'avez-vous découvert ? s'enquit Boas sans rougir le moins du monde de sa curiosité.

— Rien du tout.

— Naturellement, vous mentez, observa le chasseur. Je ne me rappelle pas avoir entendu parler de quoi que ce soit. Ses sœurs voyaient-elles à redire à leur mariage ? Laquelle d'entre elles ? Et pour quelle raison ?

— Je vous pose la question justement parce que j'ignore la réponse, fit remarquer Erlendur. Vous connaissez un dénommé Pétur Alfredsson ? Je suppose qu'il est mort.

— Oui, je me souviens de lui. Il était pêcheur. Il est mort depuis longtemps. Quel rapport avec cette histoire ?

— Pétur a écrit la nécrologie de Jakob dans le *Timinn*. Il est d'ailleurs le seul à l'avoir fait*. J'ai vérifié ce point à la bibliothèque d'Egilsstadir. Il y décrivait Jakob comme un homme

---

* On peut s'étonner que Jakob n'ait eu droit qu'à une seule nécrologie. La coutume islandaise d'écrire pour saluer la mémoire des défunts est très ancrée. En général, les amis, les collègues et la famille au sens large tiennent à manifester leur affection et leur respect à la personne disparue à travers des articles plus ou moins longs, publiés dans la presse.

plein de qualités et disait qu'il avait perdu sa femme quelques années plus tôt.

– Je vois.

– Ce Pétur, il avait des enfants ?

– Oui, trois, il me semble. Je sais qu'une de ses filles vivait à Faskrudsfjördur et j'imagine qu'elle y est toujours. Elle faisait de la politique là-bas. Je crois que ses autres enfants sont partis à Reykjavik, il y a des années que je n'ai pas entendu parler d'eux.

– Vous connaissez une certaine Ninna ? Il ne s'agit pas d'un diminutif, ce prénom plutôt rare est celui qu'elle a reçu à son baptême. C'était une amie de Matthildur qui parle d'ailleurs d'elle dans une lettre. Elles sont allées à un bal toutes les deux et Jakob s'y trouvait également.

– Je ne me souviens d'aucune Ninna, répondit Boas. Elle est censée vivre à Eskifjördur ?

– Je n'en sais rien. J'imagine que ça ne change pas grand-chose. Après tout, elle n'est qu'un prénom dans une lettre. Elle a sans doute été témoin du moment où Matthildur et Jakob ont commencé à se fréquenter. J'en ai également parlé à un ancien ami de Jakob, un certain Ezra.

– Visiblement, cette histoire ne vous intéresse vraiment pas, ironisa Boas avec un sourire. Je ferais peut-être mieux de vous demander qui vous n'avez pas interrogé dans la région des fjords de l'est. Le moins qu'on puisse dire c'est que j'ai sacrément piqué votre curiosité, ajouta-t-il, tout fier.

– Vous connaissez Ezra ?

– Il se fait vieux et son corps est usé. Quand on le voit aujourd'hui, on a peut-être du mal à l'imaginer, mais c'était une force de la nature, tout en puissance, déterminé et rudement combattif, comme on disait dans le temps. Et il ne devait rien à personne.

L'admiration que le chasseur nourrissait à l'égard d'Ezra était manifeste. Boas s'était redressé sur sa chaise et avait prononcé un long discours où il regrettait l'extinction des gens de la trempe d'Ezra, durs à cuire et solides gaillards. Ezra était le plus grand chasseur et pêcheur que Boas ait connu de toute sa vie, peu importe qu'il soit sur terre ou en mer, les renards, les rennes, les perdrix et les oies sauvages tombaient sous ses balles tout autant que la morue et l'aiglefin dans ses filets.

— Comment vous a-t-il reçu ? s'enquit Boas.

— Très bien, répondit Erlendur. Je lui ai acheté du poisson séché qui est un vrai délice.

— Personne n'en fait de meilleur que ce bonhomme, reprit Boas. Il vous a parlé des grands travaux ?

— Non, il ne m'en a pas dit un mot.

— Ah, c'est bien le problème, je suis incapable de dire ce qu'il pense de tout ça. C'est qu'il ne parle pas beaucoup de lui, ce brave Ezra. Il n'a jamais été très doué pour ça.

— Il sortait en mer avec Jakob ? interrogea Erlendur.

— Je ne sais pas, il faudrait se renseigner sur la question. Ezra a fait des quantités de choses. Par exemple, il a longtemps dirigé la fabrique de glace de Framkaupsstadur, je crois qu'il a commencé là-bas pendant la guerre.

Erlendur hésita un long moment avant de changer de sujet. Il ignorait s'il devait évoquer cette question, ne sachant plus vraiment s'il avait envie de trouver les indices qu'il cherchait depuis si longtemps. Boas comprit qu'il réfléchissait et ne le dérangea pas. Erlendur sortit de la poche de sa veste le petit objet qu'Ezra avait trouvé à côté de la tanière d'un renard sur les pentes de la montagne Hardskafi.

— Vous m'avez dit qu'on trouvait les choses les plus incroyables dans la tanière d'une renarde, déclara-t-il.

— En effet, convint Boas.

— Ezra a trouvé cela sur Hardskafi. Il me semble bien que mon frère possédait un jouet semblable.

— Je vois.

— À cause de ce que vous m'avez dit, parce que vous êtes chasseur et que vous connaissez bien les hautes terres des environs, j'ai envie de vous demander s'il vous serait arrivé de trouver des objets de ce genre, ou même des morceaux de vêtements.

Boas prit le jouet dans sa main.

— Vous croyez que cette voiture appartenait à votre frère ?

— Pas forcément. Mon père lui en avait offert une pareille. Je me suis dit que vous pourriez peut-être vérifier ça pour moi.

Pas aujourd'hui ni demain, mais lorsque vous partirez chasser. Vous pourriez regarder si vous trouvez quelque chose de ce genre aux abords des tanières.

— Vous voulez dire, un objet comme celui-là ? interrogea Boas.

Erlendur hocha la tête.

— Ou des restes, ajouta-t-il.

— Des restes ? Des ossements ?

Erlendur reprit le jouet pour le ranger dans sa poche. Il s'était efforcé de chasser cette pensée de sa tête. Chaque fois qu'elle affleurait dans son esprit, il revoyait cette carcasse d'agneau qu'il avait un jour découverte sur la lande, presque entièrement mangée, les orbites vidées par les corbeaux.

— Vous pourriez me contacter si vous trouvez quelque chose digne d'intérêt, même si ça vous semble insignifiant ?

— On peut envisager plusieurs hypothèses, reprit Boas. C'est-à-dire, pour peu que ce jouet soit effectivement celui de votre frère. Il est possible qu'il l'ait perdu devant chez vous, qu'un corbeau l'ait pris et emmené dans la montagne où il a fini près d'une tanière. À moins qu'il ne l'ait eu sur lui au moment de sa disparition et que le renard les ait trouvés, lui et le jouet.

— Je sais qu'il l'avait sur lui.

— Comment pouvez-vous en être sûr ?

— Je le sais. Me contacterez-vous si vous trouvez quelque chose ?

— Évidemment, cela va de soi, répondit Boas. Mais jusqu'ici je n'ai jamais rien découvert de ce genre, si ça peut vous aider.

Les deux hommes se turent un long moment, puis le fermier s'avança vers Erlendur et lui demanda :

— Qu'espérez-vous donc trouver là-haut ?

— Rien, répondit Erlendur.

Lorsqu'il revint à la ferme abandonnée, il s'installa auprès de sa lampe-tempête et sortit la nécrologie publiée dans le *Timinn* qu'il avait emportée avec lui dans la valise à Egilsstadir. Il lut attentivement l'article et s'arrêta à la phrase où il était question de la fabrique de glace de Framkaupsstadur. Il relut le passage concernant le décès de Jakob dans lequel on précisait que son corps et celui de son compagnon avaient été conservés dans l'usine à glace. Erlendur se souvint de ce que Boas lui avait dit d'Ezra. Sans doute y travaillait-il à cette époque, c'était donc lui qui avait accueilli les corps et veillé sur eux.

16

Erlendur arriva au village de Faskrudsfjördur aux alentours de midi le lendemain. Il traversa une nouvelle fois le fjord de Reydarfjördur, longeant la côte jusqu'à l'extrémité de Sléttuströnd, passa au pied de la montagne Reydarfjall, puis arriva à destination. Il aurait pu emprunter le nouveau tunnel qu'on venait de percer entre les deux fjords à la fin de l'été, mais avait opté pour le chemin le plus long. La température avait subitement chuté pendant la nuit et il avait neigé jusque sur les basses terres habitées. Le verglas ne facilitait pas les choses. C'était les premières neiges de l'automne, elles portaient en elles un calme étrange, posées sur les toits et sur la terre comme une épaisse couverture, rendant le paysage moelleux et blanc.

Il savait que si le froid forcissait encore et si le vent se levait, balayant les flocons, il ne pourrait plus vraiment rester dans la ferme abandonnée. La maison était ouverte à tous les vents, elle s'emplirait de neige et des congères s'y formeraient sous l'effet des courants d'air. Cela reviendrait alors exactement à s'installer dehors, à la belle étoile, vulnérable. Il se fit la réflexion qu'il ferait peut-être mieux de rentrer chez lui, de reprendre la route de Reykjavik et de décider que ça suffisait pour l'instant. Après tout, l'hiver arrivait. Toutefois, il hésitait. Il avait l'impression qu'il lui restait un certain nombre de choses à régler ici, même s'il ignorait lesquelles exactement.

Erlendur se gara à la station-service et fit le plein, puis il demanda à la jeune fille au comptoir si elle connaissait une certaine Gréta Pétursdottir, ici, au village. Les trois jeunes employées qui servaient les clients n'avaient pratiquement pas une minute à elles tant il y avait de monde. Des chauffeurs routiers et des ouvriers emplissaient les lieux, deux hommes en costume étaient assis, penchés sur l'écran de leurs ordinateurs portables. Erlendur avait lu quelque part que la circulation dans le tunnel reliant Faskrudsfjördur à Reydarfjördur et aux grands chantiers dépassait les prévisions les plus optimistes. Il se refusait à hurler avec les loups.

– Non, vous pourriez attendre un instant, lui répondit la jeune fille, je vais me renseigner.

Sur quoi, elle étala une généreuse dose de moutarde sur un hot-dog complet : saucisse, ketchup, oignons frais, oignons frits et sauce rémoulade, qu'elle tendit au client par-dessus le comptoir. Elle additionna mentalement ce qu'il lui devait, appela l'une de ses collègues, lui demanda si elle connaissait Gréta, obtint la réponse et comprit alors qui était la femme qu'Erlendur cherchait. Elle encaissa son client, puis se retourna et l'appela :

– Veuillez m'excuser, je n'y étais pas, je me trompais de personne. La Gréta que vous cherchez travaille à la piscine.

Erlendur lui répondit d'un hochement de tête et la remercia. La neige continuait de tomber, il parcourut le village en voiture jusqu'à trouver la piscine couverte. Une odeur de chlore lui envahit les narines quand il s'avança vers l'accueil. L'employée bien en chair aux cheveux grisonnants et âgée d'une soixantaine d'années consultait les actualités sur Internet. Depuis les bassins, on entendait les cris des gamins. Erlendur fit immédiatement le rapprochement avec les cours de natation réservés au public scolaire.

– Une entrée ? demanda la femme, levant les yeux de son écran. Un petit badge fiché sur sa blouse indiquait le prénom "Gréta".

– Comment ? répondit Erlendur.

– Vous voulez aller à la piscine, non ?

– Non, ce n'est pas ce qui m'amène. Je suis à la recherche de Gréta Pétursdottir.

– C'est moi.

Erlendur se présenta, expliqua s'intéresser aux histoires de gens qui se perdaient sur les hautes terres et ajouta qu'il se penchait sur celle du régiment britannique basé à Reydarfjördur qui avait été piégé par la tempête sur la lande d'Eskifjardarheidi. Il avait découvert que Matthildur, une jeune femme originaire d'Eskifjördur, avait péri sur la lande au cours de la même nuit. Cette dernière avait été mariée à Jakob, ami de Pétur, le père de Gréta. Pétur avait rédigé une nécrologie au décès de Jakob.

La femme le regarda calmement déballer tout cela. Erlendur comprit qu'elle n'y était pas du tout.

— Redites-moi qui vous êtes ? interrogea-t-elle.

— Je me documente sur les récits de disparations qui ont eu lieu dans la région, reprit Erlendur, expliquant à nouveau la nature des liens qui unissaient Jakob, Matthildur et Pétur jusqu'à ce que les choses s'éclaircissent un peu dans la tête de l'employée. Elle s'occupa des gamins qui venaient d'entrer et des autres qui sortaient des vestiaires. Quand le calme revint, elle proposa un café à Erlendur qui accepta. Puis, elle alla s'asseoir avec lui à une petite table de l'autre côté du comptoir. Par le biais de quelques gestes et exclamations, elle demanda à l'un de ses collègues vêtu d'un pantalon blanc et chaussé de sabots de la même couleur de venir la remplacer.

— Il est polonais, observa-t-elle en guise d'explication.

— Ah, répondit Erlendur. Je suppose qu'un certain nombre d'étrangers travaillent ici.

— Pas seulement ici, aussi à Reykjavik. On ne peut pas faire un pas sans en croiser un. Je crois voir de qui vous parlez, observa l'employée de la piscine en avalant une gorgée de café insipide. Tout cela est bien sûr arrivé avant mon époque et je ne suis pas certaine de pouvoir vous être d'un grand secours. Je m'étonne de votre visite, ajouta-t-elle.

— Vous vous souvenez de Jakob ? demanda Erlendur.

— Très peu, il est mort en 1952, non ? À ce moment-là, j'étais toute gamine. Par contre, mon père parlait beaucoup de lui. Ils étaient très amis et avaient travaillé souvent ensemble, tous les deux étaient pêcheurs. Je crois que j'ai toujours cette nécrologie dont vous parlez. Mon père en a écrit plusieurs et les a toutes conservées. Celle que vous évoquez est parue dans *Timinn*, c'est bien ça ?

— En effet. Donc, ils avaient le même âge ?

— Oui, mon père avait peut-être un ou deux ans de moins que lui, ce qui ne faisait pas une grande différence. Il parlait souvent de la noyade de Jakob. Le drame est arrivé pendant une tempête déchaînée. Les gens ont vu l'accident depuis le rivage, mais n'ont rien pu faire d'autre que de ramener à terre les cadavres des deux hommes qui étaient à bord de la barque.

— Leurs corps ont été conservés à la fabrique de glace, à ce qu'on m'a dit, observa Erlendur. Celle d'Eskifjördur, au lieudit de Framkaupsstadur.

— Tout à fait. Ils ont été enterrés à peine un ou deux jours après leur décès, à ce que disait papa. Tout est allé très vite, ces deux hommes étaient célibataires, enfin, il me semble avoir entendu papa dire ça.

— Il lui arrivait de parler de Matthildur?

— C'était rare.

— Ou de leur couple?

— Du couple de Jakob et de Matthildur? Je ne m'en souviens pas. Il y avait des rumeurs diverses, mais mon père n'y prêtait aucune attention. Certains racontaient qu'elle s'était transformée en revenante et que c'était elle qui avait causé cet accident en mer.

— À votre avis, quelle était l'origine de ces rumeurs?

— Je ne sais pas trop. Ces histoires-là ne sont-elles pas typiques des Islandais? Toutes ces sottises sur les fantômes, les revenants, les elfes et les trolls? Tout ça, c'est du même tonneau, non?

— Je suppose.

— Et puis, le corps de cette Matthildur n'a jamais été retrouvé, et ça n'a pas contribué à faire taire ces histoires de revenants.

— Le fait qu'elles aient existé avait toutefois un certain sens, observa Erlendur, aussi dubitatif face au hasard qu'à la superstition.

— Vous ne croyez pas à toutes ces choses, n'est-ce pas? s'enquit Gréta, la main posée sur la croix qu'elle portait au cou.

— Pas vraiment, répondit Erlendur.

Les cris des enfants s'étaient presque tus. Par la porte entrouverte, Erlendur apercevait une jeune professeur de natation qui, accroupie sur le bord du bassin, enseignait le dos crawlé à ses élèves.

— Dans le temps, tout le monde n'avait pas de cours de natation, nota Gréta quand Erlendur eut regardé la leçon un

85

certain temps. Je me souviens que papa disait que Jakob ne savait pas nager.

— Il vous a raconté d'autres anecdotes à son sujet?

— Je me rappelle qu'il a dit qu'un jour, Jakob a été confronté à ce qu'il redoutait le plus au monde, il a même cité ces vers tirés des Psaumes de la Passion*.

— Quels vers?

— Ah, comment c'est, déjà? Gréta s'accorda un instant de réflexion. "Cette chose, qui lui inspirait la terreur, advint toutefois pour son malheur."

— Et il a cité ces lignes en parlant de Jakob?

— Oui, Jakob souffrait de claustrophobie. Je ne suis pas vraiment sûre qu'on ait utilisé ce terme à l'époque, mais c'est le mot qui me vient à l'esprit quand je repense à ce qu'en a dit mon père. Il ne supportait pas qu'on ferme la porte de la pièce où il se trouvait. Papa ignorait pourquoi il était comme ça, mais c'était ce qu'il redoutait le plus. Se retrouver enfermé. Étouffer.

— Où voulez-vous en venir? Il a été confronté à ce genre de situation?

— Oui, au moins une fois. Mon père et lui étaient très jeunes, ils travaillaient au même endroit, aux Abattoirs de Reykjavik. Ils n'y sont restés que très peu de temps, quelques mois. C'est là qu'ils se sont rencontrés. C'était au début de la grande crise des années 30 et on acceptait n'importe quel travail. Jakob s'occupait du fumage.

— Il fumait la viande?

— Oui. Et il s'est retrouvé enfermé dans un fumoir.

— Ah bon?

Gréta hocha la tête.

— Mon père racontait qu'un de ses collègues lui avait joué un mauvais tour pour s'amuser, un collègue qui ignorait qu'il était claustrophobe.

— Peut-être que personne n'était au courant.

— Sans doute que non. En tout cas, il est devenu pire que fou, à ce que disait papa. Quand ils ont finalement ouvert

---

* Il s'agit des Passíusálmar (Psaumes de la Passion) de Hallgrímur Pétursson.

le fumoir, il s'en est pris au premier venu et a menacé de le tuer. Ils ont dû s'y mettre à plusieurs pour le calmer. Ses mains étaient en sang. Il avait gratté à la porte en acier jusqu'à s'arracher la peau.

— C'était vraiment lui jouer un sale tour.

— Papa n'avait jamais rien vu de pareil et Jakob a toujours refusé d'aborder ce sujet avec lui. Mon père a essayé de lui demander ce qui s'était passé exactement, mais il n'a rien voulu lui dire.

— Votre père connaissait d'autres détails sur la disparition de Matthildur? interrogea Erlendur. Il vous en a parlé?

— Non, il ne savait rien. C'était tout simplement une tragédie.

— Vous savez comment Jakob a réagi?

— Il était complètement laminé, répondit Gréta. Des recherches de grande envergure ont été menées pour les retrouver, elle et ces soldats britanniques, il y a participé, de même que papa et tous ceux qui étaient en mesure de le faire. Mon père a passé beaucoup de temps avec lui après le drame et il trouvait que Jakob avait beaucoup changé. Il était plus nerveux, plus difficile à vivre au quotidien et s'emportait à la moindre occasion. Il n'était plus du tout le même homme.

— Quelqu'un m'a raconté que Jakob cachait bien son jeu, qu'il ne fallait pas trop se fier à lui, observa Erlendur, se rappelant ce que lui avait confié Ezra.

— Je ne savais pas ça. En tout cas, mon père ne m'a jamais rien dit de tel.

— Il a bien sûr été très affecté par ce drame. Vous connaîtriez une certaine Ninna? s'enquit Erlendur. Elle doit être très vieille, si elle est encore de ce monde. Ninna est son véritable nom, le prénom qu'elle a reçu à son baptême. Je n'arrive pas à la trouver dans l'annuaire.

— La seule Ninna que je connais est à la maison de retraite d'ici, répondit Gréta. J'y ai travaillé autrefois. Je ne sais s'il s'agit de la même femme. En tout cas, celle-là est effectivement très âgée.

17

La neige tombait nettement plus fort lorsque Erlendur arriva à la maison de retraite de Faskrudsfjördur. Assis au volant de sa voiture, il alluma une cigarette en regardant les flocons qui virevoltaient paresseusement. Il n'y avait pas de vent, l'air semblait immobile et il fuma sans se presser.

Il pensa aux randonnées qu'il avait faites depuis son arrivée de Reykjavik, il était parti du fond du fjord d'Eskifjördur, était monté sur la lande, longeant les montagnes jusqu'à parvenir assez haut sur les pentes. Équipé de vieilles chaussures de marche et vêtu d'un pantalon imperméable, il portait une veste épaisse et chaude, son sac à dos à l'épaule. C'était en rentrant d'une de ces randonnées qu'à proximité d'Urdarklettur, il avait croisé Boas et s'était joint à lui. En règle générale, il se mettait en route tôt le matin et marchait jusqu'au soir, mais il arrivait aussi qu'il passe la nuit sur un tapis de mousse, seul avec les oiseaux. Il aimait s'allonger sur le dos, la tête posée sur son sac, les yeux levés vers les étoiles en méditant sur ces théories qui affirmaient que le monde et l'univers étaient encore en expansion. Il appréciait de regarder le ciel nocturne et son océan d'étoiles en pensant à ces échelles de grandeur qui dépassaient l'entendement. Cela reposait l'esprit et lui procurait un apaisement passager de pouvoir réfléchir à l'infiniment grand, au grand dessein.

Ce n'était pas la première fois qu'il s'était allongé ainsi sur les landes tapissées de bruyères pour écouter les oiseaux, les yeux levés vers le ciel. Il conservait un souvenir très net de son premier voyage dans l'est du pays après que la famille était partie s'installer à Reykjavik. Cela remontait au décès de son père qui avait souhaité être inhumé sur les lieux de son enfance. Il avait accompagné sa mère dans l'avion qui transportait le corps jusqu'à Egilsstadir. Le cercueil avait ensuite été emmené en pick-up jusqu'au village d'Eskifjördur sur une piste de graviers. Il se rappelait comment il avait trouvé déplacé que la dépouille de son père soit simplement posée sur la plateforme du véhicule. Avec sa mère, assis dans l'habitacle, ils écoutaient la logorrhée du chauffeur bavard comme une pie qui avait, en plus, mis de la musique à la radio.

Erlendur avait eu envie de lui demander de faire preuve d'un peu plus de correction, mais sa mère ne semblait pas s'en offusquer. Une brève cérémonie avait eu lieu à l'église où quelques rares gens du cru étaient venus. C'était en milieu de semaine, aucun faire-part n'avait été publié dans la presse, l'inhumation n'avait été annoncée qu'une seule fois, à la radio. Personne n'avait écrit de nécrologie dans les journaux. Après la messe, ils s'étaient retrouvés tous deux au cimetière face à la tombe béante. Une croix blanche où était fixée une petite plaque de métal noire attendait d'être plantée dans la terre.

— Que Dieu te bénisse, avait murmuré sa mère.

Plus tard dans la journée, il l'avait accompagnée à la ferme de Bakkasel, abandonnée depuis leur départ. L'état de la maison s'était très vite dégradé, la porte était ouverte, les fenêtres cassées, et du bétail avait visité les lieux. Elle avait d'abord fait le tour de toutes les pièces, comme hypnotisée, comme si leur vie dans cette maison appartenait à un autre monde. Un monde englouti. La force dont elle avait fait preuve l'avait surpris. Elle n'avait montré aucune réaction lorsque son époux était mort, prématurément, et avait organisé son enterrement de la manière dont il lui avait dit qu'il souhaitait que les choses se passent. Elle n'avait pas versé une larme en route, n'avait pas cédé à l'agacement face à ce chauffeur bavard, avait gardé le silence au cimetière et s'était contentée de murmurer ces mots : que Dieu te bénisse. Mais là, en traversant les pièces de leur maison, en voyant les ravages causés par l'abandon et toute cette destruction, leur vie commune lui était revenue en mémoire et on eût dit que sa carapace se fissurait.

— Que s'est-il donc passé ici ? avait-elle murmuré.

— On ferait mieux d'y aller, avait répondu Erlendur.

– C'est au-dessus de mes forces, avait-elle chuchoté, d'une voix si faible qu'on l'entendait à peine.

– Viens.

Ce soir-là, lorsque sa mère était partie se coucher, il était allé sur la lande. C'était l'une de ces nuits claires de l'été, il était monté jusqu'au pied de la montagne Hardskafi, s'était allongé et avait contemplé le ciel. À l'époque du déménagement, il n'était encore qu'un enfant et maintenant qu'il revenait ici, bien des années plus tard, il éprouvait des sentiments extrêmement mêlés. Lorsqu'il était arrivé à la maison abandonnée, tant de choses lui étaient revenues, des choses qu'il avait oubliées, ou tenté d'enfouir. Au fond de lui, il savait qu'il avait évité ce lieu. Évité d'y penser et évité de s'y rendre. Cette nuit d'été ne lui avait apporté aucun apaisement. Au contraire, elle n'avait fait que mettre en lumière tout ce que ce retour chez lui avait de difficile et de douloureux. Il considérait que cela ne changeait pas grand-chose, mais était persuadé que jamais il ne pourrait être un homme heureux.

Erlendur éteignit une deuxième cigarette, assis dans la voiture. Il regardait la neige immaculée se poser sur la terre, telle la promesse d'un nouveau commencement, et maudissait en silence tous ces destins tragiques, quel que soit le lieu où ils advenaient.

Ninna était âgée de quatre-vingt-cinq ans, très petite, fine, elle était plongée dans la lecture de la Bible à l'arrivée d'Erlendur. Il s'était renseigné auprès d'une aide-soignante, préférant ne pas s'adresser à la direction afin de s'épargner une série d'explications quant au motif de sa visite. L'aide-soignante lui avait répondu que Ninna était dans sa chambre dont elle lui avait indiqué le numéro, et il l'avait trouvée sans difficulté.

– Qui êtes-vous ? lui demanda-t-elle d'une voix claire quand il poussa la porte.

– Je m'appelle Erlendur et je désirais m'entretenir un peu avec vous.

– Je reçois très peu de visites, répondit Ninna. Assise sur le bord de son lit, sa Bible entre les mains, elle n'avait pas attaché ses cheveux complètement gris qui lui retombaient sur les épaules. Si ce n'est cette jeune fille qui est passée me voir l'autre jour pour me parler des techniques agricoles d'autrefois, elle m'a expliqué qu'elle enregistrait des vieux comme moi pour Thjodminjasafn, le Musée national d'Islande. J'ai répondu à cette malheureuse que ce genre de blabla ne m'intéressait guère, que je n'avais pas envie d'être classée au patrimoine dans le Musée national, mais qu'elle pourrait m'y entreposer après ma mort si cela lui chantait!

— Ninna, c'est un prénom assez rare, non? commença Erlendur en guise d'approche, afin de lier un peu connaissance avec son interlocutrice. Elle n'avait autour d'elle guère d'effets personnels, aucune photo de famille et pas de bibelots qui auraient pu embellir le décor. Deux vieilles reproductions étaient fixées aux murs, le lit était fait et un verre d'eau à moitié vide, posé sur la table de nuit.

— Cette question n'a aucun intérêt, répondit la vieille dame en refermant sa bible. Alors, mon garçon, que me voulez-vous?

Erlendur préféra lui épargner ses flatteries.

— Je m'intéresse aux événements de cette terrible nuit de janvier 1942 au cours de laquelle des soldats britanniques se sont perdus sur la lande d'Eskifjardarheidi. Vous vous en souvenez?

— Bien évidemment!

— Cette nuit-là, une jeune femme a également disparu, je crois que vous étiez amies.

— Vous voulez parler de Matthildur, oui. Cette chère Matthildur. Est-ce que, par hasard, vous la connaissiez?

— Non, je ne pourrais pas dire ça.

— Matthildur était une femme exceptionnelle, commença Ninna. Nous étions très amies et sa mort a été pour moi une perte douloureuse. Certains pensaient qu'elle avait mis fin à ses jours, mais j'ai toujours trouvé que cette idée n'avait ni queue ni tête.

— Ah bon? s'étonna Erlendur qui entendait cela pour la première fois.

— Ils racontaient qu'elle s'était jetée dans la mer, qu'elle n'était jamais allée sur la lande car, dans ce cas, elle aurait forcément croisé ces soldats. Bref, n'importe quoi. Les soldats n'y voyaient pas à deux mètres et ils ignoraient complètement où ils se trouvaient. Ah ça non, cette chose-là était ridicule.

– Vous voulez dire, cette rumeur affirmant qu'elle s'est suicidée ?

– Jamais elle n'aurait fait une chose pareille, répondit Ninna d'un ton ferme. Il n'y avait aucune raison. Absolument aucune. Je la connaissais assez bien pour le dire. Un tissu de sornettes !

– Que pensez-vous qu'il soit arrivé ?

– Je suppose qu'elle est morte dans cette tempête, non ? Ce ne serait pas la première fois que cela arrive en Islande.

– Vous connaissiez Jakob, son mari ?

– J'étais là lorsqu'elle l'a rencontré. Il venait de Reykjavik et avait vécu un moment à Djupavogur. Ils n'ont pas passé beaucoup de temps ensemble.

– Et quel genre d'homme c'était ?

– J'ai toujours pensé qu'elle aurait pu trouver mieux, répondit Nina. Mais je me suis toujours gardé de le dire. Que ce soit à elle ou à lui. Cette histoire ne me regardait pas, même si certaines choses dont elle n'avait pas connaissance sont apparues ensuite. On était amies et je ne la juge pas. Je suis moi-même tombée sur un drôle de zouave, enfin, je ne veux pas dire du mal de mon brave Viggo.

Ninna lui adressa un regard de ses yeux fatigués.

– Le pire, ajouta-t-elle, c'est quand ces malheureux s'adonnent à la boisson.

Erlendur sourit en lui-même.

– Certaines choses, dites-vous ?

– Oui.

– Quelles sont ces choses qui sont apparues et qu'elle ignorait ?

– Eh bien, elles avaient fréquenté le même homme.

– Elles ? C'est-à-dire ?

– Pas à la même époque. Matthildur l'avait rencontré plus tard.

– Attendez un peu, Jakob connaissait l'une des sœurs de Matthildur, répondit Erlendur, se souvenant de ce qu'il avait lu dans la lettre que cette dernière avait adressée à Ingunn.

— Jakob et Ingunn ont été ensemble à une époque, mais cette liaison a été brève. Je me rappelle que Matthildur m'a confié que sa sœur était fortement opposée à leur mariage. À ce moment-là, Ingunn avait en réalité déjà déménagé à Reykjavik. Je crois d'ailleurs qu'elle est partie là-bas à cause de cette histoire avec Jakob. Enfin, peu importe. Tout cela ne me regardait pas.

Le mot ordure barrant la nécrologie de Jakob n'était pas forcément de la main d'Ingunn. Il avait sans doute été tracé lors d'un accès de colère, mais à en croire les paroles de Ninna, il y avait de bonnes chances pour que ce soit effectivement Ingunn qui l'ait écrit. Elle avait connu Jakob, puis était partie s'installer à Reykjavik où elle avait commencé une nouvelle vie. Le destin avait ensuite voulu que Jakob épouse sa sœur. À en juger par la lettre de Matthildur, elle savait qu'ils se connaissaient, mais ignorait sans doute la nature de leurs relations.

— Matthildur savait que Jakob et Ingunn avaient été ensemble ? s'enquit Erlendur.

— Si elle le savait ?! Elle l'a découvert après leur mariage. Et le fruit de leur relation est apparu.

— Le fruit ?

— Certes, on ne le criait pas sur les toits. Mais j'étais au courant. Peut-être que quelques autres personnes le savaient aussi. Ingunn est partie, elle ne revenait ici que très rarement.

— Vous étiez au courant de quoi ?

— Enfin, du petit ! s'exclama Ninna. Ingunn et Jakob ont eu un enfant ensemble. Ma pauvre Matthildur était complètement effondrée quand elle a appris la nouvelle. Complètement effondrée.

18

Ingunn n'avait pas dévoilé l'identité du père et n'avait informé personne de son état. Quand elle avait découvert qu'elle était enceinte, elle avait préféré partir s'installer à Reykjavik. Elle avait un temps envisagé d'interrompre sa grossesse, contacté des gens qui pratiquaient ce type d'intervention, mais s'était finalement ravisée le moment venu. Elle avait trouvé un travail dans une conserverie, connu l'existence pénible d'une mère célibataire, puis rencontré un contremaître employé chez un armateur. Elle l'avait épousé et ils avaient fondé une famille. Le couple avait eu trois autres enfants. Elle n'avait jamais jeté un regard en arrière et n'était pas revenue au village de Reydarfjördur ni dans les fjords de l'est tant que Jakob était vivant.

Elle l'avait vu peu avant de s'en aller à Reykjavik et lui avait révélé être enceinte de lui. Jakob avait immédiatement mis sa parole en doute. Ils avaient travaillé ensemble toute une saison à Djupavogur et elle avait couché avec lui une seule fois, à la fin de l'été. Elle était tombée amoureuse, croyant qu'elle avait affaire à un homme honnête, ce que la suite des événements avait démenti. Il lui avait manifesté de moins en moins d'intérêt après cette nuit avec elle, puis avait fini par lui dire clairement qu'elle devait cesser de l'importuner. Voilà qui avait mis fin à leur relation avant même qu'elle ne commence. Lorsqu'elle l'avait vu pour l'informer de son état, il s'était mis en colère et lui avait répondu qu'elle ne pourrait jamais prouver qu'il était le père de l'enfant, il l'avait traitée de traînée et lui avait dit ne plus vouloir avoir aucune relation avec elle. Et elle n'avait pas intérêt à lui mettre ce gamin sur le dos, tels avaient été ses derniers mots.

Brisée et humiliée, Ingunn avait opté pour le silence. Elle avait souvent parlé de partir à Reykjavik pour y vivre un moment. Personne n'avait donc été surpris de la voir mettre son projet à exécution. Tout ce qu'elle possédait tenait dans une valise. Quelques mois plus tard, elle avait mis au monde un fils que le contremaître avait reconnu quand ils s'étaient installés ensemble.

— Matthildur savait tout, précisa Ninna, fixant Erlendur, le regard résolu. C'est elle qui m'a raconté cette histoire. Ingunn ne lui a appris ce qui s'était passé que bien trop tard. Elle ne lui en a pas parlé lorsqu'elle a su que Matthildur et Jakob se fréquentaient, je suppose qu'elle ne s'en sentait pas la force, mais je vous laisse imaginer ce qu'elle a dû éprouver. Évidemment, elle a sans doute refusé de le croire quand elle a appris qu'ils étaient en couple, peut-être a-t-elle espéré que cela ne marcherait pas entre eux. Ce n'est que plus tard qu'elle a trouvé le courage d'envoyer à Matthildur une lettre où elle lui exposait la nature des relations qu'elle avait eues avec Jakob.

Ninna regardait par la fenêtre les flocons qui virevoltaient et tombaient sur la terre.

— Je ne suis pas allée le crier sur tous les toits et j'espère que vous ne le ferez pas non plus, observa-t-elle. Je me demande d'ailleurs qui pourrait bien s'intéresser à des histoires concernant de simples gens que tout le monde a oubliés.

— J'imagine que Matthildur a pris ces nouvelles plutôt mal, déclara Erlendur.

— Jakob ne lui avait jamais parlé de sa relation avec Ingunn, ce qui n'est pas franchement étonnant. Il n'était jamais venu en visite chez les quatre sœurs, par conséquent il ne les connaissait pas. Toute cette histoire s'était passée à Djupavogur. J'imagine le choc qu'elle a eu quand Ingunn a compris qui était l'homme que sa sœur avait rencontré.

— Et Matthildur aussi, non ?

— Elle était désemparée. Elle me l'a dit. Elle a cuisiné Jakob, mais il a nié avoir connu sa sœur et s'est entêté à refuser d'avouer qu'il lui avait fait un enfant.

— Cet événement aurait-il pu conduire Matthildur à en venir à certaines extrémités ?

— Vous voulez dire à mettre fin à ses jours ? Je pense que c'est totalement exclu. Ça ne lui ressemblait pas. En plus, elle a reçu cette lettre de sa sœur un an avant sa disparition, elle avait tout de même eu le temps de se remettre. Par contre, je crois qu'elle envisageait de le quitter.

— De divorcer ?

— Oui.

— À cause de cette histoire ?

— Je ne vois pas d'autre motif.

— Pouvait-il y en avoir ?

— À ma connaissance, c'est le seul.

Ninna se tut et resta un long moment les yeux baissés sur ses mains usées. Elle soupira et se mit à tortiller d'un air absent ses mèches de cheveux gris, comme s'il s'agissait là d'une vieille habitude. Elle semblait plongée dans son monde. Les minutes passaient. Le silence régnait dans la maison de retraite. Dehors, la neige tombait de plus en plus dru, on voyait à peine jusqu'aux maisons voisines. Ninna regardait par la fenêtre, on eût dit que son regard traversait ces flocons, ces bâtiments et ces montagnes.

— Je me demande si je verrai le printemps, déclara-t-elle d'un air absent.

Erlendur n'avait pas la réponse à sa question. Il aurait aimé lui dire que bien sûr, elle le verrait, mais il savait que cela aurait été vain et sans fondement.

— Ah, je crois que ça suffit comme ça, observa Ninna. J'en ai assez de ces hivers sans fin.

— Vous croyez qu'Ingunn aurait pu envoyer cette lettre à Matthildur pour nuire à son couple avec Jakob ? Simplement pour se venger de lui ?

— Qu'est-ce qui vous fait dire ça ?

— Je crois qu'elle a écrit ailleurs qu'il n'était qu'une ordure. J'ai l'impression qu'elle était très colère contre lui.

— Vous voulez voir la lettre ?

— Vous… vous savez où elle est ?

— Matthildur me l'a montrée en me demandant de la conserver. Elle craignait peut-être que Jakob ne la détruise. En tout cas, c'est moi qui l'ai. Vous voyez cette commode ? Dans le tiroir du bas, vous trouverez un petit coffre. Vous voulez bien me l'apporter, je peine à marcher.

Erlendur se leva et alla chercher le coffre sculpté dans la commode. Ninna l'ouvrit, fouilla dans les photos et les lettres jusqu'à trouver ce qu'elle cherchait. Elle reposa le coffre et, l'enveloppe à la main, resta un long moment à scruter l'adresse avant de la tendre à son visiteur.

— Je l'ai gardée tout ce temps, observa-t-elle.

Erlendur ouvrit précautionneusement l'enveloppe et en sortit une feuille couverte d'une belle écriture manuscrite, envoyée depuis Reykjavik, datée d'un an avant la disparition de Matthildur.

Chère Matthildur,

Je ne voulais jamais parler à personne de la chose que j'ai à te dire et je ne le ferais pas si les conditions particulières dans lesquelles nous sommes ne m'y obligeaient pas. Tu t'es sans doute demandé pourquoi j'étais à ce point opposée à ta relation avec Jakob. Je crains d'avoir une chose des plus déplaisantes à t'annoncer. J'espère que tu me le pardonneras.

Ne sachant comment exprimer cela, je préfère te le dire sans détour. Jakob est le père de mon enfant. Je sais qu'il le niera, mais il n'empêche que c'est la vérité. C'est arrivé à Djupavogur au cours de l'été où j'ai travaillé là-bas, jusqu'à l'automne. Quand je lui ai appris que j'étais enceinte de lui, il a mis ma parole en doute, m'a traitée comme une putain et m'a dit des mots que je ne lui pardonnerai jamais. Je suis partie à Reykjavik où j'ai rencontré Halldor, un homme adorable qui me rend heureuse. Je n'ai raconté cette histoire ni à toi, ni à nos sœurs, ni à notre mère, mais depuis je suis devenue très proche de Joa, cette chère Johanna m'est d'un grand soutien. Le fils que j'ai eu de Jakob est un garçon costaud qui tient pas mal de son père.

Je n'entends pas médire sur le compte de Jakob, mais je te dois toute la vérité. Il m'a menacée des pires choses et cela m'a fait peur. Depuis, j'ai appris qu'il avait frappé une femme avec laquelle il avait eu une aventure à Höfn. Il m'a prévenue que, si je ne le laissais pas tranquille, il ferait courir toutes sortes de ragots et de mensonges sur moi, je sais d'ailleurs qu'il l'a fait dans une certaine mesure avant mon départ. Il m'a menacé de violences en me disant des choses que je ne saurais répéter.

Ma bien chère Matthildur, tu n'imagines même pas combien j'ai été choquée en apprenant que vous vous fréquentiez, je n'en ai pas cru mes oreilles et j'ai sans doute hésité trop longtemps avant de te dire ce qu'il en est exactement. Je suppose que je continue d'avoir honte de m'être laissée ainsi berner. Je suis encore très en colère contre moi. Je voudrais pouvoir te conseiller, mais je ne vois pas comment le faire. Peut-être a-t-il changé, j'en doute fortement. Ma petite Matthildur, je suis navrée d'avoir à te le dire, mais Jakob n'est pas quelqu'un de bien, ce n'est pas un homme honnête.
Pardonne-moi cette affreuse lettre,
Ta sœur, Ingunn

Erlendur replia la feuille et la glissa doucement dans l'enveloppe avant de la rendre à Ninna.

— Elle a montré cette lettre à Jakob ? demanda-t-il.

— Évidemment, répondit Ninna. Et il a catégoriquement tout nié. Il a immédiatement nié et n'a jamais avoué quoi que ce soit.

— Matthildur a dû prendre une décision difficile, n'est-ce pas ?

— Je suppose, oui.

— Elle voulait le quitter ?

— Je crois que ça s'est imposé à elle au bout d'un moment.

— Mais peut-être ne voulait-elle pas le quitter de la manière dont elle l'a fait ?

— Ça, je n'en sais rien.

— On m'a dit que Jakob n'avait pas très bonne réputation dans la région, reprit Erlendur. Vous croyez que c'est à la suite de cette histoire avec Ingunn ? Vous croyez que ça s'est ébruité ?

— Je n'en ai pas la moindre idée, répondit Ninna. Je commence à être fatiguée de tout cela. Vous feriez mieux de partir.

— Le fils de Jakob et d'Ingunn, où est-il ?

— Il a passé sa vie ici, dans l'Est. On m'a dit qu'il était maintenant en maison de retraite à Egilsstadir, presque aveugle. Il s'appelle Kjartan, comme le père des quatre sœurs.

— Vous parlez de Kjartan Halldorsson ?! s'exclama Erlendur en revoyant mentalement l'image du vieil homme d'Egilsstadir qui l'avait autorisé à fouiller dans la valise de sa mère.

— Oui, son deuxième nom est formé sur le prénom de son beau-père, il s'appelle donc Halldorsson, fils de Halldor, précisa Ninna. Ingunn ne voulait pas que le deuxième nom du petit garçon soit formé sur celui de Jakob. Vous le connaissez ?

— Une femme m'a conseillé d'aller le voir. Maintenant, je comprends mieux pourquoi.

19

Lorsque ses idées s'éclaircissent à nouveau, il se rappelle avoir appris une méthode d'une simplicité enfantine pour mesurer le degré d'hypothermie. Il ne se rappelle pas y avoir recouru dans le passé et, pourtant, il a l'impression de l'avoir déjà employée plusieurs fois.

Il essaie d'amener son pouce à toucher son auriculaire, mais la force lui manque. Il effectue une nouvelle tentative. Sa main reste parfaitement immobile, ses doigts sont totalement engourdis par le froid. Il ne peut en bouger aucun et encore moins s'arranger pour que l'auriculaire et le pouce se touchent. L'impulsion envoyée par son cerveau se fige le long de son bras. Il ne tarde pas à renoncer et ne parvient absolument pas à se souvenir à quel stade de l'hypothermie ce mouvement devient impossible.

Les stades sont au nombre de trois. Il s'est souvent documenté sur ce phénomène afin de comprendre et de se familiariser avec la manière dont il conduit la victime d'abord au coma, puis lentement vers la mort, lorsque le cerveau s'éteint.

Il sait qu'une baisse de température corporelle d'environ deux degrés engendre un tremblement incontrôlable ainsi qu'un engourdissement des mains. Il est incapable de dire s'il a déjà franchi ce cap et s'il est passé au palier suivant, mais s'efforce de répondre à cette question tandis qu'il tente sans relâche de joindre son pouce et son auriculaire. Il sait que les veines de l'épiderme se contractent afin de limiter la déperdition de chaleur, le corps réagit à cette déperdition en la limitant autant que possible. Cela se manifeste, par exemple, avec la chair de poule.

Il se souvient qu'il a eu la chair de poule, mais il lui semble que cela remonte à plusieurs semaines.

Il se rappelle également l'étrange sensation qu'il a éprouvée lorsqu'il a été saisi par une envie irrépressible d'ôter tous ses vêtements. Il est toutefois incapable de dire combien de temps s'est écoulé depuis. Il établit une corrélation entre cette envie de se dévêtir et le passage du premier au deuxième palier de l'état hypothermique. Il avait eu l'impression que la chaleur se diffusait partout sous sa peau, jusqu'à l'extrémité de ses membres, les mains, les pieds, et il lui avait semblé qu'il se consumait de l'intérieur. Il ne sait pas si, à ce moment-là, il s'est réellement réchauffé ou s'il s'agissait simplement d'une illusion, engendrée par son esprit. Il a lu des rapports faisant état de cas où des victimes d'hypothermie ont arraché tous leurs vêtements car elles avaient l'impression de brûler. Il a lu deux théories expliquant cette étrange sensation. La première est que la zone du cerveau chargée de veiller au maintien de la température corporelle est endommagée et qu'elle envoie à la peau des signaux contradictoires. La seconde affirme que les muscles chargés de contracter les veines afin de limiter la déperdition calorique et d'assurer un flux sanguin approprié vers les organes vitaux, parmi lesquels le cerveau, finissent par abandonner la lutte, le sang se diffuse alors à nouveau dans l'épiderme, ce qui engendre cette impression de chaleur étouffante, aussi incompréhensible qu'inattendue.

Au deuxième stade de l'hypothermie, la température corporelle s'est abaissée de quatre degrés, les lèvres, les doigts et les oreilles bleuissent.

Au troisième stade, la température tombe en dessous de trente-deux degrés Celsius. Le tremblement disparaît, la parole et l'esprit se mettent en veille, la somnolence s'installe. Tout l'épiderme bleuit et les pensées deviennent incohérentes. Les organes vitaux sont endommagés, le corps meurt peu à peu. Le froid retarde toutefois la mort cérébrale, les cellules du cerveau sont moins rapidement détruites dans ces conditions, les dommages se produisent donc avec une plus grande lenteur.

Il s'est plongé dans des études traitant de la capacité de résistance au froid et a fait l'expérience personnelle de l'imprévisibilité de l'animal humain dans ce domaine au cours des derniers jours. Il a pu constater de lui-même à quel point l'instinct de survie dépasse toutes les limites. Il a lu des récits où il est question de victimes d'accidents en mer sous des latitudes boréales qui ont survécu aux pires conditions qu'on puisse imaginer. Des gens dont tous pensaient qu'ils étaient morts de froid sur les hautes terres de l'Islande sont revenus dans le monde des vivants. Il sait maintenant que ces récits ne sont pas des légendes.

Il essaie toujours d'amener son auriculaire à toucher son pouce sans y parvenir. Il ne sent plus sa main et n'a aucun moyen de voir si elle a commencé à bleuir et si des engelures s'y sont formées.

Certains détails quant à la résistance au froid et à la capacité de l'homme à survivre aux conditions les plus extrêmes sont en rapport avec la disparition sur laquelle il enquête depuis son arrivée dans les fjords de l'est. Sa connaissance du phénomène d'hypothermie a beaucoup progressé au fur et à mesure qu'il s'est penché sur la vie de ces gens, explorant les étranges liens familiaux, les mensonges, les amitiés et le destin de Matthildur.

Tout à l'heure, il voyait l'océan d'étoiles s'étendre dans le ciel nocturne. Maintenant, il ne voit plus rien.

Il sait que le grattement qu'il entend sous la terre n'est que le fruit de son imagination, les gémissements lointains qui lui parviennent sont des bruits qui n'existent qu'à l'intérieur de sa tête. Il connaît leur origine et ne les redoute pas.

Sa conscience sombre à nouveau dans le néant.

D'autres sons l'assaillent. Des paroles qu'il a prononcées dans un passé lointain, avec lesquelles il a vécu toute sa vie, mais qu'il n'aurait jamais dû laisser sortir de sa bouche.

Des mots tellement insignifiants.

Des mots tellement gigantesques.

20

Au retour, il reprit le même chemin, s'abstenant à nouveau d'emprunter le tunnel qui venait d'ouvrir entre Faskrudsfjördur et Reydarfjördur. La route était nettement moins praticable qu'elle l'avait été le matin, mais sa jeep l'affronta sans difficultés majeures. Il passa par le cap de Vattarnesskridur. À cet endroit de la côte se trouvait un précipice baptisé d'une manière qui le décrivait parfaitement : Manndrapsgil, le Ravin assassin. Au large, on apercevait les îles de Skrudur et d'Andey.

Le jour commençait à décliner et l'éclairage grisâtre qui nimbait le chantier de la fonderie parait le fjord d'une clarté fantomatique. Il se demanda s'il devait rendre visite à Hrund immédiatement, tant que les renseignements communiqués par Ninna étaient encore frais dans sa mémoire, et décida qu'il était inutile d'attendre. Lorsqu'il arriva, il remarqua que, contrairement à son habitude, elle n'était pas assise à la fenêtre du salon.

Il gravit l'accès, frappa à la porte, patienta un instant, puis frappa à nouveau. Hrund semblait absente. N'osant pas entrer comme il l'avait fait à sa première visite, il fit le tour de la maison et tenta d'épier par les fenêtres où il ne distingua ni lumière ni présence. Il retourna à la porte, posa sa main sur la poignée et constata qu'elle n'était pas fermée à clef. Il entra précautionneusement, appela Hrund sans obtenir aucune réponse, referma la porte derrière lui et s'avança vers le salon, le fauteuil était à sa place à la fenêtre. Il se fit tout à coup la réflexion qu'il allait un peu trop loin et se ravisa. Sans doute Hrund s'était-elle simplement absentée pour faire quelques courses, elle allait rentrer d'une minute à l'autre et il n'avait pas franchement envie qu'elle le trouve chez elle. Il retourna donc à la porte, l'ouvrit et s'apprêta à quitter les lieux. Son regard tomba sur le couloir qui menait à la cuisine. La clarté des lampadaires entrait par la fenêtre et il vit les jambes de Hrund, allongée sur le sol. Il bondit dans le couloir et jusqu'à la cuisine. Elle était couchée sur le côté, les yeux fermés. Il lui prit le pouls à la gorge, ce dernier était faible. Il attrapa le téléphone fixe pour appeler les urgences, alla chercher au salon une couverture qu'il étendit sur Hrund et se garda de la déplacer. Elle semblait inconsciente. Sa porte n'était pas fermée à clef, mais elle n'était pas non plus grande ouverte lorsqu'il était arrivé. Il n'avait remarqué aucune présence suspecte aux abords de la maison.

Il l'entendit gémir légèrement et s'accroupit à côté d'elle.

— Que s'est-il passé ? demanda-t-il.

Elle ouvrit les yeux et jeta quelques regards alentour.

— Ça va ? s'inquiéta-t-il.

Voyant qu'elle s'apprêtait à se relever, il lui demanda de rester tranquille. Il venait d'appeler une ambulance qui arriverait d'une minute à l'autre. Il lui demanda si elle ressentait une douleur au cœur ou à la tête. Elle lui fit signe que non.

— Le diabète, murmura-t-elle.

— N'essayez pas de parler, conseilla Erlendur. Vous avez une fièvre de cheval. Où puis-je trouver du sucre ?

— Dans le placard...

Il se releva.

— Je suppose qu'il va... falloir m'hospitaliser...

Erlendur trouva un morceau de sucre qu'il donna à Hrund, alla chercher un coussin sur le canapé pour le lui poser sous la nuque ainsi qu'une seconde couverture qu'il étendit sur elle. Puis, il alla guetter l'arrivée de l'ambulance. Il se disait qu'elle serait là d'une minute à l'autre, espérant qu'il y en avait une au village à cause des grands travaux. L'hôpital régional se trouvait à Neskaupsstadur.

Hrund était toujours dans la même position à son retour. Elle lui demanda de l'aider à se relever. Il hésita un moment, mais finit par l'aider à s'asseoir sur une des chaises de la cuisine.

— J'aurais dû le savoir, ça commence comme la grippe et ça empire. La moindre égratignure peut se transformer en septicémie.

— Ils ne devraient plus tarder. Je peux faire quelque chose ?

— Que cherchez-vous donc, à toujours venir ici ? interrogea-t-elle, d'une voix faible et haletante, comme à bout de forces.

— Vous feriez peut-être mieux de vous allonger jusqu'à ce qu'ils arrivent, éluda Erlendur.

— Dites-moi ce que vous avez découvert. Vous n'avez pas renoncé à fouiller dans cette histoire, n'est-ce pas ?

— Non, avoua Erlendur.

— Ah… j'en étais sûre ! Alors, quoi de neuf ?

— Vous souhaitez que je prévienne quelqu'un au village ? L'ambulance est en route. Vous voulez que j'informe les membres de votre famille ?

— Ils ont tous déménagé.

— Ou des amis peut-être ?

— Rien ne presse. Dites-moi plutôt ce que vous savez.

Des phares éclairèrent la maison, une lueur bleue et clignotante balayait les murs. L'ambulance était là. Erlendur alla l'accueillir sur le pas de la porte. Deux hommes vêtus de combinaisons fluorescentes chaudes et épaisses descendirent du véhicule et le suivirent à l'intérieur de la maison.

— C'est le diabète ? s'enquit l'un d'eux auprès de Hrund.

— Oui, encore et toujours cette même saleté, répondit-elle, s'apprêtant à se lever.

— Ne bougez pas, ordonna l'ambulancier. Vous ne faites pas vos piqûres ?

— J'ai sans doute une infection à la jambe. Je me suis éraflée à la porte du four l'autre jour, ça remonte à avant-hier, puis tout à coup je me suis sentie mal et cet homme m'a retrouvée là, allongée par terre, expliqua-t-elle, l'index pointé vers Erlendur.

Les ambulanciers allèrent chercher une civière où ils l'installèrent, puis l'emmenèrent jusqu'à la voiture. Il ne neigeait plus, elle regarda le ciel étoilé avant d'entrer dans l'ambulance. Erlendur vit les deux hommes fermer les portes arrière. Ils remontèrent en voiture et démarrèrent. Au bout de quelques dizaines de mètres, le véhicule s'immobilisa. Erlendur vit les feux de recul s'allumer et la voiture se rapprocher de lui. L'un des ambulanciers descendit et vint à sa rencontre.

— Puis-je savoir qui vous êtes ?

— Je ne vois pas en quoi c'est important, répondit Erlendur.

— Elle demande si vous souhaitez l'accompagner.

— Ah bon ?

— Il y a assez de place, précisa l'homme.

— Dans ce cas, c'est d'accord, répondit Erlendur.

Il monta à l'arrière et s'installa auprès de Hrund qui semblait endormie. La voiture s'ébranla à nouveau, la vieille dame ouvrit les yeux et le dévisagea d'un air inquisiteur.

— Pourquoi vous ne renoncez pas ?

— À quoi donc ?

— À réveiller des fantômes et des revenants qui ne vous concernent pas ?

— Vous voulez que j'arrête ? s'enquit Erlendur.

Hrund ne répondit pas.

— Ils vont me donner des antibiotiques, reprit-elle, dès que j'arriverai à l'hôpital. Un traitement de cheval pour tuer tous ces microbes. C'est comme ça qu'ils luttent contre l'infection. Sinon, je mourrais. Ça devrait d'ailleurs m'être égal. Je suis vieille, usée, malade et, autant que je sache, il n'y aura personne pour me pleurer. Mais bon, cette idée ne m'enchante guère. Ce n'est pas mon genre. Même si je suis vieille et malade, la vie est telle qu'on rechigne à l'abandonner. On n'en a juste pas envie.

L'ambulance dérapa et franchit brutalement une congère qui s'était formée en travers de la route. Erlendur fut projeté vers les portes arrière et se trouva presque éjecté du véhicule.

— Pardon, leur cria le chauffeur. C'est une vraie patinoire à cet endroit.

— Pourquoi vous entêtez-vous à fouiner dans l'histoire de Matthildur ? interrogea Hrund. Qu'avez-vous donc découvert ?

— Pourquoi ne pas m'avoir parlé de la relation entre votre sœur Ingunn et Jakob ?

— Cela ne vous regardait pas, répondit Hrund. Pourquoi fourrer votre nez dans des histoires oubliées ? Pourquoi ne laissez-vous pas les morts reposer en paix ?

— Je n'ai pas l'intention d'exhumer qui que ce soit, rassura Erlendur.

— Qui avez-vous interrogé ?

– Une amie de Matthildur.

– Ninna?

– Oui.

– Qu'avez-vous appris? Je veux savoir ce que vous avez découvert.

– Rien que vous ne sachiez déjà, me semble-t-il, répondit Erlendur. Ingunn n'a dit à personne que l'enfant qu'elle portait était celui de Jakob. Quant à lui, il a toujours nié être le père. Leur fils est cet homme qui vit à Egilsstadir, celui chez qui vous m'avez envoyé. Plus tard, quand Ingunn a appris que Matthildur avait épousé Jakob, elle a écrit une lettre à votre sœur et lui a tout raconté pour soulager sa conscience. Un an après, Matthildur a disparu.

– Vous avez rudement progressé, observa Hrund.

– J'ai parfois le sentiment... commença Erlendur.

– Oui? s'enquit Hrund, constatant qu'il n'achevait pas sa phrase.

– J'éprouve parfois un sentiment dont je ne saurais dire s'il est justifié ou non, mais je crois que vous êtes de mon côté et que, malgré tout, vous m'avez guidé pour me faire avancer dans mes recherches. Vous avez du mal à vous l'avouer et vous avez l'impression de devoir résister ainsi car, au fond de vous, vous pensez déplacé que des inconnus aillent mettre leur nez dans votre histoire familiale. Je crois que vous me faites simplement du cinéma et je vous comprends parfaitement. Je dirais que vous me poussez à continuer et que vous vous arrangez pour que j'accorde encore plus d'attention à toute cette histoire. Il y a longtemps que vous cherchez des réponses et vous pensez sans doute que le moment est venu d'apprendre la vérité. Quant à moi, je tombe à pic.

– Vous en savez, des choses, ironisa Hrund d'une voix à peine audible.

– Du moins, je sais maintenant pourquoi vous m'avez envoyé voir Kjartan à Egilsstadir. En revanche, j'ignore pour quelle raison vous teniez tant à ce que je rencontre Ezra.

Erlendur eut l'impression que Hrund perdait conscience. Ses yeux se fermèrent et une expression étrangement paisible affleura sur son visage. Les ambulanciers l'avaient allongée sous une couverture bleue. La voiture avançait prudemment dans la nuit. Ne sachant pas grand-chose sur le diabète, il se demanda s'il devait les prévenir.

— Vous m'avez dit que vous étiez policier, observa Hrund au bout d'un long moment.

— En effet.

— J'ai toujours pensé que…

Elle inspira profondément, éreintée.

— Que…?

— J'ai toujours pensé que… la disparition de Matthildur aurait mérité qu'on ouvre une enquête.

21

Hrund dormit le reste du voyage. L'ambulance ne fut confrontée à aucun autre incident sur la route et arriva à l'hôpital de Neskaupsstadur tard dans la soirée. Erlendur accompagna Hrund jusqu'à sa chambre et resta jusqu'à l'arrivée du médecin. Ce dernier avait donné à la vieille dame le même traitement qu'auparavant dans des circonstances similaires. On lui avait administré un puissant cocktail d'antibiotiques, destiné à lutter contre l'infection qu'elle avait à la jambe. La moindre égratignure était susceptible d'engendrer ce type de complication si on n'agissait pas immédiatement, ce qui pouvait avoir de graves conséquences, comme cela venait de se produire.

Le médecin précisa que Hrund avait grand besoin d'une bonne nuit de sommeil. Erlendur prit brusquement conscience qu'il n'était pas venu avec sa voiture et qu'il n'avait pas du tout réfléchi à la manière dont il retournait chez Hrund, où la jeep l'attendait. Il était inutile de chercher quelqu'un susceptible de le ramener là-bas à cette heure tardive, en outre il voulait s'entretenir avec Hrund lorsqu'elle se réveillerait, le lendemain matin. Il demanda au docteur s'il connaissait un endroit où passer la nuit dans le village. Ce dernier l'informa qu'à deux pas de l'hôpital se trouvait une pension bon marché, même si elle affichait le plus souvent complet, du fait des grands travaux en cours dans la région.

Il eut toutefois la chance de trouver de la place parmi les ingénieurs éreintés, les représentants pleins d'entrain venus de Reykjavik, les conseillers américains et les ouvriers chinois. L'un des ingénieurs engagea la conversation avec lui. C'était un homme d'une petite cinquantaine d'années qui, disait-il, avait travaillé à la construction de pare-avalanches dans les fjords de l'ouest ainsi qu'au village de Siglufjördur, situé dans le nord du pays. Il précisa que ses racines se trouvaient ici, dans les fjords de l'est, et mentionna une ferme censée être le berceau familial, Erlendur crut comprendre qu'il s'agissait d'un de ces Strokahlid, autrement dit Trifouillis-les-Oies. L'homme disserta tout son soûl sur le barrage et la fonderie d'aluminium et lui expliquait le rôle que jouait son frère dans ce contexte quand, sans le moindre préambule, Erlendur lui souhaita bonne nuit.

Le lendemain matin, il retourna à l'hôpital pour y rendre visite à Hrund. Elle avait bien dormi et semblait nettement plus vaillante que la veille au soir. Elle était assise dans son lit, calée par quelques oreillers. Un pansement recouvrait soigneusement la blessure qu'elle avait à la jambe.

— Le traitement commence à faire effet, lui annonça-t-elle quand il s'installa à son chevet. Merci de m'avoir secourue. Quelle idiote je suis, j'aurais dû le voir venir. Je suppose que je suis restée un bon moment couchée par terre dans la cuisine. Je ne me rappelle pratiquement rien de ce qui s'est passé.

— Vous aviez l'air plutôt mal en point.

— Rien ne vous obligeait à m'accompagner jusqu'ici.

— Ça coulait de source.

— Je me souviens de certaines choses dont nous avons parlé hier soir, mais j'ai dû en oublier d'autres.

— Si j'ai bien compris, vous pensez que la mort de Matthildur a une autre explication que celle donnée par Jakob à l'époque.

— C'est bien possible. Je sais que c'est terrible à dire, mais c'est mon sentiment, et depuis longtemps. Il m'a toujours semblé étrange qu'on n'ait jamais retrouvé son corps. Les Britanniques ont tous été retrouvés cette nuit-là, et certains avaient sacrément dévié de leur route. J'ai toujours été persuadée qu'on aurait dû la retrouver, elle aussi.

— L'un des soldats a tenté de traverser la rivière Eskifjardara et le courant l'a emporté jusqu'à la mer.

— Ça non plus, je ne l'oublie pas. Elle a peut-être fait la même chose et a été emportée encore plus loin que lui. Peut-être qu'elle a effectivement péri dans cette tempête.

– J'ai longuement parlé avec Ninna hier et elle a mentionné l'hypothèse d'un suicide. Cette idée ne vous a jamais traversé l'esprit?

– Bien sûr que si. Mais ça ne changerait rien à l'affaire. Pourquoi n'a-t-on pas retrouvé son corps? À ce jour, personne n'a été en mesure de répondre à cette question. Et je doute que quiconque soit capable de le faire après toutes ces années.

– Vous n'entretenez aucune relation avec Kjartan, votre neveu à Egilsstadir?

– Non, aucune. Il a beau être mon neveu, nous n'avons aucun contact. Chacun sait que l'autre existe et sait aussi à quel endroit il se trouve, mais cela ne va pas plus loin. Il a passé son enfance ailleurs, s'est installé ici encore jeune homme et s'est plutôt tenu à l'écart. D'ailleurs, je ne fréquente pas non plus les autres enfants d'Ingunn. Ils vivent tous à Reykjavik, je crois.

– Pourquoi vous ne m'avez rien dit sur l'histoire entre Jakob et Ingunn?

Hrund ne lui répondit pas immédiatement.

– Quelle raison aurais-je eue de le faire? déclara-t-elle au bout d'un moment.

– Je croyais...

– Vous étiez un parfait inconnu. Puis, vous m'avez dit que vous travailliez dans la police et là, j'ai réfléchi. Malgré tout, j'étais encore hésitante, voilà pourquoi je me suis un peu trop emportée le jour où vous êtes revenu me voir. J'espère que vous me pardonnerez mon incorrection.

– Il n'y a rien que je doive vous pardonner, je ne suis ici qu'un simple visiteur, rassura Erlendur.

– Vous devez bien comprendre que ce n'est pas facile de parler de tout ça.

Erlendur hocha la tête.

– Vous connaissez bien l'histoire d'Ingunn et de Jakob? s'enquit-il.

– Ce n'est qu'en vieillissant que j'ai un peu mieux compris ce qui s'était passé, répondit Hrund. Ma mère faisait tout pour ne pas aborder le sujet et je n'en ai entendu parler qu'à mots couverts, beaucoup plus tard. À ce moment-là,

Matthildur et Jakob étaient tous les deux décédés. J'ai su que Matthildur avait été très affectée par cette lettre où Ingunn lui racontait tout. Cela expliquerait ce qui est arrivé par la suite.

— Vous croyez qu'elle avait l'intention de quitter Jakob?

— C'est tout à fait probable.

— Ingunn aurait eu des raisons de mentir dans cette lettre?

— Pourquoi aurait-elle fait une chose pareille?

— Je me dis que, peut-être, Jakob n'était pas le père de son enfant, que le petit était celui d'un autre homme dont elle n'a jamais parlé à personne.

— Ça me semble très improbable. Cela dit, je n'ai jamais lu cette fameuse lettre et j'ignore ce qu'elle est devenue.

— C'est Ninna qui la garde, répondit Erlendur. Vous devriez peut-être lui en parler. Ingunn y affirme que Jakob est bien le père.

— Cette lettre, vous l'avez eue entre les mains?

Erlendur lui répondit d'un hochement de tête.

— Je ne crois pas que le père de l'enfant ait pu être un autre homme que Jakob, observa Hrund. Le hasard a voulu qu'ensuite, il épouse Matthildur. C'est comme ça. C'est ça, la vie. Ce genre de chose arrive.

— Ça ne fait pas pour autant de Jakob quelqu'un de malhonnête, nota Erlendur. Il n'a pas été infidèle à Matthildur. Quelle qu'ait été la nature de sa relation avec Ingunn, elle était terminée lorsqu'il a emménagé avec Matthildur. Tout le monde a un passé.

— Certes.

— Et s'il n'était pas le père de l'enfant, Ingunn avait peut-être d'autres motifs de vouloir nuire à son ménage.

— Jakob s'est mal conduit avec elle, reprit Hrund.

— Oui, c'est ce qu'elle explique dans sa lettre.

— J'ignore ce qu'elle y dit. En tout cas, il l'a menacée des pires choses à l'époque. Lorsqu'elle lui a annoncé la nouvelle et qu'elle lui a demandé de reconnaître l'enfant, il a menacé de la frapper. Peut-être qu'il l'a fait. Il l'a prévenue qu'il n'hésiterait pas à colporter qu'elle n'était... qu'elle ne valait pas mieux qu'une fille de joie. Je pense qu'elle est partie à Reykjavik pour le fuir. J'ai l'impression qu'elle ne l'a jamais avoué, mais maman était sûre qu'il s'en était pris à elle physiquement.

Une infirmière entra dans la chambre et demanda à Hrund si elle avait besoin de quelque chose. La malade fit non de la tête. L'infirmière prit la carafe vide sur la table de nuit en disant qu'elle allait la remplir.

— Vous n'avez qu'à sonner s'il vous manque quoi que ce soit, ajouta-t-elle avec un sourire bienveillant.

— Maman a essayé de lui tirer les vers du nez après la disparition de Matthildur, reprit Hrund dès que la femme eut quitté la chambre. Elle lui a demandé clairement s'il lui avait fait du mal, s'il avait battu Ingunn. Jakob a nié catégoriquement. Il a répliqué que jamais il n'avait levé la main ni sur Ingunn ni sur Matthildur. Que vouliez-vous qu'on réponde à ça ?

— Matthildur a dû être choquée en apprenant que son neveu était aussi le fils de son époux, nota Erlendur.

— Tout ce que je sais, c'est que, avec cette lettre, Ingunn est parvenue à briser leur ménage, répondit Hrund. C'était peut-être ce qu'elle voulait depuis le début.

— Qu'est-ce que vous voulez dire ?

Hrund garda le silence.

— Qu'est-ce qui s'est passé ?

La vieille dame le détailla longuement. Quelqu'un passait devant la porte, chaussé de sabots qui claquaient sur le sol à chaque pas. Dehors, on entendait un camion vrombir.

— Vous avez dit tout à l'heure que cela expliquait ce qui s'est passé par la suite, que voulez-vous dire ? interrogea Erlendur.

— Comment ?

— Vous disiez que la lettre d'Ingunn avait eu des conséquences sur la suite des événements. Vous parliez de la disparition de Matthildur, n'est-ce pas ?

— Non, répondit Hrund. Elle n'a disparu que plus tard... Matthildur s'est rapprochée d'Ezra. Elle a eu une aventure avec l'ami de Jakob.

— Ezra ?

— Oui, Ezra. Ils se voyaient en cachette. Vous êtes allé l'interroger, non ?

– Oui.

– Et il ne vous l'a pas dit?

– Non.

– Ce n'est pas étonnant, observa Hrund. Il n'en a jamais parlé à personne. Il garde le silence depuis toutes ces années et emportera sans doute cette histoire avec lui dans la tombe.

22

Erlendur méditait en silence les paroles de Hrund. Des sabots claquèrent à nouveau dans le couloir et le bruit du camion qui partait de l'hôpital s'estompait. Hrund lissait de sa main la couette blanche. Erlendur remarqua que quelqu'un lui avait apporté un livre dont la tranche brune partait en lambeaux. Il lui sembla que l'ouvrage s'intitulait *L'Homme et l'humus.*

— Vous aimeriez sans doute en savoir un peu plus, déclara Hrund au terme d'un long silence.

— C'est à vous d'en décider, répondit Erlendur. Vous menez la barque depuis le début.

Hrund croyait savoir qu'Ezra connaissait Matthildur avant qu'elle ne reçoive cette lettre de sa sœur. Il travaillait en mer avec Jakob. Les deux hommes s'entendaient bien, ils s'étaient rencontrés quelques années plus tôt à Djupavogur. La vieille dame ignorait toutefois dans quelles circonstances et pour quelles raisons ils étaient tous deux arrivés à Eskifjördur, quelque temps avant la guerre. Ezra ne s'était jamais marié et Hrund pensait qu'il n'avait jamais connu aucune femme. Jakob semblait nettement plus aguerri dans ce domaine.

Ezra était un solitaire qui se tenait à l'écart autant que possible. C'était ainsi à l'époque et, aujourd'hui, cela n'avait pas changé. On ne savait pas grand-chose de lui, si ce n'est qu'il était originaire de l'ouest du pays. Avant de rencontrer Jakob à Djupavogur, il avait habité à l'autre bout du pays, à Stykkisholmur et Borgarnes, où on imaginait qu'il était né et avait grandi. Il n'était venu à l'esprit de personne de lui poser la question. C'est sa profession de pêcheur qui l'avait conduit jusque dans les fjords de l'est où il s'était établi, vivant de la mer.

Même s'il était solitaire, peu enclin à se livrer, à exposer ses sentiments ou à prendre part à la vie sociale du village plus que nécessaire, les gens l'appréciaient. Courageux et prompt à rendre service, il avait le sens de l'honnêteté et de la mesure dans tout ce qu'il entreprenait. Solidement bâti, il était loin d'être considéré comme bel homme, il avait le front bas, les yeux petits, ridé prématurément, il avait à la lèvre inférieure une étrange cicatrice qu'on imaginait être la trace d'une bagarre. Personne ne l'avait jamais interrogé là-dessus. Certains comparaient son visage à un paillasson qu'on aurait balancé d'un coup de pied dans le coin d'une pièce. Il fallait peut-être y voir la raison de sa timidité et de son manque d'initiative envers le beau sexe.

Jusqu'à ce qu'il rencontre Matthildur.

Ils s'étaient connus quand elle avait commencé à fréquenter Jakob. Ezra s'était intéressé à elle à sa manière, très réservée, mais ils n'avaient réellement lié connaissance que lorsque lui et Jakob étaient partis travailler en mer sur un bateau à moteur de trois tonnes avec le propriétaire de l'embarcation, qui possédait également une conserverie à terre. Le bateau avait été baptisé *Sigurlina*, du prénom de la femme du propriétaire. Ils partaient aux premières heures du jour et rentraient en fin d'après-midi ou en soirée. Parfois, ils n'étaient que deux à bord, lorsque d'autres devoirs appelaient le propriétaire de la conserverie. Ezra se réveillait en général aux aurores, il passait chez Jakob et tous deux descendaient ensuite à la jetée. Matthildur était alors également debout, elle échangeait quelques mots avec Ezra tandis que Jakob se préparait. Puis, les deux hommes partaient et, en guise d'au revoir, elle les suivait des yeux depuis le pas de sa porte. Jakob ne jetait jamais un regard en arrière, mais il arrivait qu'Ezra le fasse, discrètement, par-dessus son épaule. L'image de Matthildur sur le seuil l'accompagnait pendant qu'il était en mer.

Un soir, alors qu'ils venaient d'accoster, Jakob informa Matthildur qu'il devait se rendre à Djupavogur pour affaires pendant quelques jours. Il ne lui expliqua pas ce qu'il allait y faire, mais lui dit qu'Ezra devrait sortir en mer seul avec le propriétaire du bateau. Comme à son habitude, Ezra s'était réveillé tôt le lendemain matin. En passant devant la maison, il avait remarqué que Matthildur était debout. La journée de

Jakob avait débuté aux aurores, elle s'était réveillée pour lui dire au revoir et n'était pas parvenue à se rendormir ensuite. La porte était ouverte, il l'avait saluée et, comme à leur habitude, ils avaient échangé quelques mots.

Le lendemain, Ezra avait répété le jeu. Il était à nouveau passé devant la maison de Jakob et de Matthildur. Elle avait laissé la porte ouverte, comme si elle l'attendait. Elle s'était avancée dans l'embrasure, l'avait salué et il était resté un peu plus longtemps que la veille à discuter en toute tranquillité. Matthildur ignorait tout autant qu'Ezra ce que Jakob était parti faire à Djupavogur. Son époux avait évoqué l'idée d'acheter des parts sur un bateau et elle supposait qu'il y était allé afin de prospecter. Ezra avait hoché la tête. Un jour, Jakob lui avait proposé de s'associer avec lui pour acquérir des parts. Ezra, qui n'avait pas un sou devant lui, n'avait pas voulu en entendre parler. Enfin, mon vieux, on n'a qu'à faire un emprunt! lui avait rétorqué Jakob. Qui va prêter de l'argent à des gars comme nous? avait objecté Ezra. Il se tenait là, à la porte de Matthildur, et lui avait demandé s'il lui manquait quelque chose, mais non, elle n'avait besoin de rien.

— Merci quand même de t'en inquiéter, avait-elle dit.

Le troisième matin, il s'était attardé plus longtemps encore et le propriétaire du bateau l'avait vertement réprimandé quand il était enfin arrivé. Matthildur n'était pas encore levée lorsqu'il était passé devant la maison, il avait patienté un long moment jusqu'à entendre du mouvement derrière la porte à laquelle il avait alors osé frapper quelques coups. Elle lui avait ouvert, souriante, légèrement vêtue, et ils avaient discuté un moment.

— Je t'ai préparé un petit quelque chose hier soir, lui avait-elle annoncé en lui tendant un casse-croûte. C'est tellement gentil de ta part de passer prendre de mes nouvelles tous les matins.

Surpris, il avait pris le pique-nique.

— Il ne fallait pas, avait-il répondu sans toutefois vouloir sembler ingrat.

— Mais non, ce n'est vraiment rien du tout, avait-elle rassuré, amusée de son étonnement.

— Je te remercie beaucoup, avait-il répondu en plongeant le repas dans le sac qu'il portait à l'épaule. Jakob rentre demain, non?

— Je crois même qu'il revient ce soir, avait répondu Matthildur. Il t'accompagnera demain matin.

Le quatrième jour, Ezra était arrivé devant la maison de Matthildur. Sans nouvelles de Jakob, il supposait que ce dernier était rentré la veille au soir. Il avait donc frappé comme à chaque fois qu'il venait le chercher. Il avait baissé les yeux vers la jetée. Les fjords étaient plongés dans une brume qu'il espérait voir se dissiper au fil de la matinée. La porte s'était ouverte, Matthildur s'était avancée dans l'embrasure. Ezra avait immédiatement compris que quelque chose était arrivé. Elle avait pleuré.

— Qu'est-ce qu'il y a? Ça ne va pas? s'était-il inquiété.

Elle avait secoué la tête.

— Il est arrivé quelque chose à Jakob? Il n'est pas rentré?

— Non. Il n'est pas ici et je ne sais pas où il est.

— Il n'était pas censé rentrer hier soir?

Matthildur semblait bouleversée, elle était allée dans la cuisine y chercher une lettre qu'elle avait agitée devant le visage d'Ezra.

— Est-ce que tu étais au courant de ça? s'était-elle emportée.

— De quoi donc?

— De l'homme qu'il est réellement?!

Elle avait vociféré ces mots, puis claqué sa porte. Il était resté là, désemparé. Il avait hésité un long moment, ne sachant s'il devait à nouveau frapper. La pêche attendait. Il ne pouvait se permettre de s'attarder ainsi. Les voisins allaient se lever. Il avait piétiné quelque temps devant la maison, puis avait descendu la colline. Il s'était arrêté plusieurs fois en chemin, levant les yeux vers la porte de Matthildur au cas où elle l'aurait rouverte, mais elle n'en avait rien fait. Jamais il ne l'avait vue aussi bouleversée et cela l'inquiétait de la savoir seule.

Le soir, après sa journée en mer, il avait jeté un regard vers la maison, la lumière n'était pas allumée et elle semblait déserte. Extrêmement pensif, il avait continué sa route et poussé la porte de chez lui qui n'était jamais fermée à clef, comme celle des autres maisons du village. Il avait posé son sac et sursauté en voyant Matthildur assise seule dans la pénombre à la table de la cuisine. Il avait tendu le bras vers l'interrupteur.

— Ça ne te dérangerait pas de ne pas allumer ? lui avait-elle demandé.

— Non, ça ne me gêne pas.

— Excuse ma conduite, ce matin. Je n'ai pensé qu'à ça toute la journée.

— Ne t'inquiète pas, avait-il répondu en scrutant les lieux à la recherche de Jakob. J'espère que tu es remise.

— Oui, je me sens mieux.

— Tu es venue seule ?

— Toute seule. Je voulais te parler. Tu veux bien ?

— Évidemment, avait répondu Ezra. Ça va de soi. Tu as faim ? Tu veux un café ?

— Non, merci beaucoup. Ne te dérange pas pour moi, ce n'est pas pour ça que je suis venue ici.

— Pourquoi tu es ici ?

Matthildur ne lui avait pas répondu immédiatement. Il s'était assis face à elle à la table de cuisine, heureux de l'avoir auprès de lui, heureux qu'elle soit restée là à attendre son retour, même s'il n'avait aucune idée de la raison qui l'avait poussée à agir ainsi.

— Est-ce que Jakob est rentré ? avait-il interrogé.

— Oui, aujourd'hui.

— Et il ne t'a pas accompagnée ?

— Ne t'inquiète pas, personne ne m'a vue entrer chez toi, rassura-t-elle. De toute façon, je me fiche que quelqu'un m'ait vue. Je m'en ficherais complètement si c'était le cas.

— Que… Matthildur, enfin, qu'est-ce qui se passe ? Qu'est-ce qui n'allait pas, ce matin ?

— Tard dans la journée d'hier, j'ai reçu une lettre de ma sœur Ingunn, lui avait annoncé Matthildur en sortant la feuille de sa poche. Elle a déménagé à Reykjavik. On ne s'écrit pas souvent. Je savais quand même qu'elle était opposée à mon mariage avec Jakob. J'ignorais pour quelle raison jusqu'à ce qu'elle m'envoie cette lettre. Si tu veux, tu peux la lire.

Elle la lui avait tendue et il l'avait lue à deux reprises avant de la reposer sur la table.

– Qu'en dit Jakob ? lui avait-il demandé.

– Rien, avait-elle répondu. Il se souvient d'Ingunn à l'époque où elle travaillait à Djupavogur. Ça, il le reconnaît. Par contre, il affirme qu'il est exclu que cet enfant soit de lui. Il l'a déjà dit à Ingunn, mais cette idée serait chez elle une obsession. Il dit qu'elle déraille complètement.

– Et toi, tu n'étais pas au courant ?

– Ingunn ne m'en parle qu'aujourd'hui. J'étais bien sûr au courant qu'elle avait eu un enfant à Reykjavik, mais je n'avais jamais fait le rapprochement avec Jakob.

– Il savait qu'Ingunn était ta sœur lorsque tu l'as rencontré ?

– Oui, je savais qu'ils se connaissaient vaguement, avait répondu Matthildur, mais je n'avais jamais imaginé le reste, ni pour l'enfant ni pour les relations qu'ils avaient eues. Il n'a jamais abordé ce sujet avec moi. Pas plus qu'il ne m'a parlé de cette histoire. D'ailleurs, il ne m'en parle toujours pas. Il refuse d'aborder la question. À chaque fois, il m'ordonne de me taire. Il m'a frappée, puis il est parti à toute vitesse. Je ne sais pas où il est.

– Il t'a frappée ?

– Oui, à la tête.

– Et tu n'as rien ?

– Non, j'ai eu peur, c'est tout.

– Tu crois ce que dit ta sœur ?

– Oui.

– Que vas-tu faire ?

– Je n'en sais rien, avait répondu Matthildur. Je ne sais pas quoi faire. Je voulais te voir. Il faut que tu me dises si tu étais au courant de cette histoire. Tu savais qu'il avait eu un enfant avec ma sœur ?

– Je n'en avais pas la moindre idée, avait dit Ezra.

– Il ne t'en a vraiment jamais parlé ?

– Non, jamais.

– Il a peut-être bien fait des gamins aux quatre coins du pays ! Je suppose qu'il a volé de femme en femme pendant qu'il était à Djupavogur !

Elle avait tendu le bras vers la lettre et, sans même s'en rendre compte, Ezra avait doucement posé ses doigts sur les siens. C'était une réaction machinale. Elle n'avait pas ôté sa main et lui avait lancé un regard.

— Excuse-moi, s'était-il excusé en ramenant sa main à lui. Je… Ce n'est pas… Excuse-moi. Tu es bouleversée.

— Ce n'est pas grave, avait-elle rassuré.

— Je n'ai jamais ressenti ça, avait-il murmuré.

— Tu n'as aucune raison d'en avoir honte. Avec toi, je me sens bien.

Il avait levé les yeux pour les plonger dans ceux de Matthildur.

— Ezra, je sais que tu es quelqu'un de bien, avait-elle déclaré.

— Mais tu ignores ce que je ressens depuis un certain temps. Ce que je continue de ressentir.

— J'en ai peut-être une petite idée. Les femmes sont sensibles à ces choses-là.

— Et ça ne te gêne pas ?

Il l'avait vue hocher la tête dans la pénombre.

— Mais Jakob, alors ? avait-il murmuré.

— Peu m'importe, avait répondu Matthildur.

23

Un médecin entra dans la chambre de Hrund pour vérifier son goutte à goutte, il lui demanda comment elle se sentait, lança un regard inquisiteur à Erlendur qui ne lui adressa pas un mot. L'homme prit congé précipitamment. Hrund demanda à Erlendur d'arranger un peu les oreillers qui la calaient dans le lit et de lui servir un verre d'eau. Il attrapa la carafe que l'infirmière venait de rapporter. Hrund avala une gorgée et reposa le verre.

— C'est Ezra lui-même qui a raconté tout ça à ma mère bien des années plus tard, reprit-elle. À cette époque, Jakob était déjà mort. Ezra avait décidé de n'en parler à personne, il ne l'aurait jamais fait si ma mère ne lui avait pas tiré les vers du nez. Et encore, ça ne m'étonnerait pas qu'elle n'ait eu qu'une petite partie de l'histoire. Ezra est quelqu'un de très secret. Je dois avouer que je l'apprécie beaucoup, et depuis toujours.

— Je ne l'ai rencontré qu'une seule fois, observa Erlendur. Évidemment, il ne m'a rien dit de tout cela.

— Non, et ça m'étonnerait que vous parveniez à lui arracher quoi que ce soit, répondit Hrund.

Erlendur avait l'impression qu'elle commençait à se fatiguer. Il lui demanda si elle ne préférait pas qu'il passe la voir plus tard pour pouvoir se reposer un peu.

— Me reposer? rétorqua Hrund. Je ne vois pas comment je pourrais me reposer plus qu'allongée ici, sur ce lit d'hôpital.

— C'est que je ne voudrais pas vous importuner.

— Rassurez-vous! Ce n'est pas tous les jours qu'on a l'occasion d'évoquer cette histoire! Et si jamais vous découvriez quelque chose. Je dois avouer que depuis que vous vous y intéressez, j'ai le cœur qui bat un peu plus vite.

Erlendur ne pouvait nier que Hrund avait l'air nettement mieux, plus vaillante et plus loquace que la veille. Il ignorait dans quelle mesure il fallait porter la chose au crédit du diabète ou même du traitement antibiotique qu'elle avait. Pour sa part, il n'avait jamais souffert d'aucune maladie chronique et n'avait pas passé une seule journée dans un lit d'hôpital de toute sa vie.

– Je pose autant de questions qu'un enfant, observa Erlendur. Alors, que s'est-il passé ensuite ?

– Rien de particulier pendant les mois qui ont suivi, si ce n'est que la relation d'Ezra et de Matthildur s'est consolidée au fil des jours. Ezra et Jakob continuaient de sortir en mer ensemble, mais le nombre de congés maladie pris par Ezra a un peu augmenté. Lui et Matthildur sont parvenus à garder le secret de leur liaison très longtemps quand on pense à comment le village est petit. Ils savaient qu'ils allaient devoir dire la vérité à Jakob et qu'il valait mieux qu'ils le fassent eux-mêmes pour qu'il ne l'apprenne pas de la bouche d'autres personnes. Matthildur craignait qu'il prenne très mal la chose, elle hésitait. Tous les deux redoutaient Jakob. Ou plutôt sa réaction.

– Vous croyez que Matthildur a eu cette liaison avec Ezra pour se venger de Jakob ?

– On peut se poser la question, c'est sûr. Elle reçoit cette lettre, pique une colère noire et se tourne vers un autre homme.

– Qu'en pensait votre mère ?

– Pas grand-chose, répondit Hrund. Elle savait que Matthildur était entière dans tout ce qu'elle faisait. Elle est tombée amoureuse d'Ezra, peu importe la manière dont c'est arrivé, en tout cas, ça n'avait rien d'une illusion. Ezra était bien placé pour le savoir et il l'a confirmé à ma mère.

Le plus difficile c'était de trouver le temps de se voir en secret. Il y avait des limites au nombre de journées d'absence qu'Ezra pouvait s'accorder au travail. Il refusait d'exercer trop de pression sur Matthildur en la forçant à quitter Jakob. Elle avait déjà repoussé deux fois l'instant de la rupture. Elle considérait avoir des raisons amplement suffisantes de partir, il s'obstinait à nier que l'enfant d'Ingunn était de lui, mais on aurait dit qu'elle avait peur, qu'elle redoutait sa réaction si elle le quittait. Ezra avait trouvé une excuse pour mettre un terme à ses sorties en mer avec Jakob. Il avait de plus en plus de mal à supporter sa présence, exécrait les trahisons, les secrets et la duplicité. Personne ne devait apprendre qu'il voyait Matthildur. Il savait pourtant que cela arriverait tôt ou tard. Une nuit, au cours d'une insomnie, alors qu'il pensait à elle et méditait sur le pétrin dans lequel ils s'étaient mis, il avait entendu quelques coups légers à sa porte. Il s'était levé, elle était entrée discrètement dans la maison, puis avait refermé en vitesse derrière elle.

— Tu me manquais tellement, avait-elle murmuré en le serrant dans ses bras.

Il l'avait pressée contre lui, embrassée et portée à la cuisine où ils avaient continué à s'embrasser jusqu'à ce qu'elle se détache de lui.

— Fuyons, s'était enflammé Ezra. Partons tous les deux. On pourrait nous en aller cette nuit. Immédiatement.

— Ezra, on ne peut pas disparaître comme ça. Je dois d'abord lui parler. Nous devons lui parler. Tu es son ami. Et je veux qu'il reconnaisse le mal qu'il a fait à ma sœur.

Ezra dévisageait Matthildur qui lui caressait le front. Jakob était allé à Reydarfjördur où il prévoyait de passer la nuit.

— D'accord, avait convenu Ezra. Parlons-lui. Racontons-lui la vérité. C'est mieux comme ça. Si tu préfères qu'on fasse comme ça, je n'y vois rien à redire. Mais parlons-lui tous les deux, ensemble. Toi, tu ne lui dis rien. Faisons-le ensemble.

— Tu sais qu'il est affreusement jaloux.

— Avec une femme comme toi, ça ne m'étonne pas.

Il ne l'avait pas vue le lendemain. Tard le soir, il avait entendu des coups à sa porte. Il était resté enfermé chez lui à cause de la violente tempête qui s'était abattue au cours de la journée. C'était Jakob qui venait le voir, bouleversé. Ezra s'était attendu au pire, mais pas de cette manière.

— Matthildur est dehors, dans cette tempête, s'était alarmé Jakob. Je voulais savoir si tu pouvais venir m'aider. M'aider à la retrouver.

Ezra n'en avait pas cru ses oreilles. Un peu plus tôt, il s'était dit que la tempête qui soufflait était d'une violence inouïe et il avait espéré que les gens resteraient bien à l'abri chez eux. Jamais il n'avait été témoin de tels déchaînements depuis son arrivée dans les fjords de l'est. Il craignait que le toit de sa maison ne soit emporté par les bourrasques.

— Elle voulait aller voir sa mère! s'était affolé Jakob. Et elle est partie à pied! Je vais rassembler des hommes, tu peux m'accompagner?

— Évidemment, avait-il répondu. Elle est sortie par le temps qu'il fait?

— Tu ne l'aurais pas vue? s'était enquis Jakob.

— Non.

— Elle m'a dit qu'elle passerait peut-être te voir.

— Ah bon? avait répondu Ezra. Il était sur le point d'ajouter qu'elle ne lui avait rien dit de ce voyage à Reydarfjördur, mais avait compris juste à temps qu'il allait commettre une erreur.

— Elle a ajouté qu'elle avait besoin de te parler, avait précisé Jakob.

— Je ne vois vraiment pas de quoi il pourrait s'agir, avait répondu Ezra, s'efforçant d'avoir l'air surpris que Matthildur ait eu quelque chose à lui dire; comme s'il n'était pas au courant qu'elle passait constamment le voir, qu'il existait entre eux certaines choses, qu'elle lui avait avoué qu'elle allait quitter Jakob, qu'ils allaient quitter ce village tous les deux, et qu'ils avaient fait l'amour juste à côté de l'endroit où Jakob se tenait maintenant, dans la cuisine.

Il avait pris la mine surprise adéquate pour maquiller et dissimuler tous ces mensonges.

— Non, enfin, tu verras bien, avait conclu Jakob.

Ezra avait enfilé des vêtements chauds à toute vitesse avant de le suivre. Apparemment, Jakob n'était pas au courant de sa liaison avec Matthildur. En tout cas, s'il l'était ou s'il avait des soupçons, il n'en avait rien laissé paraître. Ezra avait juste eu l'impression qu'il était mort d'inquiétude de savoir que Matthildur affrontait cette tempête. Ils avaient déjà commencé à aller frapper de porte en porte quand ils avaient appris que d'autres hommes se rassemblaient également pour partir à la recherche d'un régiment britannique basé à Reydarfjördur qui avait entrepris un voyage jusqu'à Eskifjördur, mais n'était pas arrivé à destination. Le fermier de Veturhus avait signalé que les soldats s'étaient perdus et il en avait déjà sauvé un grand nombre de la tempête.

Ezra et Jakob s'étaient joints au groupe de sauveteurs. La nouvelle s'était vite répandue que Jakob pensait que Matthildur, sa femme, tentait de franchir la lande pour rejoindre par le chemin le plus court le village de Reydarfjördur où habitait sa mère. Il supposait qu'elle était passée par les failles de Hrævarskörd qu'elle avait sans doute atteintes au plus fort de la tourmente. Le temps qui continuait de se déchaîner rendait les recherches difficiles, mais ni Jakob ni Ezra ne se laissaient décourager.

— Pourquoi tu n'es pas venu me voir plus tôt? avait crié Ezra à Jakob alors qu'ils montaient vers les failles et parvenaient tout juste à poser un pied devant l'autre.

— Je me suis endormi, j'ai dormi toute la journée et quand je me suis réveillé, ce soir, la tempête soufflait déjà. Jamais je ne l'aurais laissée partir si j'avais su que le temps allait se dégrader comme ça.

— Tu es sûr qu'elle n'est pas arrivée de l'autre côté de la lande?

— Oui, j'ai téléphoné, sur le versant de Reydarfjördur aussi ils rassemblent des hommes et vont lancer des recherches.

— Il faut qu'on la retrouve.

— Elle devrait pouvoir s'en sortir, avait crié Jakob.

Ils avaient continué sous les trombes de pluie, leurs voix se perdaient dans le hurlement des bourrasques. Bientôt, tout comme les sauveteurs de Reydarfjördur partis à la recherche de Matthildur sur l'autre versant de la lande, il leur avait fallu renoncer devant la violence de la tempête. Ils n'avaient parcouru que quelques centaines de mètres avant de comprendre qu'ils devraient attendre que le temps se calme s'ils ne voulaient pas risquer leur propre vie.

Le lendemain, la tempête était largement retombée. Les deux groupes de sauveteurs s'étaient rejoints aux failles de Hrævarskörd sans avoir trouvé trace de Matthildur. C'était en vain qu'on avait continué les recherches au cours des jours suivants.

Hrund pria Erlendur de l'aider à se redresser sur son lit.

– Voilà donc, à grands traits, l'histoire qu'Ezra a racontée à ma mère. C'est d'elle que je la tiens, je suppose qu'elle n'est donc pas trop déformée. Maman m'a confié que la disparition de Matthildur avait beaucoup affecté Ezra, c'était d'autant plus difficile pour lui qu'il ne pouvait ni faire ni dire quoi que ce soit, il ne pouvait parler d'elle à personne, ni de ce qu'ils avaient vécu tous les deux.

– Ezra savait que Matthildur s'apprêtait à quitter Jakob lorsqu'elle a disparu, observa Erlendur, mais il n'y avait vraiment personne d'autre qui savait qu'ils se fréquentaient?

– Non, personne. Ils avaient gardé cette histoire pour eux.

– Et il n'en a jamais rien dit à quiconque?

– Non, jamais, sauf à ma mère, qui a réussi à lui tirer les vers du nez. Il refusait de salir le nom de Matthildur en racontant qu'ils avaient été ensemble avant sa disparition, il n'a jamais voulu courir le risque de faire d'elle une femme qu'elle n'était pas. Le destin a voulu qu'il en aille ainsi, il a toujours considéré que leur liaison ne regardait qu'eux. Cela dit, ce n'est pas impossible que quelqu'un ait compris qu'ils se fréquentaient ou ait entendu parler de cet enfant qu'Ingunn attribuait à Jakob. Petit à petit, la réputation de Jakob s'est dégradée. Enfin, elle n'était de toute façon pas très bonne dès le départ.

– Et certains ont raconté que Matthildur était revenue le hanter jusqu'à causer sa noyade?

– Oui.

– Mais Ezra, que pensait-il de cette histoire?

– Il était certain que Matthildur n'avait pas survécu à cette tempête. Il n'a jamais évoqué une autre hypothèse. Pour lui, c'était la seule possibilité.

– Votre mère le croyait?

– Eh bien, elle n'avait aucune raison de mettre sa parole en doute.

– Matthildur l'avait prévenu que Jakob était jaloux. Ezra aurait pu imaginer qu'elle lui avait avoué leur liaison et que les choses s'étaient envenimées, vous ne croyez pas?

— C'est possible mais, dans ce cas, il n'en a rien dit à ma mère, répondit Hrund. Pour une raison que j'ignore, il avait l'intime conviction que jamais Jakob n'aurait pu faire de mal à sa femme. Il s'est résigné à son sort, il a pleuré sa Matthildur et continue de le faire aujourd'hui encore.

— Qu'est-ce qui justifiait cette intime conviction ?

— Je n'en sais rien. Jakob était le seul à pouvoir en dire plus sur le destin de Matthildur. Depuis qu'il est mort, je suppose qu'il n'y a plus aucun moyen d'avoir le fin mot de cette histoire.

— Et cette fin-là ne vous convient pas ?

— Non, je ne m'en suis jamais satisfaite.

24

Sa mère rentre éreintée de la lande. Le temps se déchaîne à nouveau, la tempête aveuglante et la neige qui se déverse du ciel interdisent la poursuite des recherches. Les sauveteurs se rassemblent à Bakkasel dans l'attente d'une accalmie.

L'effet des calmants administrés par le médecin s'est dissipé, mais il est nettement apaisé, allongé dans la chambre qu'il partage avec son frère. Son corps est toujours secoué de frissons, comme s'il avait un début de grippe. Le médecin l'examine, lui prend la main, scrute ses engelures et lui pose la paume sur le front. Il hoche la tête, satisfait, en lui promettant qu'il sera bientôt remis.

Sa mère entre et s'assoit au bord du lit. Couverte de neige, elle porte un pantalon imperméable et un épais chandail en laine, elle n'a pas encore délacé ses chaussures. La glace et la neige de ses vêtements gouttent sur le sol. Elle est prête à remonter sur la lande dès que le temps le permettra. Elle ne s'accorde pas le moindre répit et passe brièvement le voir avant d'aller rassembler des provisions pour les sauveteurs, de vérifier qu'ils ont bien à manger et de discuter avec ceux qui dirigent les recherches. Elle connaît bien les terres qui surplombent Bakkasel, elle peut leur donner quelques conseils.

– Comment tu te sens, mon petit? lui demande-t-elle. Il perçoit sa fébrilité, sa détermination, son obstination, bien qu'elle s'efforce de ne rien en laisser paraître afin de ne pas l'alarmer.

– Ils avancent? s'inquiète-t-il.

– Les recherches progressent, mais nous avons besoin d'un peu de repos, répond-elle, très vite. Ensuite, on reprendra. Tu as parlé à ton père?

Il hoche la tête. Il est resté auprès de lui un long moment, mais ils n'ont pas échangé un seul mot. Il remarque que ses parents ne communiquent pas. Sa mère ne fait pas grand-chose pour arracher son mari à cette torpeur étouffante qui l'accable.

– Vous allez retrouver Beggi?

– Oui, on le retrouvera, rassure-t-elle. Ce n'est qu'une question de temps. On le retrouvera, tu peux me croire.

– Il doit avoir très froid.

– On ne doit pas penser à ça, conseille sa mère. Je sais qu'on n'arrête pas de te poser cette question, mais tu te souviens d'un détail qui pourrait nous aider? Est-ce que tu voyais les montagnes? Tu sais dans quelle direction tu marchais?

Il secoue la tête.

– Après avoir perdu papa, je ne voyais plus rien. Il n'y avait que la neige. J'arrivais à peine à garder les yeux ouverts. Je ne sais pas si je montais ou si je descendais. Des fois, j'étais obligé de ramper. Je ne voyais pas les montagnes. Je ne voyais rien du tout.

– Ils disent que, lorsqu'ils t'ont trouvé, la position de ton corps avait l'air d'indiquer que tu étais en route vers le sommet de la lande et que, au lieu de te rapprocher des sauveteurs, tu t'éloignais d'eux. L'endroit où ils t'ont découvert indiquerait la même chose. Et l'orientation du vent aussi. La tempête vous a poussés plus loin qu'on l'aurait l'imaginé. Tu étais tellement en hauteur sur la lande que c'est un vrai miracle qu'on t'ait retrouvé. Depuis, on est montés bien plus haut vers les sommets. Tu crois que c'est pareil pour Beggi?

– J'aurais dû le garder avec moi. Je lui tenais la main tout le temps, et puis, tout d'un coup, il n'était plus là. Je l'ai appelé, j'ai hurlé de toutes mes forces, mais je ne m'entendais même pas crier dans la tempête.

Il lutte pour retenir ses larmes.

– Je sais bien, mon petit, le calme sa mère. Je sais bien. Grâce à Dieu, nous t'avons retrouvé, mon chéri, ajoute-t-elle en le serrant contre elle.

– Beggi a emporté la petite voiture, dit-il.

– Laquelle?

– Celle que papa lui a offerte.

– La rouge?

– Oui.

– Celle qui te faisait envie ?

– Je n'en avais pas envie du tout, dément-il promptement.

– Vous vous êtes quand même un peu disputés à cause d'elle.

– Je lui ai seulement proposé de la lui échanger. Contre des soldats.

– Il n'a pas voulu ?

– Non.

– Et il l'avait sur lui quand vous êtes partis ?

– Oui.

Il s'apprête à lui répéter ce qu'il a dit à son père lorsqu'ils se sont mis en route pour ce voyage désastreux. Il n'a mentionné la voiture miniature que parce qu'il a envie de continuer et de se confier à sa mère pour soulager sa conscience, mais il n'y parvient pas. Il est incapable de dire pourquoi. Peut-être parce que, malgré tout, il reste encore l'espoir que les choses rentrent dans l'ordre. Qu'on retrouve Beggi, et là, les mots qu'il a prononcés n'auront plus aucune importance.

– On va le retrouver, rassure à nouveau sa mère. Ne t'inquiète pas. On va le retrouver dès que le temps se calmera. Ils disent que la tempête devrait retomber d'ici une heure. Et là, on sera prêts, là, on ira chercher Beggi. D'autres gens vont venir nous aider, on va s'organiser encore mieux et on va le retrouver. Rassure-toi.

Il hoche la tête.

– Maintenant, essaie de te reposer, mon petit. Essaie de dormir le plus possible. Tu en as bien besoin.

Puis la voilà partie. Il reste allongé là, seul avec ses pensées et les oreilles emplies par cette tempête qui hurle. Le vent se rue sur la maison comme s'il voulait l'arracher, défoncer toutes les ouvertures et l'emporter avec lui, au loin. Il se tourne dans tous les sens, somnole longtemps, quelque part entre le sommeil et la veille, jusqu'à être vaincu par la fatigue et visité par des rêves qui ressemblent à des cauchemars.

Il est seul dans la maison ouverte aux quatre vents. On dirait qu'elle se tient en un lieu désert, battu par les tempêtes. Les portes se balancent dans le vide, accrochées à leurs gonds, les fenêtres sont cassées et toute trace de vie est effacée, meubles, lumière et couleurs. La maison est sombre, inquiétante, morte. Les murs nus et glacés ruissellent, comme s'ils versaient des larmes.

Il baisse les yeux et découvre à ses pieds un homme couché dans un duvet et enveloppé dans une couverture. Incliné au-dessus de lui, il s'apprête à le secouer doucement quand, tout à coup, l'homme se tourne et lui transperce le corps du regard. Il sursaute violemment. C'est la première fois qu'il voit cet homme ; son cœur bondit de terreur.

Réveillé en sursaut par ses propres cris, il hurle de toutes ses forces et de toute son âme, hurle encore et encore à pleins poumons, hurle jusqu'à ce que son visage devienne écarlate, il hurle, il hurle, il hurle comme s'il en allait de sa vie jusqu'à ce que sa mère arrive avec le médecin qui lui administre une seconde piqûre de calmants.

25

Erlendur trouva sans peine quelqu'un pour le ramener de Neskaupsstadur. Il alla récupérer sa voiture garée devant chez Hrund avant de retourner à la ferme abandonnée dans la soirée. Il prit d'autres couvertures dans la jeep et constata, satisfait, que l'endroit où il dormait dans l'ancien salon était resté au sec. Il alluma sa lampe-tempête et bientôt, l'air se réchauffa autour de lui. Après avoir fumé deux cigarettes et avalé deux tasses de café bien noir, il sortit le plat cuisiné qu'il avait acheté en route et qui, conservé dans un sachet thermos, était encore tiède. Affamé, il mangea presque toute la viande accompagnée d'une épaisse sauce brune, de purée de pommes de terre et d'un peu de confiture. Il but un café, s'offrit deux autres cigarettes après le repas et attrapa un livre qu'il avait emporté avec lui. L'ouvrage relatait la vie d'étudiants islandais à Copenhague au XIXᵉ siècle. Par moments, il souriait intérieurement et un passage le fit même éclater de rire.

Plongé dans sa lecture, il pensait à Hrund et à tous ces gens qui se retrouvaient seuls, confrontés au deuil, à l'absence et parfois même au remords, après le départ inattendu d'un de leurs proches. Lorsqu'on était face à une disparition, il allait de soi qu'on s'intéressait surtout au disparu, à son passé, sa vie actuelle et les raisons probables de l'événement. L'intérêt d'Erlendur dépassait de loin ces limites. Il en avait parfois discuté avec Marion Briem avec qui il avait travaillé de longues années, et qui lui manquait beaucoup plus qu'il ne voulait se l'avouer. Marion savait écouter et connaissait le deuil mieux que personne, peut-être. Erlendur mettait cela sur le compte de ses séjours en sanatorium à Vifilsstadir ou au Danemark. Marion n'évoquait que rarement l'expérience de cette tuberculose contractée dans sa jeunesse. Elle en parlait cependant lorsque Erlendur se montrait insistant. Il avait alors un aperçu du spectacle qu'offraient ces établissements ; les salles remplies de malades, les fumigations, les inhalations, les massages et les crachats de sang. On discernait à travers ces récits le souvenir d'un amour perdu, jamais clairement mentionné, mais qu'Erlendur pensait entrevoir au-delà des mots.

— De quoi parles-tu exactement ? avait interrogé Marion.

— De ces disparitions, avait-il répondu. Ce que je dis, c'est que, en tant que simple flic, je dois avant tout découvrir ce qui est arrivé, en apprendre plus sur la personne disparue, sur le comment et sur le pourquoi ?

— C'est évident !

— Mais pour les autres ?

— Quels autres ?

— Ceux qui restent.

— Et alors ?

— C'est à eux que va ma compassion. Ce sont eux qui doivent affronter l'événement et s'en accommoder. Ils doivent faire face au deuil et la douleur de l'absence les accompagne jusqu'à la fin de leur vie. Ce sont ceux qui restent auxquels je m'intéresse le plus.

— Erlendur, les flics ne sont pas là pour sauver les âmes, avait objecté Marion, pour cela nous avons les pasteurs.

— Ça n'empêche que j'y pense tout le temps.

— Et que tu essaies de venir en aide à ces gens.

— Dans la mesure du possible. Mais c'est tellement peu, ce qu'on peut faire.

Erlendur scruta longuement les ténèbres qui emplissaient la maison abandonnée en écoutant le vent hululer. Il reposa son livre et passa une nuit dénuée de rêves à la chaleur de la lampe-tempête.

La route qui passait par la vallée de Fagradalur avait été déneigée et il s'y engagea aux alentours de midi le lendemain. Il monta jusqu'à la maison de retraite d'Egilsstadir en réfléchissant à ceux qui connaissaient l'histoire de Jakob et de Matthildur. Ces derniers étaient vieux quand ils n'avaient pas atteint un âge très avancé, comme Ezra et Ninna. Bientôt, cette histoire, les destins de ces gens, leurs vies emplies de deuils et de victoires, sombreraient dans l'oubli. Tout cela finirait par disparaître dans une éternité de silence, enterré dans les tombes d'un cimetière où personne ne viendrait à l'exception du vent sous lequel les brins d'herbe frissonnent.

Seul dans le salon, Kjartan reconnut immédiatement Erlendur en dépit de sa vue défaillante et lui demanda s'il avait trouvé son bonheur dans la valise de sa mère. Erlendur hocha la tête, il y avait en effet découvert une lettre de Matthildur qui l'avait mis sur une piste intéressante.

— Eh bien, je m'en réjouis, commenta le vieil homme alors qu'ils s'asseyaient dans le salon désert. Vous revenez me voir malgré tout ? Je ne vois pas ce que je pourrais faire de plus pour vous. Vous prévoyez d'écrire un livre, vous dites ?

— Je n'en sais rien, c'est plutôt par intérêt personnel que je me suis lancé dans ces recherches. J'ai interrogé un certain nombre de gens de la région, tous ont été vraiment adorables et conservent un souvenir étonnamment clair de ces événements.

— Oui, il y a ici beaucoup de braves gens, confirma Kjartan. Jamais je n'ai eu à m'en plaindre.

Erlendur hocha la tête. Pendant qu'il traversait la vallée enneigée de Fagradalur, il avait beaucoup réfléchi à la manière dont il aborderait avec Kjartan la question de son père, connaissait-il sa véritable identité ? Son deuxième nom était formé sur le prénom d'un autre homme et plusieurs personnes avaient souligné combien l'évocation de Jakob était gênante au sein de cette famille — et de surcroît face à un homme supposé être son fils caché. Erlendur n'avait en réalité aucune légitimité pour arpenter la région et interroger la population sur des événements anciens. Parfaitement étranger à cette famille, il savait que rien ne l'autorisait à questionner ses membres sous des prétextes fallacieux. Il voulait se montrer sous son jour véritable, il avait en horreur la dissimulation et le double jeu, surtout lorsque ses interlocuteurs étaient d'honnêtes gens.

— Je ne suis pas certain de vous avoir assez bien exposé les raisons qui m'amènent à me pencher sur le décès ou, si vous préférez, la disparition de Matthildur, déclara-t-il au

135

terme d'un long silence. J'en ai discuté récemment avec un dénommé Boas, mais il y a en réalité bien plus longtemps que je m'intéresse à l'histoire de Jakob et de Matthildur ainsi qu'aux gens qui leur sont liés.

Kjartan le regarda de ses yeux fatigués, il n'était pas certain de comprendre où Erlendur voulait en venir.

– Je suis policier à Reykjavik et je suis en vacances ici, dans les fjords de l'est. Le hasard veut que je sois originaire de la région et que j'aie entendu parler de Matthildur lorsque j'étais encore gamin. Son histoire a piqué ma curiosité. Mon but n'est pas de dévoiler quoi que ce soit ou de démasquer quiconque. Ce que je fais là n'a rien à voir avec une enquête de police.

– Pourquoi ne pas me l'avoir dit plus tôt ? interrogea Kjartan. Ou vous l'avez mentionné ? En tout cas, je ne m'en souviens pas. Je pensais que vous étiez historien.

– Non, répondit Erlendur. Je ne suis pas historien. Je tenais à ce que vous le sachiez avant de poursuivre. Si vous êtes toujours d'accord.

Kjartan le dévisagea longuement. Erlendur attendait, tranquille. Il n'avait aucune idée de la manière dont cet homme allait réagir.

– J'ai enduré beaucoup de choses à cause de mon histoire familiale, déclara enfin Kjartan. Mais il me semble qu'aucune d'entre elles n'est du ressort de la police. Je vous saurais gré de bien vouloir partir.

Erlendur hésita. Il ne savait plus quoi dire. Subitement, la situation lui échappait.

– Au revoir, conclut Kjartan en se levant.

– Il est possible que je découvre ce qui est arrivé à Matthildur, plaida Erlendur. Si vous m'y aidez.

– Au revoir, répéta Kjartan tandis qu'il s'avançait vers le couloir menant à sa chambre.

Erlendur soupira. Il se leva également, suivit le vieil homme du regard et se fit la réflexion que Kjartan avait parfaitement raison, rien de ce qui constituait sa vie n'était du ressort d'Erlendur. Il n'était pourtant pas satisfait de la conclusion de cette entrevue. Il se demandait si Kjartan ne connaissait pas certains détails susceptibles de lui permettre de creuser un peu plus et de découvrir le destin de Matthildur, cet homme était un maillon important de cette histoire.

Erlendur s'attarda. Un employé vint le voir pour lui demander s'il avait besoin de quelque chose et il lui répondit qu'il s'apprêtait à partir. Il marcha lentement jusqu'au fond du couloir et passa devant la chambre de Kjartan. Le vieil homme avait laissé sa porte entrouverte. Erlendur s'arrêta. Il envisagea un instant de la pousser et d'éprouver un peu plus la patience de Kjartan, mais il se ravisa et s'apprêta à quitter les lieux.

— Vous êtes encore là? lui lança Kjartan depuis l'intérieur de sa chambre.

Erlendur ouvrit plus grand la porte. Kjartan était assis au bord de son lit, les yeux baissés vers le sol.

— Ici, on n'a pas grand-chose d'autre à faire que d'écouter les bruits de pas dans le couloir, observa-t-il.

— J'allais partir, répondit Erlendur. Je tiens à ce que vous sachiez que mes recherches ne sont pas motivées par une curiosité malsaine. Et je ne suis pas ici en tant que policier. Je suis simplement en quête de réponses. J'ai été en contact avec Hrund, votre tante.

— Oui, on ne se connaissait pas du tout.

— En effet.

Erlendur ne bougeait pas de l'embrasure.

— Que croyez-vous qu'il soit arrivé à Matthildur? interrogea Kjartan.

— Je n'en sais rien, avoua Erlendur. Il fit un pas en avant dans la chambre. Je suppose qu'elle est morte de froid alors qu'elle marchait vers Reydarfjördur.

— Ma mère et moi, on ne s'entendait pas, annonça le vieil homme. J'ai quitté la maison encore très jeune. Je sais que c'est assez brutal d'exprimer les choses de cette manière, mais je ne vois pas comment les dire autrement.

Vous connaissiez l'identité de votre père?

— Oui.

— Quand avez-vous su que c'était Jakob?

— En quoi cela vous aiderait-il de le savoir?

– J'ai besoin d'une image d'ensemble, répondit Erlendur, précis et prudent dans le choix de son vocabulaire. Tout peut m'être utile, surtout les détails sans importance apparente.

– Du plus loin que je me souvienne, répondit Kjartan, j'ai su qui était mon père. Je me suis installé ici longtemps après sa mort. Je ne l'ai jamais vu et n'ai jamais été en contact avec lui au cours de mon enfance. J'imagine que je suis venu vivre dans la région en partie parce que mes parents y avaient vécu et que ma mère ne m'a toujours dit que du bien des gens d'ici.

– Elle vous a parlé de Jakob ?

Kjartan hocha la tête.

– Il niait catégoriquement être mon père. Je ne saurais dire pourquoi, peut-être à cause d'un passé que j'ignore. Je me suis posé la question. Je ne crois pas que ma mère m'ait menti. En fait, elle ne savait pas grand-chose de lui, elle supportait à peine d'entendre son nom, il régnait là-dessus comme une loi du silence, elle le haïssait. Vous voyez, ce n'est pas là un sujet de conversation très agréable.

– Je le conçois bien, convint Erlendur. Votre deuxième nom est Halldorsson, fils de Halldor.

– Ma mère a eu de la chance de rencontrer cet homme très bien à Reykjavik, il a toujours été bon avec moi.

– Elle avait gardé contact avec Jakob ?

– Non, pas du tout. C'était impossible. Il l'avait repoussée, il avait repoussé son enfant. Je la comprends très bien et je ne lui en tiens pas rigueur.

– Mais elle correspondait avec Matthildur.

– Je l'ignorais. D'ailleurs, Matthildur est morte très vite.

– Elle n'a appris la liaison de votre mère avec Jakob que lorsqu'elle a reçu cette lettre. À l'époque, Jakob et Matthildur vivaient ensemble depuis un certain temps. Cette lettre a évidemment semé le trouble dans leur couple. Qu'a dit votre mère après la disparition ? Que pensait-elle qu'il était arrivé à sa sœur ?

– Vous avez découvert de nouveaux éléments là-dessus ?

– Non, répondit Erlendur. Absolument pas.

– Elle n'en savait pas plus que les autres, répondit Kjartan, les yeux baissés sur les Crocs usés qu'il portait à ses pieds. Évidemment, elle était effondrée, cela fait partie de mes souvenirs d'enfance, mais la vie est comme ça en Islande. Les gens savent et comprennent que ce genre de chose arrive. C'est ce qu'on pensait à l'époque. D'ailleurs, ça n'a pas changé.

— Diverses rumeurs ont couru.

— Oui, oui, j'en ai entendu certaines en arrivant ici. Elles ne font pas partie de toutes ces histoires de bonnes femmes ? Ma mère n'en a jamais cru un mot, ses sœurs non plus d'ailleurs. J'ai cru comprendre que Jakob n'était pas quelqu'un de… comment dire… quelqu'un de très recommandable. Les trois sœurs étaient très malheureuses de ne pas pouvoir enterrer Matthildur puisqu'on n'a jamais retrouvé son corps. Je me souviens avoir entendu ma mère dire qu'elles regrettaient de ne pas avoir pu l'accompagner jusqu'à la tombe.

— Et quelle a été sa réaction au décès de Jakob ?

— Ce n'est pas une grosse perte, a-t-elle dit, ensuite elle n'en a plus jamais parlé.

Kjartan était resté les yeux baissés sur ses Crocs depuis le début de la conversation. Il les leva tout à coup vers Erlendur.

— En parlant de réaction…

— Oui ?

— Un jour, je me suis fendu d'une visite à cette tante qui vit ici depuis toujours. J'avais envie d'en savoir un peu plus sur ma famille.

— Vous voulez parler de Hrund ?

— Oui. Vous la connaissez ? En tout cas, c'est la première et la dernière fois que je l'ai vue.

— Ah bon ?

— Elle m'a reçu très froidement en me disant que je devais ressembler à mon père, ce qui n'était pas à mon avantage, d'après elle je n'avais pas le moindre air de famille. Ensuite, elle m'a prié de ne pas revenir l'importuner. Je suppose que les rumeurs, les histoires de revenants et les superstitions de toutes sortes qui ont couru après la disparition de Matthildur ont produit cet effet sur elle.

— Sait-on jamais.

— J'ai bien conscience que ça risque de vous sembler puéril, mais… j'en garde un souvenir douloureux aujourd'hui encore.

Erlendur s'accorda un instant de réflexion.

— J'ai trouvé une nécrologie concernant votre père dans la valise. L'un de ses amis le décrivait comme un homme plein de qualités.

— C'était l'article sur lequel quelqu'un avait écrit le mot ordure ?

— En effet.

Kjartan afficha un rictus.

— Voilà le cadeau de naissance qui m'a accompagné à travers cette fichue vie.

Il leva à nouveau les yeux vers Erlendur.

— Je voudrais que vous partiez maintenant, conclut Kjartan. Et ne revenez pas.

26

Erlendur quitta Egilsstadir plus tard dans la journée. L'heure lui semblait un peu trop avancée pour aller voir Ezra, il décida donc de reporter sa visite au lendemain. Il désirait soumettre au vieil homme ce que Hrund lui avait raconté sur la liaison qu'il avait eue avec Matthildur. Une question brûlait les lèvres d'Erlendur : Jakob avait-il découvert qu'ils se voyaient en secret et, si oui, quelle avait été sa réaction ? L'avait-il appris avant la disparition de Matthildur ou n'en avait-il jamais rien su ? Ezra avait raconté cette histoire à la mère de Hrund, mais cette dernière avait manifestement dû lui tirer les vers du nez. En avait-il parlé à d'autres personnes ? Qui d'autre était au courant ? Erlendur supposait qu'Ezra ne serait pas forcément coopératif et la perspective de leur entrevue l'angoissait un peu. Il savait pourtant que sa satanée curiosité finirait par balayer ses réticences.

Il s'arrêta à la station-service d'Eskifjördur pour acheter un sandwich, remplir son thermos de café et s'approvisionner en cigarettes. Il laissa sa voiture sur place et s'offrit une promenade à pied jusqu'au cimetière. Il y était souvent venu à l'occasion de ses voyages dans la région et avait toujours admiré l'entretien impeccable de cet endroit. Le cimetière reposait, silencieux, à flanc de colline, à l'orée du village, ceint d'un joli mur de pierre et rempli d'âmes défuntes.

Il y entra à la nuit tombante. La neige couvrait la terre, mais le manteau n'était pas épais à cet endroit et on pouvait lire les inscriptions sur les tombes.

Des années après avoir accompagné avec sa mère le cercueil de Sveinn, son père, la mère d'Erlendur était décédée, au terme d'une brève hospitalisation. Il se trouvait à son chevet lorsqu'elle était partie. Ils n'avaient pas pu se parler très longuement, mais elle le savait à ses côtés et cela suffisait à la rassurer. Il ne l'avait pas quittée une seconde dès le moment où elle avait été hospitalisée. Elle avait toujours évoqué l'idée de reposer auprès de Sveinn et sa tombe l'attendait déjà au cimetière. Erlendur avait fait acheminer le corps par avion et, comme pour la mort de son père, la dernière partie du chemin avait été parcourue en pick-up. Les routes ne s'étaient pas améliorées malgré les années qui avaient passé et, par un étrange hasard, le chauffeur n'était autre que celui qui avait transporté la dépouille de Sveinn. Il s'était montré tout aussi bavard que la fois précédente.

— Si je me souviens bien, votre mère vous accompagnait la dernière fois que nous avons fait le voyage, lui avait dit cet homme qui semblait tout faire à l'emporte-pièce, avec de grands gestes, alors qu'ils venaient de poser le cercueil à l'arrière du pick-up.

— En effet, et c'est aussi le cas cette fois-ci, avait rétorqué Erlendur.

— Hein ? s'était étonné le chauffeur.

Erlendur avait gardé le silence jusqu'à ce qu'il comprenne.

— Vous voulez dire que… ? avait-il repris, gêné, sans trop savoir comment achever sa phrase. Il avait roulé avec plus de douceur que la fois précédente sur la piste de gravier et les deux hommes n'avaient pratiquement pas dit un mot de tout le voyage.

Le pasteur qui avait célébré la messe à l'enterrement était un homme très chaleureux qu'Erlendur ne connaissait pas du tout. Ils s'étaient parlé au téléphone et avaient évoqué les événements marquants de la vie de sa mère. Il n'y avait guère de monde à l'église à part quelques personnes qui avaient connu ses parents et des membres de la famille éloignée dont Erlendur n'avait pas grand-chose à dire.

Puis, le cercueil était lentement descendu en terre.

— Prends bien soin de toi, lui avait dit sa mère à l'hôpital.

Elle avait eu un épisode délirant où elle ne le reconnaissait plus, mais reprenait maintenant esprit.

Erlendur avait hoché la tête.

— Tu ne prends pas assez soin de toi.

— Ne t'inquiète pas pour moi, l'avait-il rassurée.

– Mon pauvre petit… mon cher petit…

Elle s'était endormie avec ces mots sur les lèvres, puis s'était à nouveau éveillée un peu plus tard. En voyant Erlendur à son chevet, elle lui avait souri et demandé s'il avait retrouvé son frère.

– … si tu le trouves… arrange-toi pour qu'il repose à nos côtés.

Quelques instants plus tard, elle était morte.

Il s'avança lentement vers la tombe de ses parents, imprimant les traces de ses pas dans la neige moelleuse du petit cimetière. La sépulture était recouverte d'une plaque de basalte qu'il avait fait tailler et poser. On pouvait y lire les noms de ses parents ainsi que leur date de naissance et celle de leur décès. Tout en bas figurait une simple prière ou peut-être un appel à la grâce, cela dépendait de la manière dont on envisageait les choses : *Reposez en paix*. La croix qui avait avant cela surmonté la tombe de son père se trouvait désormais au domicile d'Erlendur. Il ne voyait pas comment s'en débarrasser et n'avait toujours trouvé aucune solution, même après toutes ces années. Des lichens avaient colonisé la pierre usée et grisâtre où des oiseaux avaient posé leurs pattes, et elle avait été polie par les vents du nord et les brises du sud. Le temps n'épargne rien, pensa-t-il en caressant d'une main le basalte froid. Il savait que cette pierre le lierait à jamais à ce lieu.

Il l'avait lui-même transportée jusque-là en voiture depuis Reykjavik sur la mauvaise route de gravier. Il lui avait fallu deux jours, il s'était arrêté à Akureyri pour y passer la nuit. Il avait toujours pensé poser une pierre tombale commune pour ses deux parents et n'avait jamais mis de croix provisoire pour sa mère. Par négligence, les choses avaient traîné en longueur jusqu'au moment où, honteux, il avait fini par s'adresser à un tailleur de pierre. Cette négligence avait toutefois une explication. Au fond de lui, il redoutait de venir dans les fjords de l'est. Des souvenirs trop douloureux y étaient enfouis. Quand il avait enfin décidé d'y aller, il avait eu l'impression d'être libéré d'un enchantement, ensuite il était régulièrement revenu sur les lieux de son enfance pour des séjours plus ou moins longs. Il savait qu'il ne pouvait pas fuir son passé.

Il s'efforçait depuis longtemps de se rappeler la vie qu'ils avaient vécue avant que le malheur ne s'abatte. Il y parvenait de mieux en mieux au fil des jours et des années. La majeure partie de ces souvenirs s'était effacée après la disparition de Bergur, comme si cet événement avait marqué le début de leur existence, mais peu à peu des choses d'avant le drame lui revenaient en mémoire. Certaines étaient juste des fragments, des instantanés qu'il avait du mal à dater ou à replacer dans leur contexte. D'autres étaient plus nettes, comme par exemple les événements exceptionnels ou les fêtes de fin d'année. Son père avec un bonnet de père Noël sur la tête. Ce sapin qu'ils avaient décoré tous ensemble. Une soirée d'hiver et une histoire radiophonique écoutée au transistor. Telle la flamme fragile d'une bougie, les souvenirs vacillaient dans son esprit. Un voyage à Akureyri. Une sortie en barque sur l'île de Papey et sa peur de l'eau. Des jours d'été. Lui, juché sur un cheval que sa mère tenait par la longe. Les foins. Des hommes qui buvaient un café et fumaient une cigarette, adossés à une maison. Lui et Bergur jouant dans le foin odorant qu'on venait de rentrer dans la grange.

Certains de ces souvenirs éveillaient en lui une profonde nostalgie et revenaient constamment l'assaillir. Debout face à la tombe, il lui semblait entendre des notes lointaines, un thème mélancolique qu'il connaissait pour l'avoir entendu sur le violon de son père, il revoyait sa mère, debout à la porte du salon, les yeux mi-clos. C'était une longue soirée d'été, ils avaient le teint hâlé après avoir passé la journée aux champs, les garçons s'étaient endormis sur le canapé. Son père posait ses doigts sur les cordes avec finesse, élégance et précision. Elle penchait la tête sur le côté, écoutait et regardait son mari.

— Joue donc un air un peu plus entraînant, disait-elle.

— Les garçons sont en train de s'endormir.

— Tu n'es pas obligé de jouer très fort.

Il changeait de thème et interprétait une valse joyeuse, en sourdine. Elle écoutait, souriante, à la porte, puis s'approchait et le tirait par le bras pour le faire lever de sa chaise. Il reposait son violon et tous deux dansaient, cernés par le silence.

Bergur s'était endormi, mais Erlendur continuait de veiller, il regardait ses parents exécuter cette valse tranquille dans les bras l'un de l'autre. Ils chuchotaient pour ne pas réveiller les enfants et sa mère étouffait un éclat de rire. Elle avait le rire facile et Bergur tenait d'elle. Ils se ressemblaient beaucoup, il y avait dans leurs traits la même finesse et le même sourire généreux. Bergur était toujours de bonne humeur, contrairement à son frère, parfois rude, autoritaire, et qui exigeait beaucoup des autres. Il n'était pas non plus aussi souriant et ressemblait plus à son père, aussi bien physiquement que par son caractère.

Ce souvenir s'accompagnait d'un parfum d'été, celui du foin qu'on vient de faucher, cette douce saison islandaise. Plus tôt dans la journée, les deux fils étaient descendus jouer au bord de la rivière, ils l'avaient longée, plongeant leurs mains dans l'eau pour sentir sa fraîcheur sur leurs visages.

C'était le dernier été qu'ils avaient passé tous les quatre.

Erlendur caressa à nouveau d'une main le basalte vieilli. Une bourrasque glaciale dévala le versant et s'infiltra sous sa veste. Il leva les yeux vers les montagnes, resserra le vêtement au plus près de son corps et reprit la direction de la station-service. Le temps devait fraîchir dans l'est du pays, avait annoncé le bulletin météo. Ce vent venait le confirmer. Il l'avait attendu et maintenant il soufflait dans les montagnes, tel un présage mortel et glacé.

Que faites-vous couché ici ?

La question le fait sursauter, il scrute l'obscurité, c'est de là que vient la voix du voyageur.

— Vous êtes toujours là ? demande-t-il.

— Je suis toujours là, répond l'homme.

— Pourquoi ? Que me voulez-vous ?

— Je m'en irai lorsque vous partirez.

— D'où venez-vous ? s'inquiète-t-il.

— De loin, répond le voyageur. Et je reviendrai ce soir.

Un bruit de moteur l'arracha en sursaut à un profond sommeil. Le jour commençait à poindre. Il avait eu du mal à s'endormir, n'y était parvenu qu'au petit matin et, au réveil, s'était un moment senti désorienté. La portière d'une voiture claqua, il entendit la neige craquer sous des pas qui s'approchaient de la maison. Un monticule de poudreuse s'était formé dans un coin du salon, rien qu'à le voir, on avait des frissons.

— Ohé! cria une voix qu'il reconnut immédiatement. Le visage de Boas apparut derrière une vitre cassée.

— J'espère ne pas vous déranger, au moins.

— Non, répondit Erlendur.

— Je vous ai apporté un peu de café et quelques viennoiseries, annonça le paysan avec un grand sourire. Je me suis dit que j'allais venir vous tenir compagnie dans cette maison abandonnée.

— Soyez le bienvenu, entrez, invita Erlendur.

— C'est un vrai palais, commenta Boas en franchissant le seuil dénué de porte pour rejoindre le salon où se trouvait Erlendur. Il tenait un thermos de café et un sachet en papier à la main. Erlendur sentit immédiatement la bonne odeur des pâtisseries. J'ai apporté deux timbales, au cas où, observa Boas. Vous savez, j'ignorais comment vous étiez installé.

— C'est plutôt confortable, je ne me plains pas, répondit Erlendur en prenant l'une des timbales.

Boas regarda la paillasse, les couvertures, le sac de couchage et la lampe-tempête. L'endroit était soigné, même s'il n'avait rien d'une suite nuptiale. Erlendur s'était confectionné un gigantesque cendrier dans un bidon à lait qu'il avait trouvé sur les terres appartenant autrefois à la ferme. Il l'avait posé dans un coin et avait mis un peu d'eau au fond. C'est là qu'il jetait ses mégots. Une vieille chaise de camping était placée à côté du bidon et quelques livres reposaient sur le sol, là où il était sec.

— En effet, vous avez tout le confort, convint Boas. Vous avez un intérêt particulier pour les clochards? Ça ne vous tenterait pas d'en devenir un?

Erlendur sourit et mordit dans une pâtisserie fraîchement sortie du four tout en dégustant ce café fort et brûlant à petites gorgées.

— Je n'en suis tout de même pas là, répondit-il. Mais merci pour le café.

— Je vous en prie. Alors, vous avez vu quelques revenants?

— Il y en a toujours quelques-uns qui traînent, ironisa Erlendur.

— Avant les gamins racontaient que la maison était hantée, reprit Boas. Enfin, c'était à l'époque où les mômes daignaient aller jouer dehors et où ils savaient ce qu'était une maison hantée. Ça remonte à des années. Ils venaient ici, s'amusaient, faisaient du feu et se racontaient des histoires de revenants. Évidemment, ça se bécotait aussi un peu et, des fois, ils apportaient du Brennivin.

— Ils ont laissé quelques graffitis sur les murs, observa Erlendur.

— Oui, il y a toujours quelqu'un qui en pince pour quelqu'un d'autre. Aujourd'hui, enfin, autant que je sache, plus personne ne traîne ici. À part vous, évidemment.

— Et je viens rarement, répondit Erlendur.

— C'est un bien bel endroit. Vous pensez y rester encore longtemps?

— Je n'en sais rien.

— Vous n'avez donc pas froid?

— Pas plus que ça.

— Excusez le vieux curieux que je suis, je n'ai pas l'intention de m'immiscer dans vos affaires, rassura Boas, mais bon, j'ai parlé avec les chasseurs de renard du coin, au cas où des choses trouvées dans une tanière de renarde ou un nid de corbeau pourraient vous en apprendre un peu plus sur le sort de votre frère. Et ça n'a rien donné.

– Non, répondit Erlendur. Ça ne m'étonne pas, mais je vous remercie d'avoir vérifié.

– Et votre enquête? Vous avancez? interrogea Boas.

– Mon enquête? Vous voulez parler de Matthildur?

Boas hocha la tête.

– On ne peut pas vraiment appeler ça une enquête. Je ne vois pas ce que je pourrais vous en dire, j'ai le sentiment que votre Ezra pourrait peut-être m'aider à progresser.

– Comment ça? rétorqua Boas, aussi curieux qu'à son habitude.

– Disons que c'est une impression que j'ai eue après avoir discuté un peu plus avec Hrund, répondit Erlendur. Il tenait à ne pas en dire plus que nécessaire à son hôte et ne voulait pas lui parler de la liaison qu'Ezra avait eue avec Matthildur, peu importait que Boas ait été au courant ou non de cette histoire. Cela relevait de leur vie privée et il voulait éviter de colporter des ragots. Enfin, cette impression n'engage que moi, ajouta-t-il, afin de minimiser encore davantage la portée de ses paroles.

– Vous croyez qu'il a pu se passer des choses pas très ragoûtantes?

– On dirait que c'est ce que vous pensez, rétorqua Erlendur, passant de la défense à l'attaque. Dans le cas contraire, vous n'auriez pas apporté autant d'eau à mon moulin quand je vous ai posé des questions sur Matthildur. Si je me souviens bien, c'est vous qui m'avez conseillé de m'adresser à Hrund, or je venais de vous dire que je travaillais dans la police.

– Je ne sais rien de plus, se défendit Boas. Je vous ai juste raconté cette histoire de mon point de vue. Je suis bien incapable de vous dire ce qui s'est passé.

– Ce ne serait donc qu'une histoire curieuse et intéressante, rien de plus?

– C'est en tout cas ce qu'elle est pour moi, s'entêta Boas. Vous prévoyez d'aller revoir Ezra?

– Je ne sais pas, répondit Erlendur, certain que le chasseur n'était pas venu ici avec du café tout chaud et des viennoiseries fraîches dans l'unique objectif d'être agréable à son nouvel ami de Reykjavik. Il prenait un malin plaisir à constater que plus il se défendait de s'intéresser à cette affaire, moins il parvenait à dissimuler sa curiosité.

— Si vous voulez, je peux vous accompagner, proposa Boas.

— Merci mille fois, répondit Erlendur, mais je ne voudrais pas abuser de votre temps.

— Allons, ça ne pose aucun problème. Je connais le bonhomme, je pourrais peut-être réussir à lui faire cracher certaines choses qu'il ne vous dirait pas autrement.

— Sauf votre respect, pour l'avoir rencontré une fois, je me permets d'en douter. En plus, je ne suis vraiment pas sûr de retourner le voir.

— Si je peux vous aider, n'hésitez pas à me le faire savoir, répéta Boas en se préparant à quitter les lieux, maintenant qu'il était évident qu'il n'obtiendrait rien d'Erlendur.

— Merci beaucoup pour le café et les viennoiseries, conclut Erlendur. Il le raccompagna à la porte de la maison, comme si la ferme de Bakkasel était à nouveau devenue son domicile et que jamais elle n'avait été laissée à l'abandon.

29

Il n'entendait aucun coup de maillet dans le petit hangar à claire-voie en contrebas du domicile d'Ezra. Personne ne venait lui ouvrir quand il frappait. Il l'avait fait trois fois de suite avant de plaquer son oreille à la porte. La voiture d'Ezra était garée à sa place devant la maison et n'avait pas bougé depuis un certain temps ; personne n'avait gratté la neige qui la recouvrait. Des traces de pas partaient de la maison en direction du véhicule avant de descendre vers le hangar, mais elles n'étaient pas récentes, se disait Erlendur. Il se dirigea vers le lieu où il avait trouvé Ezra occupé à attendrir du poisson séché lors de sa première visite. Il détacha la ficelle et poussa la porte qui s'ouvrit avec un grincement glacial. Rien n'avait changé, la pierre et le tabouret étaient à leur place, un peu de poisson séché attendait d'être travaillé. Cette remise recelait un entassement hétéroclite d'objets qu'Ezra avait accumulés au fil de sa vie : des outils, du matériel de jardinage, des faux et des serpes antiques, un moteur de tracteur, des enjoliveurs ainsi que le pare-chocs rouillé d'une voiture sans doute vieille comme Hérode. Un entassement de planches occupait l'un des coins du bâtiment et, accrochées à des clous, deux combinaisons de ski plus que démodées et qui ne devaient pas être très utiles.

Il s'avança vers le poisson séché, en déchira un morceau qu'il mâcha tranquillement pendant qu'il inspectait les lieux. Apparemment, Ezra n'était pas sorti de chez lui depuis un certain temps. À son arrivée, Erlendur n'avait vu aucune trace de pneus dans la neige. Il attrapa le maillet pour le soupeser.

L'outil à la main, il remonta vers la maison et frappa une nouvelle fois. N'obtenant toujours aucune réponse, il actionna la poignée. La porte était fermée. Erlendur ne se rappelait pas qu'elle l'ait été à sa première visite. Il secoua vigoureusement la poignée, persuadé qu'Ezra était chez lui.

Il fit le tour pour aller voir aux fenêtres, appela le vieil homme, mais ce dernier ne réagissait pas. Le calme régnait aux abords de la maison, tout était silencieux, si l'on excluait les oiseaux qui volaient aux alentours. Il retourna à la porte d'entrée dont la partie supérieure était constituée de quatre petites vitres carrées, occultées par des rideaux. Erlendur était sur le point d'abattre le maillet sur la vitre contiguë à la serrure quand la porte s'ouvrit brutalement. Ezra apparut.

— Qu'est-ce que vous fabriquez avec ce marteau ? tonnat-il en lançant à Erlendur un regard furieux.

— Je…

Erlendur n'eut pas le temps d'achever sa phrase. Ezra était nettement moins sympathique qu'à leur première rencontre.

— Qu'est-ce que vous me voulez ? vociféra le vieil homme.

— J'aimerais vous parler.

— Et vous alliez entrer chez moi par effraction ?! Qu'est-ce que vous foutez avec ce marteau ?

— Je me disais qu'il vous était peut-être arrivé quelque chose, plaida Erlendur. J'étais quasiment sûr que vous étiez chez vous. Dites-moi, tout va bien ?

— Merci de vous en inquiéter. Maintenant, fichez-moi la paix !

— Pourquoi voulez-vous… ?

Le vieil homme lui claqua la porte au nez, faisant vibrer les vitres. Erlendur resta un moment immobile, le maillet à la main, puis fit volte-face et redescendit vers le hangar où il remit l'outil à sa place. Il n'avait pourtant pas menti. Son expérience dans la police lui avait enseigné que les personnes âgées vivant seules étaient parfois confrontées à divers risques sans avoir la possibilité d'alerter quelqu'un.

En inspectant une nouvelle fois le fouillis du hangar, il remarqua une paire de skis en bois munis de lanières en cuir et deux grands bâtons en bambou. Cela faisait longtemps qu'il n'avait pas vu un tel équipement. Il passa sa main sur les skis, ces derniers étaient vraiment antédiluviens.

Il entendit un bruit de pas approcher sur la neige et vit Ezra apparaître, l'air menaçant, un fusil à la main. L'arme n'était pas pointée vers Erlendur, le canon était baissé vers

152

le sol. Le vieil homme avait gardé la tenue qu'il portait en venant lui ouvrir, des pantoufles, un marcel et un pantalon que retenaient de fines bretelles.

– Dégagez d'ici, ordonna-t-il.

– Ne faites donc pas l'imbécile, répondit Erlendur.

– Dehors, s'agaça Ezra en levant son fusil.

– Que s'est-il passé ? De quoi avez-vous peur ?

– Sortez de ce hangar et décampez, répéta Ezra. Vous êtes entré sur ma propriété privée en toute illégalité.

– Avec qui avez-vous discuté ? s'enquit Erlendur. Qu'est-ce qui a changé depuis l'autre jour ? Je croyais qu'on pourrait parler un moment.

– Elle m'a téléphoné, je veux dire Ninna. Et elle m'a prévenu que vous fourriez votre nez partout. Je ne supporte pas qu'on vienne fouiner comme ça dans ma vie.

– D'accord, concéda Erlendur. Je comprends tout à fait.

– Très bien. Dans ce cas, vous feriez mieux de décamper et de rentrer à Reykjavik tout de suite.

– Vous n'avez donc pas envie de la retrouver ? Vous ne voulez pas savoir ce qu'elle est devenue ? Ce qui s'est réellement passé ? Vous n'avez pas envie de comprendre ?

– Fichez-moi la paix, hurla Ezra. Laissez-moi tranquille et dégagez !

– Est-ce que Jakob était au courant de votre liaison ?

– Soyez maudit ! hurla Ezra. Arrêtez, nom de Dieu ! Arrêtez ça et partez !

Il leva un peu plus haut son arme et visa Erlendur.

– Soit, mais je ne vous conseille pas d'envenimer les choses. Je vais partir. Vous savez bien sûr que je dois signaler ce qui vient de se passer. Vous ne pouvez pas vous balader comme ça, un fusil à la main, en l'agitant sous le nez des gens comme si de rien n'était. Je me vois dans l'obligation d'en référer au commissariat d'Eskifjördur. La police viendra vous désarmer. Elle contactera sans doute les forces spéciales, qui arriveront en avion depuis Reykjavik, la presse sera mise au courant et vous passerez au journal télévisé de 19h, Ezra. Dès ce soir.

– Mais qui êtes-vous donc ? interrogea Ezra, un ton plus bas, presque interloqué face à cet homme qui osait le défier

153

ainsi, un bâton de ski à la main. Par le plus brûlant de tous les enfers, qui diable êtes-vous donc?

Erlendur ne lui répondit pas.

— Je n'hésiterai pas à m'en servir, reprit Ezra en agitant le canon devant son visage. Croyez-moi, je n'hésiterai pas!

Erlendur demeurait impassible et toisait le vieil homme.

— Ça vous est égal de vivre ou de mourir? s'écria Ezra.

— Si vous aviez vraiment l'intention de m'abattre, si vous pensiez vraiment que cela résoudrait quoi que ce soit, vous l'auriez déjà fait. Vous feriez mieux de rentrer chez vous avant d'attraper froid. Ce n'est pas très bon de rester dans la neige habillé aussi légèrement.

Ezra le fixait et n'avait manifestement aucune intention de céder.

— Que pensez-vous savoir de moi? dit-il. Que croyez-vous donc avoir découvert? Vous ne savez rien! Vous ne comprenez rien. Je veux que vous partiez d'ici, je refuse de vous parler. C'est compris?

— Parlez-moi de Matthildur.

— Il n'y a rien à dire. Ninna vous a mené en bateau, n'allez pas croire les sornettes qu'elle vous a racontées, c'est n'importe quoi.

— J'ai discuté avec Hrund. Elle m'a expliqué que vous avez parlé avec sa mère à l'époque. Je sais que vous aviez une liaison avec Matthildur. Je sais que vous avez trahi Jakob.

— Trahi Jakob, cracha Ezra, méprisant. Il abaissa à nouveau son fusil. Trahi Jakob, répéta-t-il. Vous ne dites quand même pas que c'était un gars bien!

— Autant que je sache, il l'était.

— Vous ne savez rien! Voilà le problème! Vous ne savez rien du tout!

— Dans ce cas, racontez-moi. Parlez-moi de lui.

— Je n'ai rien à en dire. Et je n'ai pas à vous parler!

— Vous avez parlé à la mère de Matthildur de votre relation avec sa fille.

— Et je lui ai demandé de n'en parler à personne. Elle me suppliait de lui expliquer tout ça et ne me laissait pas en paix. Mais mon intention n'a jamais été de voir cette histoire divulguée. Et elle m'a promis de garder le secret.

– Comment était-elle au courant pour vous ?

– Au courant pour moi ?

– Pour vous et Matthildur ?

– Matthildur lui avait avoué qu'on était bons amis et elle a lu entre les lignes.

– Je crois qu'elle n'en a parlé à personne d'autre qu'à sa fille Hrund, le rassura Erlendur. Apparemment, personne d'autre n'est au courant de ce qui a eu lieu entre vous.

– Et c'est bien mieux comme ça.

– En êtes-vous si sûr ? Tout cela remonte à très longtemps.

– Maudits moulins à paroles ! s'exclama subitement Ezra. Qu'est-ce qu'elles vous ont dit sur Jakob ?

– Rien de spécial.

– Langues de vipère !

– Parlez-moi de Jakob, demanda à nouveau Erlendur, entrevoyant là un moyen d'accéder à Ezra. Qui était-il ? Quelles relations aviez-vous ? La mère de Matthildur vous a cru. Elle a cru ce que vous lui avez dit. Vous disiez la vérité ?

– La vérité ? cracha Ezra. Évidemment ! C'est comme ça que vous voyez les choses ? Vous me traitez de menteur ?!

– Je n'en sais rien. Dites-moi ce qui s'est passé.

– Vous osez penser que j'ai menti à la mère de Matthildur ?

– La question que je vous pose est la suivante : avez-vous joué un rôle dans la disparition de Matthildur ?

– Moi ?!

– Vous ne trouvez pas cette interrogation légitime ? Après tout, vous la voyiez en cachette et elle était mariée à votre ami.

– Non, mais dites donc...

– Ezra, s'il vous plaît, racontez-moi ce qui est arrivé.

– Vous voulez en savoir plus sur les trahisons qu'a subies Jakob ? répondit Ezra, furieux. Vous voulez entendre toutes les *trahisons* subies par ce pauvre type ? Alors, venez avec moi. Et je vais vous les détailler. Ensuite, vous pourrez déguerpir et me foutre la paix !

30

Ezra ne lâchait pas le fusil qui reposait maintenant sur ses genoux. Assis en face d'Erlendur à la table de la cuisine, le doigt posé sur la gâchette, il caressait le canon et s'exprimait à voix basse. Il lui était difficile d'évoquer ces événements. En partie parce qu'il n'en avait parlé à personne depuis des dizaines d'années et qu'il n'y consentait qu'à contrecœur, mais aussi dans une certaine mesure parce qu'il ne s'en était toujours pas remis, même après toute une vie. Il en avait conservé un souvenir très vif, chaque détail, chaque acte et chaque conversation étaient présents en lui, comme s'ils avaient eu lieu l'instant d'avant. L'histoire qu'il racontait était ponctuée de longs silences qu'Erlendur se gardait de rompre. Son récit avançait très lentement. Ezra ne voulait pas être brusqué, Erlendur s'en accommoda et le laissa procéder à sa convenance.

Le vieil homme confirma la majeure partie de ce que Hrund lui avait rapporté des propos de sa mère au sujet de cette liaison avec Matthildur. La lettre avait eu de graves conséquences, mais des fissures lézardaient déjà le couple de Jakob et de Matthildur quand elle l'avait reçue.

— Jakob et moi on était bons amis, précisa Ezra. Je ne sais pas si je vous l'ai déjà dit et, surtout, j'ignore ce dont vous êtes au courant. Je l'ai rencontré à Djupavogur peu après mon arrivée dans les fjords de l'est. J'ai fait ma première saison de pêche avec lui et il m'a, disons, facilité la vie. J'étais nouveau, j'arrivais dans un environnement inconnu et j'appréciais beaucoup Jakob. C'était d'ailleurs aussi le cas des autres, enfin, il me semble. Ça ne sautait pas aux yeux, mais il était pourtant… enfin, il plaisait aux femmes. Je ne vois pas comment dire ça autrement. Il savait y faire avec elles.

— C'est ça l'origine de la mauvaise réputation qui lui collait à la peau?

– Ça ne le dérangeait pas qu'elles soient mariées. Je l'ai même vu se bagarrer un jour pour cette raison.

– Mais vous n'avez pas fait la même chose que lui en fréquentant Matthildur ?

– Je n'étais pas comme lui, s'indigna Ezra. Absolument pas !

– Vous vous souvenez d'Ingunn, la sœur de Matthildur, à l'époque où elle était à Djupavogur ?

– Pas du tout. Matthildur m'a elle aussi posé cette question en me montrant une photo. Je me suis contenté de lui dire que Jakob était apprécié de la gent féminine, mais que j'étais incapable de nommer une femme en particulier. Ensuite, j'ai déménagé à Eskifjördur un certain temps avant qu'il n'y vienne. Quand il est arrivé ici, il était déjà avec elle. Nous sortions en mer ensemble et c'est comme ça que j'ai rencontré Matthildur. Je passais le chercher très tôt le matin, j'ai fini par lier connaissance avec sa femme.

– J'ignore presque tout de ce Jakob, observa Erlendur. Certains de mes interlocuteurs se sont efforcés de me le décrire. L'un d'entre eux m'a raconté qu'il souffrait d'une forme de claustrophobie, ça vous dit quelque chose ?

– Matthildur m'a juste expliqué qu'il ne supportait pas de dormir dans une chambre fermée. Il laissait toujours la porte ouverte en grand et se couchait aussi près d'elle que possible.

– Elle a dû être sacrément choquée en apprenant ce qui s'était passé entre Jakob et sa sœur, nota Erlendur.

Ezra était beaucoup plus calme, même s'il continuait de tenir le fusil serré contre lui. Il semblait avoir renoncé à toute résistance, comme s'il avait compris qu'il ne parviendrait pas à se débarrasser de cette plaie d'Erlendur.

– Pauvre Matthildur, soupira-t-il.

– Elle se trouvait dans une situation difficile, ça se comprend.

– Comprendre ? répéta Ezra à mi-voix, comme s'il s'adressait à lui même. Que croyez-vous donc pouvoir comprendre ? Vous ne savez pas de quoi vous parlez.

Erlendur garda le silence.

– Vous ne savez vraiment pas de quoi vous parlez, répéta Ezra. Vous n'en savez rien. Absolument rien.

Deux mois s'étaient écoulés depuis la disparition de Matthildur et les recherches étaient demeurées vaines. Ezra n'arrivait pas à s'ôter de la tête les jours, les semaines et les mois qui avaient suivi le moment où Jakob lui avait annoncé qu'elle était partie dans la tempête. En deuil de Matthildur, il s'isolait dans sa douleur et ne pouvait confier son secret à personne. Il avait envisagé de s'adresser au pasteur, mais sans oser le faire : jamais il n'avait été croyant et il ne connaissait pas cet homme. Alors, il restait chez lui, à pleurer en silence. La tristesse s'abattait par vagues, la peur se mêlait à la colère et au sentiment d'impuissance. Le pire, c'étaient les reproches qu'il se faisait et qui jaillissaient constamment en lui sans qu'il puisse les orienter vers qui que ce soit d'autre. Il aurait dû mieux la protéger, être avec elle, lui éviter cette mort certaine. Quelle était sa part de responsabilité dans son décès ? Ne l'avait-il pas éloignée de son mari ? Était-ce pour cette raison qu'elle était partie dans la tempête ? Torturé par ces questions qui le désignaient comme coupable, il s'efforçait de se calmer en se convainquant qu'il n'aurait rien pu éviter, qu'elle aurait entrepris ce voyage quoi qu'il en soit. C'était sans doute le destin de Matthildur de mourir ainsi. Mais non ! Ce voyage était de toute évidence lié à leur relation, à leur amour secret, à leurs messes basses, à leur trahison. Pourquoi n'avaient-ils pas tout de suite avoué, pourquoi n'avait-elle pas immédiatement emménagé chez lui ? Pourquoi ? Pourquoi ?!

Jakob était le seul à pouvoir répondre à ces questions, mais il n'osait pas les lui poser. Il n'en avait pas la force. Peut-être parce qu'il redoutait les réponses qu'il obtiendrait.

Le mois de mars était déjà là, les jours rallongeaient et le printemps allait arriver à cette période où ils avaient fini par se croiser, Jakob et lui. Ezra fuyait tout contact avec ce personnage. Matthildur lui manquait terriblement, chaque jour, il pensait à elle et aux moments trop rares qu'ils avaient passés ensemble. Ils avaient un peu parlé de l'avenir. Ils voulaient s'en aller, ne pouvant imaginer de rester à proximité de Jakob.

– On n'a qu'à partir à Reykjavik, avait-elle suggéré, un soir où elle était venue le rejoindre.

– On pourrait, mais j'ai entendu dire que c'est très difficile de trouver un logement là-bas. Tout le monde veut y aller et travailler pour l'armée. Tu lui as dit que tu allais le quitter ?

– Je…

– Tu veux que je le fasse avec toi ?

– Non, avait répondu Matthildur.

– Il n'y a jamais de moment adéquat pour dire ce genre de chose. Le plus simple c'est de le lui apprendre sans détour et au plus vite. Je le ferai si tu m'y autorises.

– Il vaut mieux que ce soit moi.

– Il ne soupçonne vraiment rien ?

– Je ne sais pas. Je ne crois pas.

– De quoi tu as le plus peur ? Qu'il te frappe ?

– Non, pas moi, avait répondu Matthildur. J'ai peur pour toi.

– Il ne peut rien me faire, avait objecté Ezra. Il ne peut absolument rien me faire. Matthildur, je n'ai pas peur de lui.

– Je sais.

– Mais tout ça me met mal à l'aise. Il est… il ne m'a jamais causé le moindre tort, je le considère comme mon ami. On a travaillé ensemble. C'est donc… une situation très pénible pour moi. Je crois que nous n'avons rien à craindre si nous agissons avec honnêteté. Parlons-lui ! Débrouillons-nous pour l'amener à comprendre ce qui se passe. Ce n'est pas la première fois que ces choses arrivent. Ce genre d'histoire se produit constamment.

– Je sais, avait répété Matthildur.

Ils étaient restés un long moment plongés dans le silence, côte à côte sous la couverture, blottis l'un contre l'autre. Elle était arrivée vers minuit et avait frappé, hésitante, à sa porte. Il ne l'attendait pas et s'était réjoui de cette visite impromptue. Ils s'étaient embrassés, elle lui avait caressé le visage, ils s'étaient à nouveau embrassés, longuement, passionnément, jusqu'à ce que leur désir explose. Ezra l'avait presque portée jusqu'à sa chambre. Là, ils avaient fait l'amour à demi vêtus, à demi nus, avec gourmandise, la passion que lui inspirait cette femme le rendait presque fou. Matthildur avait dû plus d'une fois se retenir de pousser des cris qui prenaient racine dans une sorte de gêne, de douleur délicieuse qu'elle n'avait jamais éprouvée avec son mari.

— Il ne faut pas que Jakob découvre quoi que ce soit avant qu'on lui en parle, avait dit Ezra, allongé à côté d'elle. Il ne faut pas qu'il l'apprenne par quelqu'un d'autre. On doit lui dire les choses clairement avant que ça n'arrive.

— Je vais lui parler, avait répondu Matthildur. Je te le promets.

— Laisse-moi t'accompagner. C'est tout de même mon ami.

— Non, il vaut mieux que je m'en occupe seule, avait objecté Matthildur. Je crois que c'est préférable. Je lui parlerai et je lui dirai que je vais venir m'installer chez toi. Je lui expliquerai que je n'ai plus la force de continuer à vivre avec lui, que le passé est trop lourd, qu'en apprenant la liaison qu'il a eue avec ma sœur Ingunn, j'ai eu l'impression qu'on me jetait une serpillière mouillée en pleine figure et je lui dirai aussi que je suis tombée amoureuse.

— D'accord, avait convenu Ezra. Mais je voudrais quand même qu'on lui dise tout cela ensemble.

— Arrête de t'inquiéter comme ça pour Jakob. Pense plutôt à nous, à nous deux.

Puis, elle était partie.

Cette journée ensoleillée de mars, alors que tout était terminé et que le printemps attendait au coin de la rue, Ezra avait croisé Jakob. Ezra longeait le cimetière quand il avait entendu quelqu'un l'appeler. Il avait regardé aux alentours et l'avait aperçu, en chemise. Ezra savait qu'un enterrement était prévu le lendemain à l'église. Un homme dans la fleur de l'âge était mort au terme d'une brève maladie au lieudit d'Utkaupsstadur et on s'attendait à ce qu'une foule assiste à la cérémonie. Il était entré dans le cimetière pour rejoindre Jakob.

— Où tu vas comme ça? avait interrogé ce dernier, en s'accordant une pause. Il travaillait parfois pour l'Église, il entretenait le cimetière et creusait des tombes.

Gêné, Ezra lui avait dit où il allait en ajoutant qu'il était pressé. Croiser Jakob le mettait mal à l'aise et c'était à dessein qu'il l'avait évité jusque-là. Il ignorait si Matthildur lui avait parlé de leur relation et ne savait pas non plus s'il l'avait découverte par d'autres moyens. Ils avaient été très prudents, mais on ne sait jamais.

— Nous ne nous voyons plus, avait fait remarquer Jakob.

— Je suis très occupé, avait plaidé Ezra.

— Bien sûr, tu as beaucoup à faire. Les patients et les laborieux auront la terre en héritage, c'est certain. C'est de nous que je parle, Ezra. Nous, les travailleurs de force.

31

Ezra n'avait pas entendu la question d'Erlendur. Il passait sa main usée sur le canon du fusil, les yeux rivés sur un coin de la cuisine, comme s'il avait disparu au fond de lui-même, au fond du souvenir de sa rencontre avec Jakob dans le cimetière et de tous les événements qui avaient suivi. Sans doute cette entrevue était-elle inévitable, même si c'était le hasard qui en avait déterminé le lieu et l'heure. Elle planait constamment au-dessus de lui comme une menace. Aussi inéluctable que la mort.

Ezra s'était interrompu au milieu d'une phrase. Le chat était entré dans la pièce et avait lancé à Erlendur un regard soupçonneux avant de comprendre qu'il pouvait aller se coucher sans risque sur sa paillasse.

Erlendur répéta sa question pour la troisième fois et le vieil homme lui répondit enfin. Ezra leva les yeux vers lui, arraché à sa profonde méditation.

– Qu'est-ce que vous disiez?

– Et ensuite, que s'est-il passé? répéta Erlendur.

– Il m'a invité chez lui.

– Et vous y êtes allé?

Ezra ne lui répondit pas.

– Vous êtes allé chez lui? demanda à nouveau Erlendur.

– Il m'avait dit ça sur un ton... un ton odieux, répondit Ezra. Ignoble. Jakob était un homme détestable. Et pourtant... pourtant, on avait été amis.

Jakob avait sorti son paquet de cigarettes pour en offrir une à Ezra qui l'avait refusée.

– Tu ne fumes pas encore? avait-il demandé.

– Je n'arrive pas à m'y mettre, avait répondu Ezra en essayant de sourire.

– Je les achète aux Britanniques. Des Pall Mall. Du tabac de premier choix. Au fait, Stjani a cassé sa pipe, tu es peut-être au courant.

– Oui, on m'a dit ça, l'enterrement est demain, n'est-ce pas ?

– Oui, je dois finir de creuser la tombe pour demain. J'ai de la chance, le temps est de mon côté.

– C'est vrai, avait convenu Ezra, les yeux plissés, levés vers le soleil. Bon, je suis pressé.

Il avait tourné les talons, s'apprêtant à repartir.

– Plus de chance que ma chère Matthildur, avait ajouté Jakob.

Ezra s'était figé sur place.

– Qu'est-ce que tu dis ?

– Ça m'a fait plaisir de te voir, avait conclu Jakob.

Ezra n'avait pas bougé d'un pouce.

– Qu'est-ce que tu viens de dire sur Matthildur ?

Ce n'étaient pas les mots eux-mêmes qui avaient chiffonné Ezra, ils étaient banals et n'avaient pas de signification précise. Jakob avait parfaitement le droit de les prononcer, c'était même normal qu'il le fasse. C'était plutôt le ton sur lequel ils avaient été dits qui l'avait amené à prêter l'oreille. Ce ton qu'il avait décelé immédiatement. Sans doute était-il sensible à la moindre parole concernant Matthildur, surtout si elle sortait de la bouche de Jakob, mais il n'y avait aucune ambiguïté, le ton était limpide. On y lisait clairement une accusation.

– J'aurais tant de choses à dire à propos de Matthildur, avait poursuivi Jakob, sur le même ton accusateur. Et j'aurais bien aimé en discuter un peu avec toi, mais j'ai l'impression que tu m'évites.

– C'est faux, s'était bien vite défendu Ezra. Un peu trop promptement, peut-être. Il s'était demandé si Jakob avait perçu l'inquiétude qui l'agitait, s'il avait entendu son cœur qui battait à tout rompre.

– C'est mon impression. Pendant une période, tu as souvent été malade, puis tu as arrêté de sortir en mer avec moi. Tu as trouvé un emploi à terre. C'est à croire que je t'ai fait quelque chose et qu'on n'est plus amis.

— Tu ne m'as rien fait du tout, avait répondu Ezra. Évidemment qu'on est amis.

Jakob tentait-il de renverser la situation ? C'était Ezra qui lui avait causé du tort. Avec Matthildur, ils avaient agi derrière son dos, trahi son amitié et sa confiance. Peut-être l'indifférence d'Ezra avait-elle éveillé ses soupçons. Il avait effectivement évité Jakob, n'avait jamais contacté son ami, n'avait rien fait pour lui apporter son soutien après la disparition de Matthildur. Il avait, tout comme elle, simplement disparu de la vie de Jakob. Cela avait bien dû éveiller chez lui quelques soupçons qu'il dévoilait maintenant au grand jour.

— Bon, très bien, avait répondu Jakob.

— Que voulais-tu me dire au sujet de Matthildur ? s'était inquiété Ezra.

— Comment ça ?

— Tu viens d'affirmer que tu aurais bien des choses à dire à son propos.

— Tout à fait. J'envisage de faire une sorte de cérémonie à sa mémoire ou disons, enfin, on ne peut pas vraiment parler d'un enterrement, il faudrait d'abord établir qu'elle est bien morte. Et ça peut prendre sacrément du temps. Il faut s'occuper de ces affaires correctement, tu vois. En tout cas, on ne la retrouvera pas. C'est trop tard.

— Rien n'est exclu, avait objecté Ezra. C'est la fonte des neiges.

— Et...

Jakob avait hésité.

— Oui ?

— Il y a autre chose dont je n'ai parlé à personne et je ne sais pas dans quelle mesure je peux te confier tout ça. C'est embarrassant... plutôt embarrassant pour moi d'aborder ce sujet. Je ne sais ni trop comment m'exprimer ni vers qui me tourner. Si peu de gens sont dignes de confiance et ces... ces problèmes... enfin...

— De quoi s'agit-il ?

— De Matthildur, avait poursuivi Jakob. Elle s'était beaucoup éloignée de moi avant de... de disparaître.

— Éloignée ?

– Oui, on avait quelques points de désaccord. Le genre de difficultés que rencontrent tous les couples, tu vois. Tu comprendras peut-être un jour ce que je veux dire. Si tu trouves une femme à toi, Ezra.

Il perçut à nouveau ce ton déplaisant. Et le choix des mots ne lui avait pas échappé non plus. Une femme à toi.

– Mais il y avait aussi autre chose, avait repris Jakob.

Ses paroles avaient été suivies d'un long silence.

– Autre chose ? Comment ça ? s'était enquis Ezra, voyant que Jakob gardait le silence.

– Je n'ai pas la preuve formelle de ce que j'avance. Je veux dire que je n'ai rien de tangible. Mais j'imagine que c'est rarement le cas pour les hommes dans ma situation jusqu'à ce que ça s'abatte sur eux. S'abatte sur eux comme une claque, tu vois ?

– Les hommes dans ta situation ?

– Les cocus, Ezra. Je veux parler des cocus. Tu sais ce que c'est qu'être cocu, non ?

– Je...

Jakob avait jeté sa cigarette.

– C'est quand un homme couche avec ta femme et que tu n'es pas au courant. Parfois, d'autres gens le savent, mais toi, tu l'ignores ; tu n'en as pas la moindre idée. Puis, un jour, ta femme décrète qu'elle te quitte, comme ça, comme si tu n'avais pas ton mot à dire et que ça ne te regardait même pas.

Ezra s'était efforcé de demeurer impassible, il n'était toutefois pas certain d'y être parvenu. Il avait surtout eu envie de prendre ses jambes à son cou, mais se demandait si elles lui auraient obéi, il lui semblait n'avoir subitement plus aucune force. Il ne voyait pas comment réagir et n'était pas du tout prêt à avoir avec Jakob une conversation concernant Matthildur.

– Tu es en train de me dire qu'elle... ?

Ezra ne savait pas comment achever sa phrase.

– Je soupçonne certaines choses, voilà tout. Elles me rongent jour après jour, ces soupçons me rongent de l'intérieur. Enfin, je suppose que je n'apprendrai jamais la vérité. Plus maintenant. C'est trop tard.

Jakob avait écrasé le mégot de la cigarette qu'il venait de jeter par terre.

— Ça non, on ne la retrouvera pas, avait-il répété en détaillant longuement Ezra qui percevait clairement combien son regard, ses paroles et son attitude tout entière lui adressaient un reproche vivant. Une accusation qu'il ne parvenait pas à chasser de son esprit. Ce regard qui semblait bien plus empreint de certitude que de simples soupçons, ces mots qui en suggéraient bien plus long qu'ils n'en disaient.

— Passe donc me voir à la maison et on en discutera, avait proposé Jakob. J'ai peut-être à te dire quelques petites choses que tu devrais savoir.

— Lesquelles?

— Passe me voir, avait éludé Jakob. Je dois terminer ce truc-là. On verra ça plus tard. En général, je suis seul le soir.

Ezra se balançait d'avant en arrière sur sa chaise et semblait bouleversé. Le souvenir était encore très vif dans sa mémoire, même après toutes ces années. Il se rappelait mot pour mot les paroles de Jakob.

— Je ne savais pas quoi répondre. Je n'avais aucune envie de passer le voir chez lui, mais je ne pouvais bien sûr pas le lui dire. J'ai quitté le cimetière, comme qui dirait, la queue entre les jambes.

Erlendur demeurait silencieux, il regardait le vieil homme et voyait combien il souffrait, combien l'évocation de ce passé grisâtre et de ces événements qui avaient façonné son existence plus encore peut-être qu'il n'en avait conscience était douloureuse pour lui. Il fallait être un inconnu, une personne venue d'ailleurs, pour percevoir à quel point ces événements anciens l'avaient paralysé.

— Cette conversation ne vous a pas semblé étrange? interrogea Erlendur au bout d'un long moment.

— Si, en tout cas, de prime abord, répondit Ezra. Je ne savais pas trop sur quel pied danser. Puis tout à coup, j'ai compris qu'il devait être au courant de ma liaison avec Matthildur. Il parlait à mi-mots justement parce qu'il savait tout. Parce que Matthildur lui avait tout dit!

– Et vous êtes allé le voir ?

– Oui, répondit Ezra, d'une voix si faible qu'Erlendur l'entendait à peine. J'ai fini par le faire. Je suis allé chez lui et j'ai appris toute la vérité sur Matthildur.

32

Les incertitudes, la peur et l'angoisse qui tenaillaient Ezra depuis la disparition de Matthildur étaient revenus l'assaillir avec une force décuplée après sa conversation avec Jakob. Il savait qu'il devrait tôt ou tard aller le voir pour lui parler. Il y avait entre eux des non-dits, une sorte de souillure qu'il convenait d'affronter. Il craignait ce moment. Ses doutes quant à ce que Jakob savait ou non le torturaient depuis que Matthildur avait disparu, au mois de janvier. Il lui était impossible de découvrir ce qu'elle avait ou n'avait pas avoué à son mari sans en discuter avec lui. Peut-être n'était-il au courant de rien. Peut-être savait-il tout. Ce qu'Ezra redoutait le plus, c'était d'entendre que sa liaison avec Matthildur était ce qui avait conduit la jeune femme à entreprendre ce voyage fatal. À la suite d'une dispute conjugale à ce sujet. C'étaient des pensées qu'il n'avait pas réussi à chasser de sa tête au cours des mois qui avaient suivi sa disparition.

À trois reprises, il s'était mis en route pour aller chez Jakob, mais s'était à chaque fois ravisé. Son attitude au cimetière l'avait inquiété autant que terrifié. Il faisait les cent pas chez lui en s'interrogeant sans cesse sur le ton employé par Jakob quand il avait évoqué Matthildur. Il se demandait pourquoi il lui avait parlé des maris trompés en lui détaillant ce que cela signifiait et impliquait pour lui. Tout portait à croire que Jakob s'était moqué de lui.

Puis, un soir, il s'était finalement décidé à aller frapper à sa porte. Il avait descendu cette côte qu'il empruntait autrefois, chaque matin, pour passer prendre Jakob et aller au travail avec lui, à cette époque où il était tombé amoureux de Matthildur, hésitant et malhabile. Il avait été heureux et surpris de l'attitude de cette femme qui avait transformé ses tentatives maladroites en une chose si naturelle que leur amour paraissait couler de

168

source, paraissait authentique, dès le début. Pas une journée ne s'était écoulée depuis sa disparition sans que son sourire n'affleure dans les pensées d'Ezra, un geste de la main, un regard, sa démarche, son rire. Elle lui manquait cruellement. Chaque soir, il pleurait sur son destin, pleurait sur le destin qu'ils avaient connu, plongé dans sa solitude.

Ezra avait vu de la lumière dans le salon de Jakob et il avait frappé à la porte. Le vent, qui avait tourné au nord, fouettait le village, sec, froid et brutal. Il avait à nouveau frappé et Jakob était venu lui ouvrir.

— Pas possible, bonjour, mon ami, avait-il dit. Je t'ai attendu.

Le mot ami avait immédiatement sonné faux aux oreilles d'Ezra. Jakob l'avait invité au salon, il avait sorti une bouteille de Brennivin islandais dès qu'ils s'étaient assis, puis leur avait servi deux verres à liqueur. Il avait vidé le sien d'une traite avant de le remplir à nouveau. Il était manifeste qu'il avait bu et Ezra n'avait pas oublié qu'il avait le vin mauvais, que l'alcool le rendait teigneux, sans-gêne et agressif. Ezra avait avalé une petite gorgée, regrettant déjà d'être venu ici. Il aurait mieux fait de choisir un autre moment de la journée, un moment où Jakob n'aurait pas bu. La maison était en désordre, bien plus qu'autrefois, des vêtements sales, des restes de nourriture et de la vaisselle encombraient le salon.

— Quel plaisir de te voir, avait dit Jakob.

— Comment ça va ? avait interrogé Ezra.

— C'est la merde, je me sens vraiment très mal, ça, je peux te le dire, Ezra. Plus rien ne m'amuse.

— C'est bien sûr une épreuve terrible pour toi.

— Terrible ? Tu n'imagines même pas à quel point ça l'a été, Ezra. À quel point j'ai traversé des moments difficiles. Je peux te dire, Ezra, laisse-moi te dire que ça n'a pas été une partie de plaisir, ce n'est pas drôle de perdre son conjoint, son âme sœur comme j'ai perdu cette chère Matthildur.

— Je ne voudrais surtout pas te déranger. Je ferais peut-être mieux de revenir plus tard, je dois…

— Quoi ? Tu t'en vas déjà ? Bois ton Brennivin et reste là. J'ai rien d'autre à faire. J'étais assis là à écouter la radio quand tu es arrivé. Tu ne me déranges pas.

Ezra avait gardé le silence.

— Je ne suis pas ivre, avait poursuivi Jakob. Je me sens juste un peu seul.

— Évidemment, avait répondu Ezra.

Jakob s'était redressé sur sa chaise, puis avait continué à parler, choisissant ses mots avec soin.

— En réalité, je suis un peu surpris de voir que tu oses venir ici, avait-il dit, venir me voir.

— Que j'ose ? avait répété Ezra, sur la défensive. Je voulais t'apporter un soutien.

— Eh bien, l'attention est touchante.

— J'avais envie de savoir comment tu allais.

— Mais aussi de savoir un certain nombre d'autres choses, n'est-ce pas ?

— Je…

— Tu aimerais bien en apprendre un peu plus sur Matthildur, non ?

— Sur Matthildur ?

— Arrête de jouer les innocents.

— Je ne me permettrais jamais de…

— Tu crois peut-être que je ne savais pas ?

· Que tu ne savais pas quoi ?

— Tu crois franchement, Ezra, que je n'étais pas au courant de ce que vous faisiez avec Matthildur ?

Jakob semblait avoir dessoûlé d'un coup. Son visage était devenu dur et accusateur. Ezra venait d'obtenir la confirmation de ses soupçons, de manière aussi inattendue qu'étrange, et sans le moindre effort, au terme de toute cette attente. Ça faisait longtemps qu'il redoutait d'apprendre cette nouvelle, mais maintenant que la vérité éclatait, il se sentait presque soulagé.

— Je… je voulais t'en parler, avait plaidé Ezra. C'est d'ailleurs pour ça que je viens ici. On n'a jamais eu l'intention de faire quoi que ce soit dans ton dos. C'est juste arrivé.

— Dans mon dos ? avait renvoyé Jakob. Vous ne vouliez pas faire les choses dans mon dos ?

— On voulait t'en parler, dès le début.

— Mais vous ne l'avez jamais fait.

– C'est vrai. Matthildur voulait s'en occuper.

Ezra avait entrevu la maladresse de ses propos. On aurait dit qu'il reportait sur Matthildur l'entière responsabilité de leur relation.

– Elle tenait à le faire seule, avait-il alors corrigé. Elle ne voulait pas que je l'accompagne.

– Tu sais comment j'ai compris? avait demandé Jakob. Tu sais comment j'ai compris que j'étais cocu?

– Non.

– Qu'est-ce que tu crois que ça fait? Hein? Qu'est-ce que tu crois qu'on ressent quand on comprend que sa femme couche avec un autre. Avec un ami! Qu'est-ce que tu crois qu'on peut ressentir?

Ezra n'avait pas répondu.

– Tu n'es pas mon ami?

Il avait continué à se taire.

– Ou, plutôt, tu n'étais pas mon ami? avait grondé Jakob.

Il avait hoché la tête.

– J'avais bien vu votre petit manège tous les matins. Quand tu passais me chercher. Tu t'imagines que je ne voyais pas comment tu la regardais? Je te voyais la dévorer des yeux et je voyais aussi que ça lui plaisait.

– Elle m'a parlé de sa sœur et de l'enfant, avait plaidé Ezra. Elle était effondrée…

– Tout ça n'était qu'un tissu de mensonges! s'était écrié Jakob. Je n'ai rien à voir avec ce gamin! Sa sœur a menti, c'est tout! J'ai couché avec elle, c'est vrai. J'ai couché avec elle à Djupavogur, peut-être deux fois. Mais je n'ai rien à voir avec ce môme! Et je ne savais pas du tout qu'elles étaient sœurs!

– Matthildur était vraiment effondrée, avait répété Ezra. C'est une des raisons pour lesquelles elle s'est tournée vers moi. Elle était en colère.

Jakob baissait les yeux. Négligé, sa chemise à carreaux sortait de son pantalon, il ne s'était ni rasé ni coiffé et n'avait enfilé qu'une seule chaussette. Ezra voyait bien qu'il n'était pas dans son état normal et trouvait hasardeux de continuer à discuter dans de telles conditions. Il était soulagé de savoir enfin à quoi s'en tenir, mais l'état de Jakob ne pouvait qu'envenimer les choses. Il s'était levé.

— On devrait peut-être parler de tout ça quand on sera dans de meilleures dispositions, avait-il suggéré.

Jakob avait levé les yeux.

— Tu n'iras nulle part avant d'avoir entendu ce que j'ai à te dire, avait-il éructé.

— Je ne suis pas certain que ce soit le bon…

— Ta gueule ! avait hurlé Jakob. Ferme-là et assieds-toi !

Ils s'étaient longuement défiés du regard, Ezra avait fini par céder et s'était rassis sur sa chaise.

— Tu sais comment j'ai eu la confirmation de cette infidélité écœurante ? Est-ce que je te l'ai dit ?

— Non. Tu ne me l'as pas expliqué.

— Je m'en doutais. Avec Matthildur, on s'était disputés à cause de sa sœur et de ce maudit gamin. Je ne dis pas le contraire. Cette histoire a empoisonné notre couple. Mais je croyais qu'on avait surmonté tout ça. Jusqu'au moment où elle a commencé à voir je ne sais quoi en toi. En toi ! Il m'en a fallu, du temps, pour comprendre ce qui se passait, justement parce que c'était avec toi. Toi, Ezra ! Toi, qu'aucune femme n'a jamais regardé ! Qu'est-ce qu'elle a donc vu chez toi ?!

Ezra continuait de se taire. Sans doute méritait-il tous les reproches que Jakob déversait sur lui. C'était pour cela qu'il était venu le voir. Pour entendre ses accusations, essuyer ses reproches, sa fureur et ses insultes.

— Il aurait pu s'agir de n'importe quel porc. Mais pas de toi. Ça aurait pu être n'importe qui d'autre, mais pas toi, Ezra. Qu'allaient penser les gens en apprenant qu'elle avait couché avec un homme comme toi, un type laid à faire peur, qui n'a presque jamais connu aucune femme. Qu'allaient-ils dire de moi ? *De moi !*

Ezra ne lui avait rien répondu.

— Je suis parti à Reydarfjördur en lui racontant que j'y passerais la nuit. Tu te souviens ? Viggi, le mari de Ninna, m'a emmené en voiture.

Ezra continuait de garder le silence.

— Est-ce que tu t'en rappelles, espèce de salaud ? avait hurlé Jakob.

Ezra avait hoché la tête.

— Oui, je m'en souviens.

— Bon, j'y suis allé, avait poursuivi Jakob. Mais j'ai trouvé quelqu'un pour me ramener ici le soir et je l'ai vue se faufiler chez toi dans la nuit. Je vous ai vus ensemble, Ezra. Je suis resté traîner du côté de ta maison comme une âme en peine et j'ai tout vu. Absolument tout !

— Pourquoi tu n'es pas intervenu ? Pourquoi tu ne nous as pas parlé ?

Jakob baissa la tête, vaincu.

— Ezra... Tu crois sans doute que tout est simple, avait-il répondu, haussant graduellement le ton. Clair et net. Pourquoi tu n'es pas intervenu ? Pourquoi tu ne nous as pas parlé ? Franchement, qu'est-ce que c'est, ces questions ? Qu'est-ce que j'aurais pu vous dire ? Qu'est-ce que j'étais censé te dire ? S'il te plaît, ne baise pas ma femme !

Jakob s'était mis à hurler.

— C'était le genre de choses dont on pouvait parler ? C'était une chose dont j'étais censé te parler, Ezra ? Te parler, à toi ?!

— Je comprends très bien ta colère.

— Ma colère ? avait murmuré Jakob, plus calme. Tu n'en as même pas idée. Je l'ai contenue, ma colère. Je l'ai enfermée en moi jusqu'à ce que je puisse l'utiliser. Je suis rentré à la maison et je l'ai laissée bouillonner jusqu'à en étouffer presque.

Ezra ne disait rien.

— Je ne permets à personne de me traiter comme ça. Je ne me laisse pas traiter de la sorte. Et je le lui ai dit. Je lui ai dit clairement que je ne permettais pas qu'on me traite de cette manière.

— C'est pour ça qu'elle a voulu partir à Reydarfjördur ? avait demandé Ezra, hésitant. Il n'était pas certain d'avoir envie d'entendre la réponse. C'était à cause de nous ?

— Exactement, Ezra, c'est bien à cause de ça qu'elle a dû partir, avait répondu Jakob en buvant au goulot. Voilà pourquoi elle a dû s'en aller et faire ce long voyage.

Ezra avait reposé le fusil pendant son récit. Erlendur n'était pas certain qu'il l'ait fait consciemment, tant il était immergé dans le souvenir de son entrevue avec Jakob, soixante et quelques années plus tôt. Il écoutait le vieil homme en silence. La pénombre envahissait graduellement la pièce. Erlendur craignait que son hôte ne prenne froid, vêtu de son marcel et les pieds nus dans ses pantoufles humides depuis qu'il avait marché dans la neige. Il lui demanda s'il n'avait pas un pull-over ou s'il voulait qu'il lui mette une couverture sur les épaules car il ne faisait pas très chaud dans la maison. Ezra ne lui répondit pas. Il se leva donc et alla chercher un plaid dont il le couvrit et en profita pour lui enlever le fusil. L'arme contenait une cartouche qu'il retira. Ezra s'abstint de tout commentaire.

Ils demeurèrent un long moment plongés dans le silence que seul venait troubler de temps à autre le chant d'oiseaux reconnaissants à Ezra d'avoir jeté quelques graines dans la neige à l'arrière de la maison, où les moineaux affluaient. Erlendur lui demanda s'il voulait qu'il refasse un peu de café, mais le vieil homme ne lui répondit pas.

Le silence emplissait la cuisine.

– Je ne suis pas vraiment sûr de devoir continuer à vous raconter ça, soupira profondément Ezra au bout d'un long moment. Je ne sais même pas pourquoi je vous en parle.

On décelait dans le ton de sa voix comme la triste certitude que nul ne pouvait échapper au destin qui lui avait été assigné. Erlendur s'apprêta à lui dire que cela lui faisait sans doute du bien de parler de ces événements si lointains, mais il se ravisa. Il n'avait aucune légitimité pour se prononcer sur la question.

– C'est à cause de Matthildur que vous êtes réticent? lui demanda-t-il.

Ezra regardait par la fenêtre la lande d'Eskifjardarheidi et se tourna tout à coup vers lui.

— Vous croyez ça?

— Vous n'avez jamais cessé de penser à elle toutes ces années.

— C'est vrai. Et j'ai de bonnes raisons pour ça.

— Elle a disparu.

— Oui, elle a disparu. Mais, étant donné la manière dont ça s'est produit, je ne m'en suis jamais remis. D'ailleurs, je ne m'en remettrai jamais.

— Ça arrive que les gens disparaissent, observa Erlendur.

— Que les gens disparaissent, répéta Ezra en écho. Si seulement c'était aussi simple.

Revenant brusquement à lui, il cessa de regarder par la fenêtre et plongea ses yeux dans ceux d'Erlendur. Il remarqua alors que ce dernier l'avait débarrassé du fusil et lui avait posé un plaid sur les épaules.

— Jakob m'a peut-être menti sur toute la ligne, reprit-il. Je n'en sais rien. Je ne peux pas le dire. Le corps de Matthildur n'a jamais été retrouvé. C'est une chose. Depuis, j'y pense constamment. Peut-être qu'il voulait jute me torturer. Je me demande s'il a fait ça pour me voir me débattre désespérément sous ses yeux. Si c'était sa manière de se venger. Il m'a menacé des pires choses si je ne la fermais pas et je l'ai cru. Je lui ai obéi. J'ai fermé ma gueule.

Jakob avait reposé la bouteille, les yeux rivés sur Ezra, puis s'était essuyé la bouche d'un revers de la main.

— Tu veux savoir ce qui s'est passé? avait-il interrogé.

— Oui.

— Après tout, c'est ton droit.

— Ce qui s'est passé? De quoi est-ce que tu parles?

— De Matthildur, je te parle de ma Matthildur, Ezra. C'est pas ça qui t'amène ici? Tu n'es pas venu me montrer du soutien. Je vais te parler d'elle. Un peu de patience. Je vais te raconter tout ce qui s'est passé. Je tiens à ce que tu le saches. Il faut que tu saches tout ça. Tu as autant que moi le droit de savoir. Et peut-être même encore plus! Finalement, je n'étais que son mari. Toi, tu couchais avec elle! Elle te laissait la bai…

— Je refuse d'écouter ces vulgarités! avait protesté Ezra. Je t'interdis de parler d'elle de cette manière.

— Ces vulgarités? avait rétorqué Jakob.

Il avait avalé une autre gorgée, reposé la bouteille, puis raconté en un récit décousu comment son mariage avec Matthildur avait peu à peu fait naufrage à cause de la lettre d'Ingunn. Jamais il n'était parvenu à la convaincre qu'il n'était pas le père de l'enfant et qu'il ignorait qu'elles étaient sœurs. Lors de leur union, Jakob avait refusé toute forme de dispositions, il n'avait pas voulu de cérémonie religieuse, pas plus que de banquet de noces. Ils s'étaient mariés chez le pasteur d'Eskifjördur, sans inviter quiconque. Avec le recul, Matthildur y avait vu la preuve qu'il fuyait toute relation avec les membres de sa famille à cause de cette histoire avec Ingunn. Jamais il n'avait eu le moindre contact avec eux. Elle l'avait aussi accusé de lui être infidèle en lui disant que rien ne l'empêchait de faire comme lui.

— Un peu plus tard, j'ai compris qu'elle me trompait avec toi, avait dit Jakob.

— Tu savais que Matthildur était la sœur d'Ingunn avant de commencer à la fréquenter? s'était enquis Ezra.

Jakob avait ricané.

— J'ai pourtant bien essayé de lui dire.

— Quoi?

— Que sa sœur ouvrait les cuisses plus vite que la grande catin de Babylone. Ce môme ne peut pas être de moi! Jamais je ne le reconnaîtrai!

34

Jakob avait passé la nuit où il était censé dormir à Rey-darfjördur à attendre le retour de Matthildur.

Il était rentré tard dans la soirée et s'était caché à proximité de leur maison. Voyant de la lumière dans la cuisine, il avait supposé qu'elle était encore debout. Il la soupçonnait de manigancer quelque chose. Son attitude avait changé au cours des semaines et des mois précédents. Plus froide et plus distante, elle ne lui témoignait aucun intérêt et lui répondait à peine quand il lui adressait la parole.

Au prix d'interminables efforts, il était finalement parvenu à la convaincre qu'il n'avait rien fait de mal, qu'il connaissait très peu sa sœur, qu'il ignorait leur lien de famille et qu'il n'avait rien à voir avec l'enfant dont Ingunn affirmait qu'il était le père. Elle semblait s'être satisfaite de ses explications, malgré quelques réticences. L'absence manifeste de relations régulières entre les deux sœurs jouait en sa faveur. Il prenait garde à ne pas tenir de propos douteux au sujet d'Ingunn. Il avait couché avec elle, mais elle avait voulu pousser les choses plus loin et l'avait importuné jusqu'au moment où il l'avait priée de le laisser tranquille car elle ne l'intéressait pas. Quant à cet enfant, il n'était pas de lui. Cela, jamais il ne le reconnaîtrait.

Il avait vu la lumière de la cuisine s'éteindre et s'était demandé si le piège d'une simplicité enfantine qu'il avait tendu à sa femme parviendrait à la démasquer. Sur le point de se raviser, il avait vu la porte s'ouvrir à l'arrière de la maison. Puis, Matthildur s'était faufilée dans le jardin avant de disparaître dans la nuit. Il l'avait suivie jusqu'à chez Ezra et l'avait vue frapper à la porte. Ezra était venu lui ouvrir et elle était entrée. L'obscurité régnait dans la maison. Pour y être venu plusieurs fois, Jakob connaissait l'agencement des pièces.

Il avait attendu un long moment et s'était approché pour jeter un regard prudent à chacune des fenêtres jusqu'à arriver à celle de la chambre. Malgré la pénombre, il avait distingué leurs deux corps enlacés sur le lit.

Il n'avait pas vraiment ressenti de colère à ce moment-là. Il s'agissait plutôt d'une simple confirmation de ses soupçons. Ce n'était pas vraiment surprenant qu'elle couche avec Ezra. Il venait souvent chez eux, il était à la fois son ami et son collègue, il était célibataire et sans enfant. À ce que savait Jakob, jamais il n'avait fréquenté aucune femme. Il lui avait posé la question, mais n'avait obtenu que des réponses évasives. Il avait essayé de le taquiner avec ça au cours des longues journées qu'on connaît parfois en mer lorsque la pêche est maigre. Ezra avait toujours refusé d'aborder ces sujets. Jakob le considérait comme un bon ami, un homme en qui il pouvait avoir confiance lorsqu'ils étaient en mer.

Non, il n'avait ressenti aucune colère subite. Loin de là. Il s'était éloigné pour rentrer chez lui à pas lents, plongé dans ses pensées, mais pas vraiment furieux. Il ne lui était pas venu à l'esprit de faire irruption chez Ezra, d'en sortir Matthildur ou de casser la figure de son ami. D'une certaine manière, cela lui semblait en deçà de son amour-propre. Il n'allait pas les supplier. Il était hors de question qu'il leur demande la moindre faveur. Il ne voulait aucune explication, aucune excuse, et n'avait pas envie d'entendre toutes ces jérémiades, toutes ces conneries.

Et maintenant il attendait le retour de Matthildur. Il s'était installé au salon et attendait. Plus la nuit avançait, plus elle passait de temps dans les bras d'Ezra, plus la colère de Jakob enflait. Bientôt, n'y tenant plus, il s'était levé d'un bond. Il avait envisagé une centaine de manières différentes de vider son sac et, à chaque fois, sa colère grandissait. Il sentait la chaleur l'envahir et comprenait bien mieux le sens de l'expression une colère bouillonnante. Il avait l'impression que le sang bouillait littéralement dans ses veines. Il s'était rassis afin de se calmer, mais un flot de reproches l'avait envahi. Matthildur l'avait trahi, elle avait trahi leur couple, leur union. Il s'était levé d'un bond et avait traversé la pièce à grandes enjambées.

Puis il y avait Ezra. Il ignorait comment il s'y prendrait, mais il allait veiller à ce qu'il conserve de cette trahison un souvenir cuisant pour le restant de ses jours.

Il était tellement déboussolé qu'il ne l'avait même pas entendue rentrer en silence ni refermer la porte derrière elle, au petit matin. Remarquant immédiatement sa présence, elle avait violemment sursauté, persuadée qu'il ne rentrerait que le lendemain. Il l'avait vue, leurs regards s'étaient croisés l'espace d'un instant et elle avait compris qu'il avait découvert la vérité. Elle avait tenté de sortir, d'ouvrir la porte pour s'échapper, pour courir chez Ezra et se mettre à l'abri, mais il l'avait attrapée et jetée par terre.

— Où tu vas comme ça? avait-il murmuré d'une voix rauque de colère en claquant la porte.

Elle avait tenté de se relever. Il l'en avait empêchée, s'était assis à califourchon sur son ventre et avait serré ses mains puissantes autour de sa gorge frêle en la secouant de toutes ses forces et en heurtant sa tête contre le sol.

— Chez lui? avait-il vociféré. C'est chez lui que tu vas comme ça? Tu crois qu'il va pouvoir t'aider?

Matthildur n'était pas arrivée à articuler le moindre mot tant la colère de Jakob était déchaînée. Il avait serré encore plus fort et déversé sur elle un flot de jurons jusqu'à sentir que son corps ne lui opposait plus aucune résistance. Sa tête se balançait de gauche à droite, étrangement lourde, inerte, et heurtait violemment le sol. Il avait relâché son emprise, baissé les yeux sur ce corps sans vie. Peu à peu, sa colère était retombée. Ayant perdu toute notion du temps, il s'était levé, avait fixé Matthildur, aussi essoufflé qu'après un marathon. Il ne mesurait pas exactement ce qu'il venait de faire. Il lui parlait et la poussait du pied. Il lui avait fallu un peu de temps avant de comprendre qu'elle était morte. Sa tête était bizarrement inclinée par rapport au reste du corps. Il était incapable de dire s'il l'avait étranglée ou s'il lui avait brisé les cervicales. Il ne savait qu'une chose : elle n'était plus vivante.

Encore abasourdi, il était allé s'asseoir sur une chaise pour reprendre son souffle. Il ignorait combien de temps s'était écoulé lorsqu'il avait soudain entendu le vent secouer le toit et faire craquer toute la maison. Cela l'avait tiré de sa torpeur. Bientôt, il serait midi. Il était allé à la fenêtre, avait levé les yeux vers la lande en se demandant ce qu'il devait faire.

— Assassin! s'était écrié Ezra. Il s'était levé d'un bond et avait reculé avec dégoût. Je n'aurais jamais imaginé ça. Je ne t'aurais jamais cru capable d'une chose pareille! Je ne t'en croyais pas capable!

Jakob l'avait toisé froidement.

— C'est ta faute, Ezra, avait-il rétorqué d'un ton calme, presque indifférent. Si tu ne me l'avais pas prise, elle serait encore vivante.

— Tu racontes n'importe quoi! s'était exclamé Ezra en s'avançant vers la porte à grandes enjambés pour l'ouvrir.

— Ne va pas faire de bêtises, avait crié Jakob jusqu'au vestibule, ce serait toi qui aurais le plus à en pâtir, c'est à toi-même que tu nuirais, Ezra…!

Ezra avait claqué la porte. Tranquillement assis sur sa chaise, Jakob avait avalé une autre gorgée. Il revoyait le corps sans vie de Matthildur, se souvenait combien elle était lourde lorsqu'il l'avait soulevée. Les yeux fixés sur la porte, il avait attendu. Un long moment s'était écoulé, puis elle s'était rouverte et Ezra était apparu dans l'embrasure. Il était entré en refermant soigneusement derrière lui.

— Pourquoi tu me racontes ça? avait-il interrogé. Pourquoi c'est à moi que tu avoues ton crime? Pourquoi ce serait moi qui devrais en souffrir? Pourquoi est-ce que tu es aussi calme?

Un sourire malveillant avait affleuré sur les lèvres de Jakob.

— Espèce de pauvre type, avait-il murmuré.

— Qu'est-ce que tu as fait?

— Ce serait un jeu d'enfant de te mettre ça sur le dos, Ezra.

— De quoi tu parles?

— Ce serait à toi que tu nuirais le plus si tu t'avisais d'aller raconter ça à quelqu'un, avait repris Jakob. Je t'accuserais de l'avoir tuée. Je leur parlerais de votre aventure en leur expliquant que Matthildur comptait mettre fin à votre liaison désastreuse. J'ajouterais qu'elle était très inquiète parce qu'elle savait que tu ferais des difficultés. Je dirais qu'elle voulait t'en faire part à son retour de Reydarfjördur, mais que maintenant je ne suis plus si certain qu'elle ait traversé la lande, que sans doute elle a croisé ta route, rompu avec toi et qu'il n'est pas impossible que tu t'en sois pris violemment à elle, que tu l'aies battue, battue à mort.

Ezra avait longuement dévisagé Jakob sans dire un mot.

— Personne ne te croirait, avait-il répondu à voix basse.

— Et toi, Ezra ? Qui te croirait ?

Ezra avait gardé le silence.

— Où est Matthildur ? avait-il fini par demander.

— Ça ne te regarde pas.

— Comment tu as pu lui faire ça ?

— Ezra, la question serait plutôt : comment tu as pu lui faire ça ? C'est ta faute, Ezra. Je te conseille de t'en rappeler la prochaine fois que tu essaieras de voler la femme d'un autre !

— Où est-elle ?

— Sors d'ici !

— Dis-moi ce que tu as fait d'elle !

— Sors d'ici ! Je t'ai dit tout ce que j'avais à te dire.

— Dis-moi où elle est, espèce d'ordure ! avait hurlé Ezra.

— Dehors ! avait hurlé Jakob. Il s'était levé de sa chaise. Le calme qu'il avait arboré jusqu'alors s'était évanoui d'un coup. Dégage et que je ne vois plus jamais ta sale gueule !

Ezra avait bondi sur Jakob et l'avait jeté à terre. Il l'avait roué de coups, Jakob avait essayé de le griffer au visage et ils s'étaient battus jusqu'à ce que Jakob prenne le dessus.

— N'oublie pas, espèce d'ordure, avait-il sifflé, le souffle court, que tout ça, c'est ta faute ! Rappelle-t'en et ne l'oublie jamais, espèce de sale ordure !

Il lui avait décoché un grand coup de poing en plein visage.

— Ne l'oublie jamais ! avait-il répété.

Il s'était relevé, Ezra s'était agenouillé, puis remis debout en essuyant le sang qui coulait de sa lèvre et en se frottant le menton. Son visage tout entier était douloureux.

— Tu ne t'en tireras pas comme ça, avait-il menacé.

— Tu n'es qu'un pauvre type, avait répondu Jakob. Sors d'ici ! Dégage !

– Tu ne vas pas t'en tirer indemne, avait murmuré Ezra
tandis qu'il reculait vers la porte. Tu ne t'en tireras pas
comme ça !

35

Un silence absolu s'était abattu. Les oiseaux avaient déserté le jardin. Le soir tombait doucement sur les deux hommes assis dans la cuisine. Le chat dormait, tranquille, sur sa paillasse. La voix d'Ezra n'était plus qu'un discret chuchotis lorsqu'il avait achevé son récit. On aurait dit que son énergie avait décliné au même rythme que la clarté diurne. Il s'était affaissé sur sa chaise et s'exprimait d'une voix si basse qu'Erlendur devait se concentrer de toutes ses forces pour l'entendre.

— Vous avez décidé de garder le silence, remarqua-t-il.

— Oui. Je n'en ai jamais parlé à personne. En fin de compte, voilà tout le courage que j'ai eu.

— Ce n'est pas bon de taire ce genre de choses, quelle que soit la manière dont elles vous touchent. Le silence ne saurait être un ami.

— Je ne vous le fais pas dire.

— Et c'est comme ça que les années ont passé?

— Oui, c'est comme ça qu'elles ont passé.

Erlendur comprenait comme c'était douloureux pour le vieil homme de lui dévoiler ces choses enfermées en lui depuis si longtemps. Toutes ces années, il avait gardé le silence sur le crime de Jakob, y compris après le décès de ce dernier, par peur de se voir impliqué d'une manière ou d'une autre dans la disparition de Matthildur. Il avait choisi la facilité et sauvé sa peau. Erlendur comprenait en partie sa réaction. Les menaces de Jakob n'étaient pas des paroles en l'air et, s'il les avait mises à exécution, Ezra se serait trouvé dans de sales draps, il avait en effet trahi son ami en lui volant sa femme. Jakob voulait se venger, il aurait pu le dénoncer n'importe quand et l'accuser des choses les plus graves.

— Je n'ai pas eu le courage, reprit Ezra. J'ai eu la trouille. À dire vrai, j'étais paralysé par la peur. Je ne supportais pas l'idée qu'on puisse découvrir ma liaison avec Matthildur, et que les gens voient ça comme quelque chose de sale et de laid. J'avais peur que Jakob fasse courir des bruits sur moi, qu'il m'accuse, qu'il dise que j'étais un assassin. Il est arrivé à me forcer à me taire. Il m'a dit la vérité et s'est arrangé pour m'amener à me sentir suffisamment coupable pour garantir mon silence. Il a obtenu ce qu'il voulait.

Ezra avait marqué une pause.

— Il a gagné, reprit-il. Il nous a vaincus tous les deux, Matthildur et moi.

— Qu'a-t-il fait du corps?

— Il n'a pas voulu me le dire. Il m'a raconté qu'il l'avait caché avec un objet qui m'impliquerait directement et qu'il pouvait révéler l'endroit à n'importe qui quand bon lui semblerait. Je ne sais pas de quel objet il parlait et j'ignore encore s'il me mentait sur ce détail. Enfin, il m'a dit ça et j'étais tellement désemparé que j'ai cru tout ce qu'il racontait.

— Donc, vous ne savez pas où elle est?

— Je ne l'ai jamais su.

— Ça n'a pas dû être facile pour vous, observa Erlendur. Vous avez d'abord perdu Matthildur, puis il vous a lancé ça en pleine figure.

— Jakob… était une véritable ordure.

— Ça devait aussi être difficile de vivre ici en le sachant à proximité, non?

— C'est le moins qu'on puisse dire. Évidemment, je ne le fréquentais pas du tout, en tout cas le moins possible. À un moment, il a même quitté le village. Peut-être qu'il avait peur, lui aussi, que j'aille voir la police ou que je me mette à faire courir des rumeurs. Disons que c'était un peu la guerre froide entre nous. Il m'a dit…

Ezra hésita.

— Oui?

— Il m'a prévenu que j'allais le payer, qu'il s'arrangerait pour que je regrette. Et on peut dire qu'il a réussi.

— Vous n'avez pas voulu déménager, retourner chez vous ou aller à Reykjavik? Énormément de gens y sont partis pendant la guerre. Vous vous seriez fondu dans la foule. Pour peu qu'on puisse vraiment le faire en Islande.

– Je ne pouvais me résoudre à déménager, répondit Ezra, d'une voix si faible qu'on l'entendait à peine. Pas tant que je savais que Matthildur était quelque part ici. Je ne pouvais pas l'abandonner. Puisque son corps n'a jamais été retrouvé, elle n'a jamais vraiment disparu, jamais disparu pour de bon. Vous comprenez ce que je veux dire ? Je sais que ça peut sembler idiot, mais j'ai l'impression qu'elle est encore ici, auprès de moi. Je sens sa présence quand je marche dans les rues, quand je longe les maisons, que je regarde la mer ou que je lève les yeux vers les montagnes. Elle est partout, Matthildur est dans tout ce qui m'entoure.

Ezra fit une pause.

– Mais bon, je n'en ai plus pour longtemps. Et là, tout sera terminé.

– Vous n'avez vraiment aucune idée de l'endroit où Jakob pourrait avoir caché son corps ? interrogea à nouveau Erlendur.

Ezra secoua la tête.

– Vous êtes sûr ?

– Vous croyez que je vous mentirais ?

– Non, répondit Erlendur. Je ne crois pas que vous me mentiez sur quoi que ce soit. Mais, étant donné le récit que vous donnez de ces événements, les menaces proférées par Jakob de vous mettre le meurtre sur le dos, on pourrait penser que vous aviez personnellement intérêt à ce qu'on ne retrouve pas Matthildur.

– Alors, vous ! Fichus flics ! s'exclama Ezra. Vous ne connaissez vraiment que la suspicion et vous ne pouvez pas vous empêcher de mettre en doute la parole des gens. J'imagine que vous supposez que je vous mens depuis le début, que j'ai... que c'est moi qui ai assassiné Matthildur et que je fais porter le chapeau à Jakob. Vous pensez que j'inverse complètement les choses ?

– Votre réaction... commença Erlendur, aussitôt interrompu par son hôte.

– Je ne pouvais rien faire, coupa Ezra. C'était comme une épée de Damoclès au-dessus de ma tête jusqu'à la mort de Jakob. Et il n'y avait aucun moyen de défaire ce qu'il avait fait.

Matthildur était morte. Disparue. L'ouverture d'une enquête de police n'aurait rien changé.

— Vous avez pris pour argent comptant tout ce qu'il vous a raconté ?

— Oui.

— L'autre jour, vous m'avez affirmé que vous étiez sûr que Jakob n'aurait jamais pu faire le moindre mal à Matthildur. Ça faisait partie du jeu de cache-cache entre nous ?

Ezra hocha la tête.

— Vous n'avez jamais douté de la véracité de ses propos ?

— Douté ? Et de quoi donc ? Du fait qu'il ait tué Matthildur ? Jamais. Je n'en ai jamais douté. Je sais qu'au moins sur ce point précis, il m'a dit la vérité.

— Mais vous n'en avez jamais obtenu confirmation. Elle aurait très bien pu se perdre dans la tempête et il aurait alors décidé de se servir de sa disparition pour vous torturer parce qu'il était au courant de votre liaison. Vous avez envisagé cette possibilité ?

— Je sais qu'il m'a dit la vérité, répéta Ezra, l'air buté, les yeux rivés sur Erlendur.

— Vous aviez des remords. Est-ce que vous convoitiez Matthildur avant qu'elle ne se tourne vers vous ?

— Que je convoitais ? Je…

— Vous le lui aviez peut-être fait comprendre ?

— Qu'est-ce que vous voulez dire ?

— Vous avez cherché à lui plaire ? Ou montré clairement que vous étiez intéressé ?

— Non. Pas du tout.

— Vous n'avez rien entrepris ?

— Non, répondit Ezra au terme d'un long silence. Peut-être qu'elle a perçu quelque chose…

— Donc, lorsqu'elle s'est tournée vers vous, vous n'éprouviez aucune réticence ?

— Non, je suppose que non.

— C'est bien ce que je disais. Vous aviez mauvaise conscience, vous aviez des remords et Jakob en a profité, n'est-ce pas ? De plus, vous refusiez de parler de votre liaison avec Matthildur à qui que ce soit.

Ezra ne lui répondit pas.

— Vous avez dû être sacrément soulagé quand il est mort, ajouta Erlendur.

Ezra continuait de se taire.

— À moins que ça n'ait été le contraire, après tout il était le seul à savoir où reposait le corps de Matthildur.

— Oui.

— Et il a emporté son secret dans la tombe.

— Oui.

— Vous étiez ici quand ça s'est produit? Le jour où Jakob s'est noyé?

— Oui, je m'en souviens très bien.

— Son corps a été transféré à la fabrique de glace du village.

— Oui, ensuite il a été emmené à Djupavogur où il a été enterré. Ça a mis un point final à cette histoire.

— Vous avez vu son cadavre?

— Oui, je travaillais à la fabrique de glace à l'époque.

— Et vous n'êtes jamais arrivé à savoir où le corps de Matthildur repose?

— Je n'ai pas réussi à lui arracher cette information. C'est sans doute la seule chose que j'ai toujours eu envie de savoir, et je suppose que je n'aurai jamais la réponse.

Erlendur regarda par la fenêtre et leva les yeux vers la lande qui avait disparu dans l'obscurité du soir.

— En fin de compte, c'est effectivement ma faute si elle est morte, murmura Ezra. J'en porte la responsabilité. J'ai dû vivre avec ça chaque jour de ma vie.

36

Le jour où ils partent pour Reykjavik, il descend une dernière fois de la lande et aide son père à porter les bagages. Ce n'est pas, comme bien souvent, pour chercher des traces disparues qu'il est allé dans la montagne, mais pour dire adieu à ce monde qui abrite à la fois son bonheur et les épreuves qu'il a traversées. Il est parti tôt ce matin, aux toutes premières heures du jour, en prenant garde à ne pas réveiller ses parents. C'est une belle journée d'été, mais sa mère n'est pas vraiment ravie de savoir qu'il traîne tout seul là-haut, comme elle dit. Il y a deux ans à peine, elle a perdu le plus jeune de ses fils et il est exclu que l'aîné connaisse le même sort. Ce n'est toutefois pas uniquement pour cela qu'ils déménagent. Il y a d'autres raisons.

Son père est silencieux, comme à son habitude, lorsqu'il dépose tout ce qu'ils possèdent sur la plateforme du camion. Ce dernier, plutôt récent, a été vendu à quelqu'un qui vit à Reykjavik et la famille se charge de le conduire jusque là-bas à condition de pouvoir s'en servir pour déménager. Ils n'emportent que le strict nécessaire, les lits, les tables, les chaises et les plus précieux souvenirs de famille. Ils ont donné le reste et jeté quelques petites choses. Ils prévoient d'acheter du neuf lorsqu'ils arriveront à la capitale. Ils ont vendu le peu de bétail qu'ils avaient, cédé la faucheuse, de même que la charrette à foin. Sa mère emporte avec elle sa machine à coudre à pédale, elle affirme qu'elle sera bien utile où qu'ils soient dans le monde. C'est toujours elle qui s'efforce de détendre l'atmosphère. Il sait que, parfois, elle n'y parvient qu'à grand-peine et, quelquefois, elle n'en a tout simplement pas la force, comme lorsqu'un jeune couple vient chez eux pour chercher le lit de Bergur, donné à de la famille. Sa mère s'arrange pour être occupée à la cuisine quand le couple arrive, hésitant et timide. Ce serait ridicule de l'emmener avec nous,

188

a-t-elle dit. En plus, il sera bien utile à ces gens. Mais il y a bien d'autres choses qui ont appartenu à Bergur et dont elle ne se séparera jamais tant qu'elle vivra.

Erlendur ignore à quel moment précis la décision de déménager a été prise. La première fois qu'il a entendu ses parents l'évoquer remonte à six mois environ. L'idée vient de sa mère. C'est elle qui veut s'en aller et ça ne lui suffirait pas de partir s'installer dans une province voisine ou même un peu plus éloignée. Chaque détail de la nature lui rappelle son fils perdu. Elle veut partir aussi loin que possible, de préférence dans un endroit où elle pourra sortir de cette torpeur et à nouveau affronter la vie, un endroit étranger, un endroit qui serait comme un défi, différent de tout ce qu'ils connaissent. Cet endroit-là, c'est Reykjavik.

Son père ne s'exprime guère sur la question. Il accepte sans vraiment faire de commentaires. Depuis qu'il est redescendu de la lande entre la vie et la mort, ce n'est plus le même homme. Non seulement parce qu'il a perdu son fils, mais aussi parce qu'il a vu la mort en face et eu le sentiment que ses heures étaient comptées. Cette rencontre avec la mort l'a autant affecté que le deuil du fils cadet. On aurait dit qu'il avait accepté de mourir, qu'il s'y était résigné comme s'il s'était agi d'une décision du Seigneur. C'est surtout par son silence qu'il consent à déménager.

Ils en parlent à Erlendur qui, au début, s'oppose vigoureusement à ce projet. Il a l'impression que quitter les lieux reviendrait à trahir Bergur. À l'abandonner ici, tout seul. Sa mère lui dit que c'est complètement faux. Bergur sera toujours auprès d'eux, ils ne l'oublieront jamais. Elle lui dit que s'ils veulent continuer à vivre ensemble, ils ont besoin d'un changement, ils doivent aller de l'avant et cesser de faire du deuil un compagnon quotidien.

En réalité, on ne lui laisse pas le choix. Qu'est-ce qu'un garçon âgé de douze ans sait de Reykjavik ? Là-bas, il y a plus de voitures, des magasins plus vastes qu'il ne peut l'imaginer, de gigantesques bâtiments qu'on appelle immeubles et dans lesquels les gens vivent les uns au-dessus des autres, étage après étage. Il y a là-bas plus de maisons et de bâtiments qu'il ne pourrait en compter, il y a tout un quartier de baraquements qui grouillent de rats, des chaussées larges et des policiers qui règlent la circulation. Un tas de cinémas et de théâtres. Il y a là-bas une foule de gens et ces boutiques que sa mère appelle les magasins de mode. Et des écoles qui fonctionnent tout l'hiver et qui accueillent peut-être une centaine d'enfants. C'est là une pensée inquiétante. La ville ne l'attire pas. Il a entendu dire que les gens rêvent d'aller s'y installer. Ce n'est pas son cas.

Puis vient ce jour d'été où ils ferment leur porte pour la dernière fois. Sa mère adresse un ultime adieu au foyer familial en traçant un signe de croix sur le seuil, puis ils vont s'installer dans la cabine du camion et descendent le chemin qui part de la maison. Il est assis entre ses parents. Ils n'échangent pas un mot tandis que la ferme de Bakkasel disparaît peu à peu derrière eux. Le silence est leur unique compagnon de voyage jusqu'à la bourgade d'Egilsstadir où son père s'arrête à une pompe à essence et déclare d'une voix forte : il faut que je fasse le plein. Sa mère répond alors qu'elle va en profiter pour se dégourdir un peu les jambes. Erlendur la suit, il est trop grand pour lui tenir la main, tout le monde le verrait. Elle se poste sur l'accotement et regarde la rivière Lagarfljot qui coule vers la mer, exactement comme elle le faisait il y a cinq mille ans. Puis elle commence à verser quelques larmes en silence, des larmes muettes qu'il remarque à peine.

Il glisse sa main dans sa paume.

— Ne pleure pas, dit-il.

— Ce n'est rien, murmure-t-elle.

Il est à côté d'elle, il se tait. Ce sont les derniers moments qu'ils passent dans leur région. Ensuite, ils seront partis pour de bon. C'est maintenant que je devrais le lui dire, pense-t-il.

— Je crois que nous avons fait le bon choix, dit-elle en sortant un petit mouchoir de sa poche. Mais on ne sait jamais. Je me demande dans quoi je vous entraîne.

— Nous penserons toujours à lui.

— Oui, évidemment, dit-elle. Nous ne cesserons jamais de penser à lui.

Ils restent un long moment à regarder la rivière Lagarfljot et il pense une fois encore à ce qu'il a dit à son père avant

190

de monter sur la lande. Tout ça pour une histoire de maudit jouet et de différend avec Bergur qui avait eu cette petite voiture rouge. Il n'a toujours pas rapporté à sa mère ce qu'il a dit ce jour-là et, depuis, les remords qui le rongent n'ont fait qu'ajouter à la tragédie. Pourtant, le temps a passé. Deux années entières de sa courte vie. Son père semble avoir oublié que c'est Erlendur qui a exigé ça, que c'est lui qui lui a mis cette idée en tête. Mais c'est un taciturne qui ne parle jamais de ce qui s'est passé.

Erlendur regarde la rivière. Loin sur l'autre rive, bien plus loin que porte le regard, plus loin que ne peut se représenter l'esprit, il y a son avenir.

Il regarde sa mère et pense à sa maison. Il garde en mémoire jusqu'au moindre détail. On entendait de la musique à la radio dans la cuisine. Son père avait déjà enfilé des vêtements chauds pour sortir quand il était venu le chercher ce matin-là. La veille au soir, il avait dit qu'il devait ramener ses brebis avant qu'elles ne meurent de froid. Décidément, c'était à croire qu'elles n'allaient jamais redescendre toutes seules de la lande. Son père se tenait dans l'embrasure, à la porte de sa chambre, et enfilait son pardessus en lui disant qu'il devait l'accompagner. Il fallait qu'il s'habille chaudement, dehors il faisait froid.

Erlendur avait levé les yeux de ses occupations.

— Si c'est ça, Bergur vient aussi, avait-il répondu, presque sans réfléchir.

Son père l'avait dévisagé. Il était évident qu'il n'avait pas prévu d'emmener le plus jeune de ses fils. Il avait bien d'autres choses auxquelles penser.

— D'accord, il nous accompagne.

L'affaire était réglée. Il n'y avait rien à ajouter. Lorsque la mère des garçons avait protesté, un peu plus tard, elle n'avait pas réussi à le faire plier. Les deux fils étaient partis avec leur père. Erlendur se sentait ivre de triomphe.

Mais l'ivresse avait été brève.

Cette phrase résonne dans sa tête depuis qu'on l'a redescendu de la lande, depuis qu'il a appris qu'on n'avait pas retrouvé Bergur. Il n'arrive pas à croire qu'il ait pu dire ça. Tout cela serait-il arrivé par sa faute ? Une écrasante culpabilité l'envahit, mêlée à un étrange sentiment qui grandit peu à peu au fil du temps : Bergur méritait tout autant que lui d'être sauvé. Son corps se raidit, il est pris de tremblements incontrôlables. Il est comme en transe. On va chercher le médecin.

Si c'est ça, Bergur vient aussi.

Son père les appelle. Lui et sa mère sont toujours sur l'accotement. Il est prêt à repartir. Sa mère lui fait signe qu'il faut y aller. Elle s'apprête à se retourner, mais, agrippé à sa main, Erlendur l'empêche d'avancer.

— Qu'y a-t-il ? demande-t-elle.

Il la regarde. Son cœur bat à tout rompre dans sa poitrine. Il est terrifié par ce qu'il s'apprête à lui dire. Quelles seront les conséquences ? Il a retourné la question dans tous les sens pendant les sombres journées d'hiver et ses longues nuits d'insomnie. Il ne sait pas comment elle va réagir. Son jeune esprit est totalement dépassé par ce problème.

— Viens, dit-elle. Nous devons y aller.

Il reste cramponné à la main de sa mère. Elle ignore que c'est sa faute à lui si Bergur les a accompagnés. Il a ces mots au bord des lèvres et n'a plus qu'à les prononcer. Des larmes naissent au coin de ses yeux. Sa mère comprend qu'il y a un problème. Elle écarte la mèche qui lui tombe sur le front.

— Qu'y a-t-il, mon petit ?

Il ne sait pas quoi dire.

— Ça te fait tellement de peine de déménager ?

Son père est déjà assis dans le camion, il a démarré et les regarde par la vitre. Le pompiste qui l'a servi les regarde aussi. On dirait que le monde entier s'est figé et qu'il les contemple.

— Erlendur ?

Il lit l'inquiétude sur le visage de sa mère. Il ne veut surtout pas ajouter à ses soucis. Surtout pas. Le calme, une sorte de résignation est revenue dans leur vie.

Son père klaxonne.

Le moment passe. Il se reprend et s'essuie les yeux.

— Ce n'est rien, juste une poussière dans l'œil, dit-il.

Ils repartent vers le camion. Le pompiste a disparu. Son père regarde droit devant lui, les mains posées sur le volant. Un long trajet les attend sur une route défoncée.

Assis entre ses parents, Erlendur ne dit rien lorsqu'ils franchissent le pont de la rivière Lagarfljot.

Désormais, il porte sa responsabilité en silence.

37

Ezra lui avait parlé d'un paysan qui chassait le renard, mais que Boas n'avait pas mentionné quand il lui avait donné les noms de personnes de la région qui connaissaient bien les tanières. D'après Ezra, cela s'expliquait par le fait que Boas haïssait tellement l'homme en question que c'était à peine s'il pouvait prononcer son nom. Sa haine avait pour origine de vieilles querelles à propos d'une parcelle dont Boas avait hérité et qui jouxtait les terres de l'homme. Ils étaient allés jusqu'au procès et Boas l'avait perdu. Il avait juré de ne plus avoir aucune relation avec cet homme de toute sa vie et cela durait maintenant depuis au moins un quart de siècle.

Le paysan, un dénommé Ludvik, était d'assez mauvaise humeur, peut-être à cause de la guerre oubliée de longue date qu'il avait livrée contre Boas, à moins que ce ne soit parce que Erlendur venait le déranger dans son travail. Les deux hommes avaient à peu près le même âge. Il avait démonté une botteleuse dans son hangar et il expliqua qu'il changeait une pièce qui avait cédé pendant l'été, mais qu'il n'avait reçue par la poste que quelques jours plus tôt. Drôle de sens du service! C'était sa femme qui avait dit à Erlendur d'aller le voir dans le hangar en lui demandant de lui rappeler qu'ils avaient une répétition de chorale plus tard dans la journée. Erlendur transmit le message.

– La chorale! souffla l'homme. Il est hors de question que j'aille à cette répétition!

Erlendur ne voyait pas quoi lui répondre. Il ne savait pas si son interlocuteur s'attendait à ce qu'il transmette le message à sa femme. Ludvik se lança dans une diatribe sur les chorales, fustigeant surtout les chœurs d'hommes, qui, si Erlendur comprenait bien, vous prenaient tout votre temps en répétitions et en trajets, d'ailleurs la plupart de leurs membres étaient de vieilles badernes qui n'avaient rien de mieux à faire que de se retrouver en permanence.

— Vous chantez peut-être aussi dans un chœur? demanda-t-il à Erlendur. On dirait que vous avez l'âge requis pour le faire.

— Non, et je ne l'ai jamais fait, répondit Erlendur.

— Alors, vous venez chasser dans le coin? interrogea Ludvik, changeant brusquement de sujet.

— Non plus, démentit Erlendur. Pas du tout. Je... Je voulais vous poser quelques questions sur les renards. On m'a dit que vous étiez un excellent chasseur.

— Les renards? Vous feriez mieux de vous adresser à un certain Boas. Vous le connaissez?

— Oui, je l'ai déjà rencontré.

— Vous ne le trouvez pas très bizarre?

— Pas plus que ça, répondit Erlendur, juste histoire de dire quelque chose. En fait, il s'est montré très serviable avec moi, ajouta-t-il, espérant ainsi couper court aux critiques sur Boas.

— C'est un vrai crétin, trancha Ludvik.

— Ce n'est pas l'image que j'ai de lui.

— Alors, qu'est-ce que vous voulez savoir sur les renards? s'enquit Ludvik. Il reposa la pièce qu'il avait ôtée de la botte-leuse et s'essuya les mains sur un chiffon crasseux. Vous n'êtes pas d'ici, je me trompe? Vous venez de Reykjavik?

Erlendur hocha la tête. Il s'était interrogé sur la manière dont il pourrait formuler sa requête sans paraître idiot et sans trop se dévoiler, mais n'était parvenu à rien de concluant.

— Il n'y a pas beaucoup de renards là-bas, observa Ludvik.

— Non, vous voyez, je ne sais pas grand-chose sur cet animal. C'est Ezra qui m'a conseillé de venir vous voir.

— Ezra? s'étonna Ludvik. Vous le connaissez?

— Assez bien, répondit Erlendur, considérant qu'il ne mentait pas vraiment. En effet, peu de gens dans la région pouvaient prétendre connaître mieux que lui l'histoire du vieil homme.

— Ah, eh bien... Comme ça, il vous a conseillé de venir me voir? interrogea Ludvik, manifestement flatté. Quelles nouvelles de ce brave homme?

— Rien que des bonnes, je crois, répondit Erlendur.

— C'est un type du tonnerre. Toujours prêt à rendre service. Bon, qu'est-ce que vous voulez savoir ?

— J'aimerais que vous me disiez si vous avez entendu parler ou trouvé vous-même dans des tanières des objets que des renards y... auraient amenés, des choses qu'ils auraient prises dans des fermes, trouvées sur les terres habitées ou même sur les landes et dans les montagnes ?

Ludvik le considéra longuement du regard, l'air pensif.

— On trouve pas mal de choses dans les tanières. Tapi au fond de sa tanière, le renard ronge un os ancien, vous connaissez le dicton.

Erlendur hocha la tête.

— Vous êtes à la recherche de quelque chose de précis ? demanda Ludvik.

— Je m'intéresse aux objets provenant de l'homme, des lambeaux de vêtements, des chaussures ou des bottes, le genre de choses que nous laissons facilement sur notre passage.

— Ça arrive qu'on en trouve. Cela dit, le renard n'a rien à voir avec le corbeau dans ce domaine.

— Vous auriez déjà, par exemple, retrouvé des bottes dans une tanière ?

— Des bottes ? Quel genre de bottes ?

— Pas forcément des bottes, répondit Erlendur, mais peut-être d'autres choses.

— Vous êtes à la recherche de quelque chose en particulier ?

— Non, je n'ai rien de précis en tête, mais simplement des objets que l'être humain aurait laissés sur son passage et que le renard aurait pris. Je ne fais que vous poser la question, au cas où vous auriez entendu quelque chose chez vos amis chasseurs. Je m'intéresse pas mal aux renardes depuis quelque temps. Si vous vous souveniez de quelque chose, ça m'aiderait bien. Ce pourrait être aussi des ossements dont la présence serait surprenante.

— Je n'en ai pas trouvé ces dernières années, répondit Ludvik.

— Et si vous remontez plus loin dans le temps ?

– Ça ne me dit rien. Vous devriez peut-être en parler à Daniel Kristmundsson. Il habite à Seydisfjördur, c'est un vieux de la vieille qui a souvent guidé les chasseurs dans la région.

– Daniel?

– Si le bonhomme est toujours vivant, il pourra sans doute vous aider.

– Bon, eh bien, c'était tout, conclut Erlendur.

Il remercia le paysan en lui disant qu'il ne voulait pas l'importuner plus longtemps, il avait manifestement fort à faire. Erlendur se sentait plutôt soulagé de voir la conversation prendre fin. Il recula vers la porte du hangar, brusquement mal à l'aise d'évoquer tout cela face à un inconnu.

– Concernant le renard, il y a un détail que beaucoup de gens ignorent, observa Ludvik, comme pris d'un regain d'intérêt. Vous aimeriez peut-être le connaître.

– Un détail? Lequel? renvoya Erlendur, cessant de reculer.

– C'est un charognard, précisa Ludvik.

– Je l'ignorais.

– Il ne dédaigne pas les cadavres. Parfois, il en arrache des morceaux qu'il emmène dans sa tanière. Il peut en prendre d'assez gros, un jour, j'en ai vu un qui traînait dans sa gueule la moitié d'un agneau.

– Ça se limite aux agneaux et aux brebis ou bien…?

– Non, de tout. Y compris des oiseaux. Le renard n'est pas en premier lieu un charognard. Il n'attend pas que les autres animaux chassent et tuent des proies à sa place. Il le fait lui-même et il est incroyablement joueur dans ce domaine. Mais il se comporte aussi, à l'occasion, en charognard. On trouve régulièrement des os d'agneaux ou de moutons adultes qu'il a emmenés dans sa tanière. Je ne vois pas exactement où vous voulez en venir quand vous parlez d'ossements dont la présence serait surprenante. Vous voulez dire des os de moutons adultes? Ou peut-être des ossements humains?

Erlendur secoua la tête.

– Merci bien, je n'avais pas d'autres questions, dit-il en reculant à nouveau vers la porte.

Il en avait entendu suffisamment. Cette visite avait assez duré. Il n'avait aucune envie d'en savoir plus. Cette idée de charognard le terrifia tout à coup.

— Je n'ai jamais trouvé ni un bras ni une jambe, si c'est ce que vous voulez dire, poursuivit Ludvik. Mais c'est sans doute envisageable. Rien n'exclut que le renard puisse apprécier ce genre de choses. Imaginons qu'un homme soit mort de froid dans les montagnes, comme c'est arrivé plus d'une fois ici. Je peux même vous dire qu'on m'a raconté des histoires…

Erlendur disparut par la porte du hangar, abandonnant Ludvik et sa mine plus que dubitative. Il s'empressa de rejoindre sa jeep. En quelques mots, le chasseur était parvenu à esquisser une image qu'Erlendur voulait évacuer de son esprit.

38

Il passa la soirée dans la ferme abandonnée, se réchauffant à la chaleur de sa lampe-tempête et buvant du café brûlant à petites gorgées. Il mangea le sandwich au mouton fumé qu'il avait acheté à l'épicerie. Il n'avait pas très faim et en laissa la moitié, puis alluma une cigarette. Il s'efforça de chasser de son esprit son entrevue avec Ludvik, considérant qu'il était inutile de se pencher plus longuement sur le mode de la vie du renard.

Le récit d'Ezra le hantait, son histoire d'amour avec Matthildur, la réaction de Jakob, la mort de la jeune femme et les menaces de l'époux trompé qui voulait faire porter le chapeau du meurtre à Ezra. Erlendur avait tendance à croire la version du vieil homme. Il n'avait pas eu besoin de l'écouter beaucoup pour mesurer l'ampleur de sa souffrance, cette immense incertitude dans laquelle il vivait depuis si longtemps et cette culpabilité qui l'avait rongé presque toute sa vie. Jakob avait, selon toute probabilité, assassiné Matthildur en emportant dans la tombe le secret de l'endroit où il avait caché son corps. En réalité, Ezra n'était jamais parvenu à régler cette histoire dans sa tête et, rien qu'à l'entendre, on sentait combien elle était encore vive, même après plus de soixante ans. C'était un vieil homme qui passait son temps à répéter qu'il ne tarderait pas à mourir et qui, manifestement, n'espérait même plus connaître de son vivant le fin mot de cette histoire. Pour peu que le fin mot existe effectivement et qu'on retrouve un jour le corps de Matthildur. Ezra avouait qu'il avait renoncé à le chercher depuis bien des années.

Erlendur remplit à nouveau sa tasse de café, qu'il but lentement. Jakob avait commis un meurtre sans être inquiété, il n'y avait pour ainsi dire aucun doute. De plus, il avait réussi à confesser son crime à Ezra, à s'en servir pour le torturer et le lui reprocher, lui imposant ainsi le silence. Il avait profité de la situation, su utiliser ce qui lui tombait sous la main, cette tempête et cette histoire de soldats britanniques égarés sur la lande. Il avait fait preuve d'un aplomb inouï en mentant sur le voyage entrepris par Matthildur. Il s'était également servi de la faiblesse d'Ezra, de sa liaison avec son épouse et de la trahison qu'il avait subie.

Le principal défaut du récit d'Ezra était que le vieil homme ne pouvait indiquer personne susceptible de le confirmer. Il ne pouvait produire aucun témoin, n'avait jamais parlé de ces événements et Erlendur n'avait donc qu'un seul son de cloche. La validité de cette histoire dépendait totalement de l'honnêteté d'Ezra. Erlendur se demandait s'il ne ferait pas mieux de s'en tenir là. Il avait assez progressé dans ses investigations, même si on ne pouvait pas dire qu'il menait une véritable enquête sur la disparition de Matthildur, dans le vrai sens du terme. Il s'agissait surtout de satisfaire sa curiosité et personne ne serait inquiété. Cette affaire était tombée sous le coup de la prescription depuis des dizaines d'années.

Il y avait toutefois dans l'histoire de Matthildur quelque chose qui le touchait, elle éveillait chez lui une forme d'empathie et cela lui donnait l'impression d'être lié à cette affaire. Il ne savait pas exactement de quoi il s'agissait. Sans doute la vie misérable qu'Ezra avait menée. Son existence tout entière n'était qu'un champ de ruines dont le centre était la disparition de sa bien-aimée. S'il disait vrai, il n'avait effectivement jamais obtenu le fin mot de l'histoire. Erlendur savait mieux que personne combien il était difficile de vivre dans ces conditions.

Il pensa à la vengeance de Jakob, à la manière dont il avait piégé Ezra, faisant de lui son complice, alors même qu'il n'avait rien fait de mal. Jakob avait commis un crime passionnel sous l'emprise de la colère. Comme c'est souvent le cas, il avait sans doute agi sans préméditation et sans prévoir les choses dans le détail. Ces crimes-là étaient commis lors d'accès de folie, dans le feu de l'instant. Ce qui était arrivé par la suite était en revanche une vengeance soigneusement élaborée. Jakob avait veillé à ce que l'homme qu'il considérait comme le responsable de cette tragédie endosse toute la culpabilité et ne connaisse plus jamais un seul jour de bonheur.

Mais peut-être était-ce cette histoire d'amour qui continuait à éveiller l'intérêt d'Erlendur. L'amour de Matthildur et d'Ezra n'avait pas eu sa chance, il avait été brusquement attaqué et étouffé.

Le vent, qui avait forci au fil de la soirée, hululait discrètement contre le bord du toit. Erlendur buvait son café et passait en revue ce qu'il avait appris sur Matthildur, Ezra et Jakob en allant interroger ces gens. Ses pensées n'étaient pas du tout organisées, au contraire, les rencontres qu'il avait faites, les histoires qu'on lui avait racontées et le mode de vie de ces personnes se mêlaient à la brume des fjords de l'est, à cette neige immaculée qui tombait du ciel, à son séjour dans la ferme abandonnée, à ses randonnées, à ses trajets en voiture, à ces navires qui allaient et venaient dans le fjord de Reydarfjördur et à cette prospérité qu'il voyait partout éclore, et dont il ne cessait de s'étonner. Tout cela se déposa en strates dans son esprit jusqu'au moment où il s'attarda sur un détail auquel il n'avait jusque-là accordé aucune attention particulière, mais qui, étant donné le contexte, méritait qu'il s'y intéresse d'un peu plus près. Il y avait premièrement cette remarque sur l'ancien lieu de travail d'Ezra. Ensuite, il avait repensé à cette phrase anodine dans la bouche d'un de ses interlocuteurs, une phrase qui, sur le moment, n'avait pas piqué sa curiosité. Il l'aurait sans doute d'ailleurs complètement oubliée si le vent ne s'était pas mis à hululer ainsi sur le toit. Il l'avait écouté un bon moment en se demandant ce que ça lui rappelait quand, tout à coup, ça lui était revenu à l'esprit : quelqu'un avait entendu du bruit dans le cercueil de Jakob. Le troisième élément, c'étaient les propos d'Ezra quand ils avaient évoqué le décès de Jakob et le fait que son corps avait été entreposé à la fabrique de glace où Ezra travaillait à l'époque. Le vieil homme avait prononcé une phrase innocente concernant l'endroit où le corps de Matthildur pouvait être caché, une phrase qui semblait n'avoir aucune signification particulière : *je n'ai pas réussi à lui arracher cette information.*

— Est-ce possible ? murmura Erlendur dans la pénombre.

201

Troublé, il se leva brusquement de sa chaise.

– Peut-être qu'Ezra voulait dire : à la fabrique de glace ?! s'exclama Erlendur.

Plus il réfléchissait sur ces trois détails en s'efforçant de les relier, plus il s'y perdait. Il éteignit une dernière cigarette et décida qu'il devait se résoudre à importuner Hrund une fois de plus.

Au milieu de la nuit, il est réveillé en sursaut. À la lueur faiblarde de la lampe-tempête, il scrute la maison abandonnée où il fait si sombre qu'il ne voit presque rien. Il lui semble toujours percevoir la présence du garçon qu'il a vu dans le rêve. Au début, il est incapable de dire s'il était endormi, s'il a véritablement rêvé ou si c'était autre chose. Il est brusquement saisi par la peur, puis un étrange calme l'envahit quand il comprend enfin que ce n'était pas réel. Étonnamment, cette vision semble être le reflet ou le retour d'un rêve qu'il avait fait à l'époque la plus difficile de son enfance, cette époque qu'il n'est jamais parvenu à oublier.

Dans ce rêve qui le réveille à chaque fois avec une telle violence, il est allongé sur le côté, seul dans la maison, dans son duvet, agrémenté d'une couverture. La maison est ouverte aux quatre vents. Elle est sombre et inquiétante, de l'eau ruisselle sur les murs nus et froids, comme s'ils pleuraient. Soudain, il perçoit une présence derrière lui. Il se tourne doucement, scrute l'obscurité où il ne voit rien jusqu'au moment où lui apparaît l'image nette d'un garçon accablé par la tristesse qui le regarde dans les yeux.

Puis le garçon disparaît à nouveau.

Allongé dans le noir, Erlendur réfléchit à ce rêve qui l'a réveillé en sursaut il y a si longtemps, ce rêve qui l'a tellement bouleversé. Il connaît ce garçon qui lui rend visite, qui n'est autre que lui-même.

Hrund était endormie quand, vers midi, il arriva à l'hôpital de Neskaupstadur. Il ne voulait pas la sortir de son sommeil, il s'installa sur le fauteuil à côté du lit et attendit. Il avait encore quelques frissons depuis qu'il s'était réveillé et qu'il avait bu le café froid de sa bouteille thermos. Il s'était bien installé au volant de sa petite jeep, avait mis le chauffage, puis s'était rendu à la piscine du village. Il le faisait quasiment tous les matins depuis son arrivée, mais uniquement afin de prendre sa douche. Jamais il ne mettait les pieds dans le bassin. Les employés le laissèrent tranquille, ils se contentèrent de lui dire bonjour sans se montrer curieux et ne tentèrent pas d'engager la conversation. Cette fois-ci, il resta un peu plus longtemps que d'habitude sous la douche brûlante afin de se réchauffer. Après s'être rhabillé, il avait pris un petit-déjeuner à la station-service où il avait rempli son thermos de café frais. Puis, il était parti vers Neskaupstadur.

Il avait beaucoup réfléchi à la théorie qui lui était venue à l'esprit la veille au soir. Il avait ressenti une certaine excitation quand elle avait germé dans sa tête, mais depuis il s'était un peu calmé. Plus il y réfléchissait, plus il se disait qu'elle avait peu de chance d'être vérifiée. Pour cela, il devait renoncer à un certain nombre de choses qu'il considérait comme acquises, notamment à l'idée qu'il se faisait d'Ezra. En revanche, il en savait maintenant beaucoup plus long à propos du froid et de ses conséquences sur le métabolisme, le cœur, les veines et les artères. Il savait qu'il était susceptible de ralentir l'ensemble de l'activité corporelle jusqu'à l'arrêter presque entièrement sans toutefois entraîner la mort ou causer des dégâts irréversibles si on agissait assez tôt.

Hrund ouvrit les yeux et constata qu'elle avait de la visite. Elle se souleva dans son lit.

– Ah, c'est vous ?

– Je ne vais pas vous déranger très longtemps, prévint Erlendur.

Elle tendit le bras pour attraper son verre d'eau.

– Vous ne me dérangez pas, je ne reçois pas beaucoup de visites.

– Mais ce n'est pas seulement par gentillesse que je viens vous voir, avoua Erlendur.

– Je m'en doutais plus ou moins. Je n'ai pas encore complètement perdu la tête. Alors, qu'est-ce qui vous amène cette fois-ci ?

– Un certain nombre de choses auxquelles j'ai réfléchi.

– J'ai l'impression que vous n'êtes pas près d'arrêter, commenta Hrund.

– J'ai revu Ezra et nous avons longuement parlé tous les deux. Il va mal et ça fait longtemps que ça dure.

– Oui, ça ne m'étonne pas.

– Nous avons beaucoup discuté de son ami Jakob.

– Il a pu vous en dire un peu plus au sujet de Matthildur ?

Erlendur s'accorda un instant de réflexion. Ezra lui avait confié des choses qu'il n'avait dites à personne d'autre et il répugnait à trahir cette confiance. Il préférait donc prendre quelques libertés avec la vérité et éluder certaines questions, quel que soit celui ou celle qui les lui posait.

– Oui, il m'a aussi beaucoup parlé d'elle. Il m'a dit qu'elle lui manquait terriblement depuis. Il était très amoureux. Il a connu d'autres femmes après elle ?

– Non, aucune, répondit Hrund. Ezra a toujours vécu seul. Mais il en sait plus sur ce qui est arrivé à ma sœur ?

– Je n'ai rien appris de vraiment tangible pour l'instant, répondit Erlendur. Peut-être qu'avec le temps, les choses finiront par s'éclaircir.

– Bon, si vous n'avez rien d'intelligent à me raconter, pour-quoi venez-vous me voir ?

– Pour vous parler d'Ezra, précisa Erlendur. C'est bien vous qui m'avez dit qu'il avait travaillé à la fabrique de glace d'Eskifjördur après avoir arrêté de sortir en mer avec Jakob ?

Hrund réfléchit un instant.

– C'est bien possible. En tout cas, je sais qu'il travaillait là-bas, au lieudit de Framkaupstad, après la guerre, si c'est le sens de votre question.

– Il y était donc encore au moment de l'accident? Lorsque la barque de Jakob et de son ami a sombré? Ils sont bien morts tous les deux, n'est-ce pas?

– Oui, c'était en 1949. Ils se sont noyés en essayant de regagner le rivage par une tempête déchaînée. Et aucun des deux n'a survécu.

– Leurs corps ont été entreposés à la fabrique de glace?

– Oui, enfin, il me semble.

– Celle où Ezra travaillait?

– Oui. Mais vous pouvez lire tout ça dans les journaux de l'époque, si vous avez besoin de faits précis. Nous avons une bonne bibliothèque. Quelle mouche vous a donc piqué?

– Aucune.

– Que voulez-vous dire par : celle où Ezra travaillait?

– Il y a autre chose, éluda Erlendur.

– Quoi donc?

– Jakob a été inhumé à Djupavogur.

– Tout à fait.

– Où puis-je trouver les noms de ceux qui ont porté son cercueil?

– Mais de quoi parlez-vous donc?

– Il me faut leurs noms.

– Pourquoi?

Erlendur ne lui répondit pas.

– En quoi ces noms vous seront-ils utiles?

Erlendur continuait de regarder Hrund en silence.

– Vous ne voulez pas me le dire? observa-t-elle.

– Peut-être une autre fois, répondit Erlendur. Pour l'instant, je ne suis même pas sûr de ce que je fais.

Un peu plus tard, il était assis à l'une des tables de la bibliothèque municipale et feuilletait de vieux journaux que la bibliothécaire, une jeune femme efficace, lui apportait. Il consulta les journaux nationaux et régionaux de l'époque de l'accident. Il y trouva deux récits circonstanciés qui venaient confirmer ce qu'il avait entendu, mais n'ajoutaient pas grand-chose à ce qu'il savait déjà. Les deux hommes étaient célibataires, l'un était originaire de Grindavik et l'autre venait de Reykjavik mais avait des origines dans les fjords de l'est. Son inhumation avait eu lieu deux jours après l'accident.

L'autre récit était accompagné d'une photo très floue du cercueil de Jakob lorsqu'on le mettait en terre. Il était porté par quatre hommes dont les noms figuraient en légende. Erlendur ne parvenait pas à distinguer les visages et ne voyait que de simples silhouettes portant un cercueil. Hrund s'était souvenue du nom de l'homme susceptible d'aider Erlendur. Avec la bibliothécaire, il ne tarda pas à trouver les renseignements les concernant, lui et sa famille.

— Sa fille vit à Djupavogur, informa-t-elle au terme d'une brève recherche sur Internet.

Erlendur partit immédiatement. La route était dégagée et il n'était pas pressé. Environ deux heures plus tard, il arriva à Djupavogur et n'eut aucune difficulté à trouver son domicile. Il se gara à proximité d'une vieille maison joliment entretenue et coupa le moteur. Il vit de la lumière à la porte d'entrée ainsi qu'à l'une des fenêtres qu'il supposa être celle de la cuisine, mais ne distingua aucun mouvement à l'intérieur. Il s'était mis à fumer davantage les jours précédents. Il avait allumé deux cigarettes en route et en prit une troisième avant d'aller déranger la femme.

Il descendit de voiture, gravit les quelques marches et frappa. Il ignorait comment il allait lui expliquer la raison de sa visite et se présenter à elle. Après quelques instants de réflexion, il décida qu'il valait mieux lui dire qu'il était chercheur. Jusque-là, cela lui avait plutôt réussi de raconter aux gens qu'il faisait des recherches et s'intéressait aux récits de la région des fjords de l'est.

Personne ne vint lui ouvrir après qu'il eut frappé. Il trouva la sonnette, appuya et l'entendit retentir à l'intérieur. Il entendait également la télévision. Il appuya à nouveau sur la sonnette et le son de la télévision diminua. La porte s'ouvrit et un homme vêtu d'une chemise rouge à carreaux le dévisagea.

— Pourrais-je voir Asta ? interrogea Erlendur en se demandant s'il avait devant lui son mari.

L'homme continua de le regarder un moment, visiblement déconcerté par cette visite. Il n'était pourtant pas très tard, se disait Erlendur en consultant discrètement sa montre.

— Oui, un instant, s'il vous plaît, déclara son hôte avant de disparaître dans la maison. Le son de la télévision augmenta à nouveau et, bientôt, une petite femme vint à la porte. Erlendur s'imagina qu'elle s'était assoupie devant le petit écran. Habillée d'un survêtement, rondelette, son visage fatigué semblait surpris de cette visite tardive.

— Vous êtes bien Asta ? s'enquit Erlendur.

— Oui, répondit-elle en hochant la tête.

— La fille d'Armann Fridriksson ? Le pêcheur ?

— Oui ? confirma-t-elle, d'une voix de plus en plus hésitante. Mon père s'appelait Armann.

— Me permettez-vous d'entrer quelques instants ? Je voulais vous demander s'il vous aurait parlé du naufrage qui s'est produit à Eskifjördur en 1949.

— Du naufrage ?

— Et de l'enterrement d'un des passagers de la barque, ici, à Djupavogur. On m'a dit que votre père était l'un des porteurs du cercueil de cet homme, Jakob Ragnarsson.

41

Asta Armansdottir le laissa entrer après une brève hésitation, elle le fit surtout par curiosité. Elle voulut l'inviter au salon, mais il lui répondit qu'il préférait la cuisine et s'installa à la table. On apercevait la lueur vacillante de la télévision du salon où le mari d'Asta, Eirikur Hjörleifsson, dont le nom figurait sur la plaque de la porte d'entrée, était assis sur le canapé, complètement absorbé par une série policière britannique. Asta fit un café très fort et posa sur la table du gâteau aux raisins secs dont Erlendur prit une part afin de ne pas être impoli même s'il n'avait pas vraiment envie d'une pâtisserie.

Il s'excusa de sa visite inattendue, s'excusa de ne pas avoir prévenu, expliquant qu'il s'intéressait beaucoup aux accidents en mer qui s'étaient produits dans les fjords de l'est. L'un d'eux avait eu lieu en 1949, *La Sigurlina* avait sombré avec deux hommes à son bord. Il avait consulté des articles de presse et appris qu'Armann, le père d'Asta, connaissait l'une des victimes, un certain Jakob, et qu'il avait porté son cercueil. Asta se souvenait vaguement de ce nom.

— Vous aurait-il parlé de cela? demanda Erlendur. À vous ou peut-être à vos frères? ajouta-t-il.

— Mes deux frères vivent à Reykjavik, répondit-elle. Vous pouvez leur téléphoner si vous le voulez, mais je doute que ça soit bien utile. Mon père n'a pas beaucoup parlé de cet accident, si je me souviens bien. En tout cas, pas dans le cercle familial. Je n'étais pas née à l'époque où c'est arrivé. Peut-être en parlait-il à ses amis. Ce n'était pas un homme très bavard.

— Comment a-t-il fait la connaissance de Jakob? Vous le savez?

— Ils ont pris la mer tous les deux depuis Djupavogur pendant plusieurs années. Puis Jakob a déménagé, mais ils ont gardé contact, même si ce n'était pas très régulier.

– Le décès de Jakob l'a beaucoup affecté ?

Asta haussa les épaules.

– Les conditions en mer étaient souvent difficiles. Certains mouraient. C'est comme ça dans les villages de pêcheurs. Je ne crois pas que mon père ait été porté sur la sensiblerie, il n'y avait pas de place pour ça. Toujours est-il que je ne l'ai pas beaucoup entendu parler de cet événement, plus tard. Vous vous intéressez plus particulièrement à lui dans cette histoire ?

– Non, je ne peux pas dire, répondit Erlendur. Vous souviendriez-vous d'un détail qui l'aurait frappé ou qui lui aurait semblé étrange dans cet accident ?

– Non, je ne vois pas.

– Ou de quelque chose en rapport avec l'inhumation ?

– Je ne vous suis pas vraiment… À quoi pensez-vous ?

– Des gens d'Eskifjördur, entre autres, une vieille femme. Elle se souvenait que votre père avait entendu ou pensait avoir entendu des bruits dans le cercueil de Jakob quand il a été mis en terre.

La femme regarda longuement Erlendur sans dire un mot.

– Alors ça, je n'en ai jamais entendu parler. Jamais, déclara-t-elle finalement.

– Eh bien, ça ne m'étonne pas. Ça ressemblerait plutôt à un conte populaire engendré par certains événements dans l'existence de Jakob, expliqua Erlendur. Il avait perdu sa femme et certains disaient qu'elle le persécutait. C'est comme ça que cette histoire est née.

– Je ne la connaissais pas. Je savais que Jakob avait perdu sa femme, mais papa ne nous a jamais parlé de ça. Enfin, ça ne me revient pas. Il est vraiment censé avoir dit une chose pareille ?

– Le récit que j'ai entendu n'est pas très précis. Il est possible que ces paroles soient sorties de la bouche d'un autre et sans doute est-ce de l'imagination pure.

– Mais vous ne croyez pas que ce soit le cas, je me trompe ?

– Si, démentit bien vite Erlendur. Ce n'est qu'un détail que j'examine parce qu'il est lié à cet accident. Je voulais vous en parler, au cas où vous connaîtriez cette histoire.

– Eh bien, non.

— Lui arrivait-il de parler de Jakob et de sa femme, Matthildur?

— Très peu.

— Certains des amis de votre père sont-ils encore vivants?

— Je ne pense pas... à part... le vieux Thordur.

Thordur habitait chez son fils et sa bru, à deux minutes à pied de la maison d'Asta. Erlendur s'y rendit toutefois en voiture. Dès qu'Asta lui eut donné l'adresse, il prit congé rapidement en s'efforçant de rester poli et de ne pas éveiller chez elle d'inutiles soupçons. Il prétexta ne pas vouloir la déranger plus longtemps et se leva. Eirikur, le maître de maison, était toujours assis dans le canapé devant sa série policière. À la télévision, on entendait des coups de feu et des cris. Erlendur eut du mal à quitter les lieux, il remarqua la surprise grandissante d'Asta concernant son étrange visite et ses réflexions bizarres. Comme il avait piqué sa curiosité, il dut répondre à un certain nombre de questions et en éluder d'autres, abondantes, concernant son père, Jakob, Matthildur, l'accident et l'intérêt qu'il portait aussi bien au naufrage qu'à tous ces gens, et plus particulièrement au père d'Asta. Il percevait clairement sa méfiance et, tout à coup, les suspicions de la femme s'orientèrent sur les relations entre son père et Matthildur. Il ne comprenait absolument pas comment cela avait pu se produire et essaya du mieux possible de dissiper toute forme de malentendu alors qu'il était dans le vestibule. Cependant il n'y parvint pas vraiment et laissa à la porte d'entrée cette femme à la mine extrêmement dubitative.

Thordur était âgé d'environ quatre-vingt-cinq ans et son univers était peuplé d'un éternel silence. Il était sourd et plus aucun appareil auditif ne suffisait pour l'aider à capter le moindre son. La seule chose qu'il entendait était sa voix intérieure qu'il n'hésitait pas à partager avec autrui. Il aimait parler et s'exprimait haut et fort comme pour être sûr que, même s'il n'entendait personne, tout le monde l'entendait parfaitement. Il vivait dans un petit appartement installé au sous-sol de la maison de son fils qui avait accompagné Erlendur et ne tarda pas à les laisser seuls. Erlendur lui avait expliqué qu'il

211

s'intéressait aux accidents en mer dans les fjords de l'est et avait répété la même chose à Thordur qui avait semblé satisfait de recevoir cette visite inattendue. L'appartement était très petit, il se résumait en réalité à une seule pièce, meublée d'un bon lit, d'une télévision, d'un bureau et d'un lavabo. Et il y avait des livres partout où c'était possible.

La méthode à laquelle Erlendur recourut pour parler à cet homme était d'une simplicité enfantine. Sur le bureau étaient posés des feuilles de papier et quelques crayons. Il écrivait toutes les questions qu'il voulait lui poser, lui tendait la feuille et Thordur répondait.

– Je vois que vous dévorez les livres. Ce fut la première observation qu'Erlendur coucha sur le papier après s'être présenté et avoir expliqué la raison de sa visite, le naufrage qui s'était produit à Eskifjördur en 1949.

Thordur sourit. Il avait l'air en bonne santé et semblait avoir toute sa tête. Complètement chauve, le nez noirci de tabac à priser, il avait un islandais guttural et ne roulait pas les *r*.

– Tout à fait, répondit-il d'une voix forte. Je les ai accumulés au fil des ans. Ça m'étonnerait que ça intéresse qui que ce soit de les récupérer quand je serai parti. Je suppose qu'ils finiront à la décharge.

Dommage, écrivit Erlendur.

Thordur acquiesça.

– Je me rappelle très bien le naufrage dont vous parlez, dit-il. J'en ai en mémoire d'autres, pires encore, et plus récents, où des hommes sont morts dans des tempêtes déchaînées.

Vous souvenez-vous de l'enterrement de Jakob? nota Erlendur sur la feuille qu'il tendit à Thordur.

– Non. Je n'étais pas au village à ce moment-là. Je prenais la mer depuis Höfn à l'époque, j'habitais là-bas. Mais, bien sûr, j'ai été au courant de tout ça. Il faisait un temps affreux, le vent du nord soufflait et il gelait. Ils étaient tellement près du rivage qu'on voyait leurs visages terrifiés depuis la terre. Le moteur de la barque sur laquelle ils pêchaient a eu une avarie au moment crucial, si je me souviens bien, alors l'embarcation s'est brisée en morceaux et les deux hommes sont tombés à l'eau. Je suppose qu'ils ne savaient pas nager, mais ça n'aurait rien changé. On entendait leurs hurlements jusqu'à terre. Bien sûr, on a tout tenté pour les sauver. Les gens du village ont essayé de les récupérer, mais le vent soufflait si fort qu'il était impossible de les secourir. Puis, les cris se sont tus.

Thordur ramassa sa boîte de tabac à priser et en proposa à Erlendur. Ce dernier en prit une pincée qu'il se mit dans les narines. Thordur étala sur le dos de sa main toute une ligne qu'il inspira profondément.

— J'imagine que c'était un spectacle affreux, reprit-il en faisant tourner la boîte entre ses doigts, comme s'il ne voulait pas s'en séparer. Ce devait être horrible. Je veux dire, de ne pas pouvoir les secourir.

Erlendur hocha la tête.

— Ensuite, les corps se sont échoués à terre, comme ça arrive généralement après les naufrages, poursuivit Thordur. On les a transférés à la fabrique de glace du village. Là, on les a déposés sur des civières, je crois, pour qu'ils soient parfaitement droits quand ils durciraient. Il me semble que c'était la raison.

Et un médecin est venu confirmer leur décès? écrivit Erlendur.

— Oui, oui. Je crois qu'il y avait un médecin remplaçant sur place, il lui a suffi de les regarder pour voir qu'ils étaient morts. Ensuite, on les a mis en bière et l'un d'eux est enterré au cimetière d'ici.

Qui vous a raconté tout cela de manière aussi détaillée?

— C'est Armann, il vivait ici, à Djupavogur. On était très amis. Ça fait des années qu'il est mort, d'un cancer du poumon. On connaissait une des victimes de l'accident. En fait, Armann le connaissait beaucoup mieux que moi. Ce gars-là s'appelait Jakob.

Comment avez-vous rencontré ce Jakob? écrivit Erlendur.

— Je me rappelle l'avoir vu au village quand on était jeunes. Je ne le connaissais pas vraiment, en fait. Je n'ai jamais trop apprécié ce genre d'homme. Il était né à Reykjavik, faisait le fier et c'était un coureur de jupons vantard, comme le sont parfois les jeunes hommes. Il a eu des problèmes avec certaines des jeunes filles qu'il avait embobinées. Il n'avait pas envie qu'elles reviennent l'enquiquiner une fois qu'il avait obtenu d'elles ce qu'il voulait. Mais il pouvait aussi être jaloux comme un tigre, dans certains cas. Si, par exemple, elles osaient en regarder un autre. C'était source de problèmes.

Armann était l'un des porteurs de son cercueil, écrivit Erlendur.

— Tout à fait. Plus tard, son ami Pétur, je crois qu'il s'appelait comme ça, a organisé une collecte parmi les pêcheurs et les armateurs de la région pour lui offrir une pierre tombale.

Et Armann a entendu du bruit à l'intérieur du cercueil, nota Erlendur.

— Ah, vous avez appris ça, répondit Thordur en baissant nettement le ton. On n'en parlait pas beaucoup, c'était embarrassant. Armann a fini par cesser de dire qu'il avait entendu quoi que ce soit au bout d'un moment. Mais ce détail a donné lieu à toutes sortes d'histoires de revenants liées à la femme de Jakob, disparue quelques années plus tôt. On disait qu'elle était entrée dans le cercueil avec lui.

On disait qu'elle le persécutait.

— En effet. On racontait même que c'était elle qui avait causé le naufrage. Je ne vois pas de quoi elle aurait eu à se venger. Enfin, c'est évidemment un ramassis de sornettes, comme bien des choses.

Qu'a entendu Armann précisément ? écrivit Erlendur.

— Ça, je ne sais pas. Il n'en était pas sûr lui-même. Pas sûr du tout !

J'ai cru comprendre que ces bruits ressemblaient à des gémissements.

— Non, c'est n'importe quoi. Il n'a rien entendu de tel. Un jour, un peu avant son décès, je lui ai posé la question, il n'avait pas envie d'en parler. J'ai l'impression qu'il a beaucoup regretté les propos qu'il a tenus après l'enterrement. Disons qu'il lui a semblé que le cadavre avait émis des bruits corporels.

Des bruits corporels ?

— Eh bien, il devait y avoir de l'air dans le corps, c'est tout à fait possible, puisque cet homme a été inhumé peu de temps après son décès. Voilà ce qu'Armann pensait avoir entendu.

214

Jamais il n'a parlé de gémissements. Ça, c'est emprunté à l'histoire de revenants qui est née par la suite. D'autres racontaient que le cadavre avait glissé à l'intérieur du cercueil.

Erlendur le regarda, pensif.

La fille d'Armann semble ignorer tout cela.

— Armann n'en a plus jamais parlé à personne et il m'a dit qu'il aurait mieux fait de se taire dès le début. Évidemment, elle ne veut pas entendre un mot de tout ça. Elle veut l'étouffer.

Possible, écrivit Erlendur.

— Je n'ai jamais entendu parler de ces gémissements, reprit Thordur. Si c'était la réalité, ça impliquerait qu'il était sacrément résistant.

— Oui, répondit Erlendur à voix haute.

— Mais je connais des histoires où il est question d'une résistance exceptionnelle au froid et d'un instinct de survie hors du commun, poursuivit Thordur. Il baissa à nouveau le ton et se mit presque à murmurer. Un jour, on m'a parlé d'un naufrage dans les fjords de l'ouest qui avait des points communs avec celui-là. Trois hommes ont chaviré sur une barque à rames à proximité de la côte. On a repêché leurs corps et on les a placés dans un entrepôt fermé à clef pendant la nuit. Il gelait à pierre fendre. Le lendemain matin, quand on est venu voir les défunts, deux des hommes étaient parvenus à poser le pied par terre seuls pendant la nuit, mais bon, ils n'étaient pas allés plus loin. Le troisième, celui qui a survécu le plus longtemps, a réussi à atteindre la porte fermée à clef et c'est là qu'on l'a trouvé, gelé, mort de froid.

42

Erlendur s'éloignait lentement de Djupavogur pour rejoindre Eskifjördur. Plongé dans ses pensées, il n'avait pas roulé très longtemps quand il s'arrêta sur le bord de la route. Assis dans sa voiture, il se demandait quoi faire. Il fuma une cigarette et but un peu de café de son thermos qu'il avait rempli en partant le matin. Il n'avait pratiquement rien avalé d'autre de toute la journée. Pourtant, il n'avait pas faim. Il sentait en lui une tension et une agitation qu'il devrait apaiser tôt ou tard. L'une des manières de le faire lui posait un certain nombre de problèmes, mais bien qu'il tentât d'en trouver d'autres, il revenait toujours à la même conclusion. Il désirait obtenir des réponses claires, et tenait également à préserver les intérêts de ceux qui lui avaient accordé leur confiance. Pour l'instant, il ne voyait aucune raison d'impliquer les représentants régionaux du ministère public dans son enquête même s'il avait rassemblé un faisceau d'indices laissant à penser qu'il y avait eu à la fois chantage et meurtre. Jamais Erlendur n'avait vu à redire à ce que certains crimes soient prescrits tant que l'intérêt public n'était pas en jeu. Cette fois, il tenait absolument à éviter d'ouvrir une enquête officielle avec tout ce que cela supposait. En premier lieu, il ne s'était pas livré à une véritable enquête de police. Par curiosité et à cause de son intérêt pour les disparitions, il avait fouillé bien plus profondément dans le passé de ces gens qu'il n'en avait eu l'intention au départ. Il n'avait absolument pas cherché à exhumer un crime. C'est le crime qui était venu à sa rencontre. S'il n'avait pas passé son temps à avoir des soupçons et à prêter attention à de vieilles rumeurs, l'histoire de Matthildur, de Jakob et d'Ezra aurait reposé en paix, aussi bien dans son cœur que dans la vie des autres. Erlendur savait que, s'il voulait aller au fond des choses et dévoiler publiquement ce qu'il soupçonnait, ce qu'il considérait comme probable, il lui faudrait abattre ses cartes sur la table, il devrait s'adresser à des tas d'administrations pour leur communiquer ce qui se résumait finalement à de simples présomptions. Sa requête passerait devant plusieurs commissions, il devrait assister à d'interminables réunions et se verrait pris dans un ensemble de procédures qu'il tenait plus que tout à éviter. Pour ne rien arranger, il était presque convaincu que, même s'il contactait les autorités locales pour leur révéler ce qu'il avait découvert et qu'il parvenait à faire aboutir sa requête, rien ne laissait présager qu'on lui donnerait carte blanche.

Il lui apparaissait qu'il avait en réalité enquêté sur deux affaires distinctes, mais indubitablement liées, la seconde découlant de la première. L'une reposait entièrement sur la parole d'un seul homme, le récit d'Ezra, et il serait difficile de prouver quoi que ce soit. Erlendur ne disposait d'aucun autre témoin susceptible de confirmer les dires du vieil homme, il n'avait aucune preuve matérielle, le corps de Matthildur n'avait pas été retrouvé et personne ne savait où il était. La seconde affaire différait considérablement : Erlendur n'avait aucun témoignage indiquant qu'un crime avait été commis, mais il en avait l'intuition. Et il pensait savoir exactement où trouver le cadavre de la victime.

Il fallait juste qu'il trouve un moyen de mettre la main dessus.

Il fit donc demi-tour et repartit vers Djupavogur. Il n'y avait pas la moindre circulation. Erlendur se souvint avoir lu l'histoire d'une Polonaise déclarée morte qui s'était réveillée alors qu'elle était déjà dans une housse à la morgue. On l'avait immédiatement transférée au service des soins intensifs. Il avait entendu dire qu'en Amérique du Sud, certaines personnes demandaient à ce qu'on leur ouvre les veines des poignets après la mort tant l'idée de se réveiller vivantes dans leur cercueil les terrifiait. Il existait un terme médical pour qualifier cette peur d'être enterré vivant : on parlait de *taphéphobie*. Le retour à un état de conscience après avoir été déclaré mort s'appelait Syndrome de Lazare. Il existait même des cas où le défunt s'était réveillé sur la table d'autopsie du médecin légiste.

Erlendur gara sa voiture à proximité du cimetière de Djupavogur qu'il observa un moment. Les lieux sommeillaient, tranquilles, dans l'obscurité. Il avait emporté avec lui sa lampe-tempête et une bêche, en cas de besoin. Le cimetière n'était pas grand. Il savait qu'il ne lui faudrait pas beaucoup de temps pour trouver la tombe de Jakob. Il se disait qu'il n'y avait pas de moment plus propice que cette nuit-là pour accomplir la tâche qu'il s'assignait. Il avait eu quelques réticences et s'était demandé s'il avait le droit de faire ça, mais il avait fini par balayer ses doutes. Il était allé trop loin pour se laisser freiner par des considérations sur le bien et le mal.

Il avait très peu neigé à Djupavogur. L'automne avait été sec et clément, le sol n'avait pas encore gelé. Voilà qui lui faciliterait la tâche. Il consulta sa montre. Plus tôt il se mettrait au travail, plus vite il aurait terminé. Il fallait qu'il en ait fini avant l'aube en laissant aussi peu de traces que possible de son passage.

Il descendit de voiture, sa lampe-tempête à la main, prit la bêche sur la banquette arrière et monta vers le cimetière. Il préférait n'allumer la lampe qu'au dernier moment, lorsqu'il en aurait vraiment besoin. Le cimetière était situé de l'autre côté de la route nationale, en surplomb du village depuis lequel il était impossible de l'apercevoir. Il était minuit passé. Erlendur se préparait à une longue nuit.

Il entendit un chien aboyer dans le lointain, s'immobilisa un instant, puis se remit en route. Le cimetière était délimité par une clôture d'acier. On y entrait par un portail surmonté d'une horloge. Il distingua un abri de jardin sur la droite. De hauts et beaux sapins veillaient sur les tombes. La plupart d'entre elles étaient recouvertes de dalles et portaient des croix. Les années qui l'intéressaient, les sépultures des gens décédés au milieu du XX\ :sup siècle se trouvaient vers le centre.

Il longea les tombes, les éclaira et lut les inscriptions les unes après les autres. Il arriva bientôt à celle de Jakob et vit une petite dalle sur laquelle figurait son nom, accompagné des dates de naissance et de mort. Il régla sa lampe un peu plus bas, en laissant toutefois assez de lumière pour travailler. Il inspecta attentivement les lieux, tendit l'oreille en quête d'aboiements, puis plongea sa bêche dans la terre meuble.

Il avait déjà, dans le passé, exhumé un cadavre, mais d'une manière tout à fait différente. Il était alors passé par la voie légale et avait utilisé une petite excavatrice pour ouvrir une tombe au bord de la mer, au sud de Reykjavik. Il en avait sorti le cercueil d'une petite fille, décédée d'une maladie génétique orpheline. Depuis, il avait souvent pensé à cette gamine. Il avait en mémoire d'autres enquêtes sur lesquelles il avait travaillé et qui, chacune à sa manière, l'avaient marqué. Elles étaient nombreuses et de nature diverse, mais aucune d'entre elles ne l'avait conduit à pénétrer dans un cimetière à la faveur de la nuit, une bêche à la main.

Il déposa soigneusement sur le côté les plaques d'herbe qui couvraient la tombe. Il tenait à les remettre en place le mieux possible une fois qu'il aurait atteint le cercueil. La bêche ne rencontra aucun obstacle dans le sol. La terre meuble et humide s'extrayait facilement, il travailla pendant une heure avant de s'accorder une pause, d'allumer une cigarette, appuyé sur la tombe voisine.

Il continua un long moment, puis fit une seconde pause et prit une autre cigarette. Il avait emporté son thermos au fond duquel il restait la valeur d'une demi-tasse. La faim commençait à le tenailler. La présence de nuages bas et l'absence de clair de lune le rassuraient. Il se demandait quelle explication il donnerait si quelqu'un venait à le surprendre au fond de cette tombe. Il continua de creuser en s'efforçant de produire aussi peu de déblai que possible, pour que ses agissements soient moins visibles. Il sentit tout à coup sa bêche heurter une planche de bois : il avait atteint le cercueil. La tombe était moins profonde qu'il ne l'avait pensé, il redoubla d'ardeur et se trouva bientôt assis à califourchon sur le cercueil de Jakob dont il ôtait la terre à toute vitesse. C'était un simple cercueil en bois brut, de facture banale, mais qui, à la lumière falote de la lampe-tempête, semblait avoir assez bien résisté au temps.

Erlendur enfonça la bêche sous l'une des quatre planches qui constituaient le couvercle et fit levier. Elle céda rapidement. Puis, il s'attaqua à la planche suivante. Le couvercle était fixé par quelques clous qui ne tenaient plus vraiment, le bois était presque vermoulu et bientôt, il était parvenu à y faire un trou assez large pour apercevoir l'intérieur du cercueil.

Il prit sa lampe sur le bord de la tombe, augmenta l'arrivée de gaz afin d'avoir un peu plus de lumière. Le squelette de Jakob lui apparut. Il remarqua immédiatement qu'il était placé dans une étrange position. La tête était rejetée vers l'arrière, le menton et la mâchoire se tendaient vers le haut, comme si l'homme était mort la bouche grande ouverte. Les deux incisives de sa mâchoire supérieure étaient absentes. Les mains enserraient la tête, les phalanges étaient tordues et les doigts écartés. Erlendur approcha un peu plus sa lampe pour examiner les os. Le majeur était manifestement brisé. Il éclaira le reste du squelette et constata qu'au lieu de reposer l'une contre l'autre, les jambes étaient, elles aussi, écartées.

Il se pencha un peu plus pour éclairer l'intérieur et passa sa main sur le bois. Il n'était pas certain de voir les traces du drame qui, à son avis, avait eu lieu dans ce cercueil.

Il se redressa, laissant la lumière de la lampe-tempête vaciller sur les restes de Jakob. Son regard s'arrêta sur ces mains tordues et ce majeur brisé. Il se souvint qu'on lui avait dit que Jakob était affreusement claustrophobe.

Il saisit l'une des planches qui céda aussitôt, ouvrit un peu plus grand l'arrivée de gaz afin d'éclairer le bois qui faisait face au visage de Jakob à l'intérieur du cercueil. En passant sa main dessus, il sentit des aspérités, comme de profonds sillons qui n'auraient pas dû être là. Le reste était lisse. Il scruta longuement ces étranges sillons et constata que certains d'entre eux n'étaient autres que des traces de dents.

Erlendur éclaira à nouveau le majeur brisé.

Il grimaça en s'imaginant la lutte dont ce petit cimetière avait été le théâtre. Ces grattements tout à fait inutiles, ces hurlements que personne n'entendait et cet air qui, peu à peu, se raréfiait.

À peine deux heures plus tard, humide et maculé de terre de la tête aux pieds, Erlendur rangea sa bêche dans sa voiture et s'installa au volant. Il avait fait de son mieux pour effacer toute trace de son passage, mais on voyait bien que la tombe avait été profanée. Lorsqu'il avait remis la terre en place, elle avait formé un petit monticule qu'il s'était efforcé d'aplanir. Il faudrait du temps pour que le sol se tasse. Il avait soigneusement remis en place les plaques d'herbe qu'il avait ôtées en commençant le travail. Il espérait que personne ne viendrait au cimetière dans les prochains jours, souhaitait que les habitants du village soient tous d'une santé robuste, qu'il neigerait abondamment et qu'un épais manteau couvrirait Djupavogur jusqu'à la fin du printemps. Il avait honte de ce qu'il avait fait et ne voulait pas qu'on l'apprenne. Mais il ne regrettait rien.

Il reprit tranquillement la route d'Eskifjördur. La circulation était rare à cette heure matinale et il ne croisa que quelques voitures. Par endroits, la route était recouverte d'une fine couche de neige, le vent avait formé quelques congères, mais la majeure partie du trajet était dégagée. Il avait mis le chauffage pour se réchauffer en écoutant la musique douce que diffusait la radio et en pensant à l'affreuse histoire qu'il venait d'exhumer.

Il arriva à la ferme abandonnée au lever du jour et s'allongea, épuisé, sur son matelas après s'être glissé dans son sac de couchage sur lequel il étendit soigneusement une couverture. Il pensait s'endormir facilement même s'il avait quelques courbatures après l'effort physique qu'il venait de fournir. Il avait creusé à toute vitesse tant il redoutait que quelqu'un le surprenne et n'avait arrêté qu'au moment où il avait remis la dernière plaque d'herbe sur la tombe. Il avait mal aux bras et aux jambes, ses mains étaient pleines d'ampoules laissées par le manche de la bêche. Ça faisait longtemps qu'il n'avait pas fourni un tel effort physique.

Malgré tout, le sommeil ne venait pas. Peut-être parce qu'il était bouleversé lorsqu'il pensait à Ezra à la fabrique de glace où les corps avaient été entreposés, à Jakob luttant au fond de son cercueil et à l'énigme concernant Matthildur. Il ne savait pas exactement ce qu'il allait faire des informations qu'il avait collectées avec la méthode terrifiante à laquelle il avait recouru. Il allait devoir parler à Ezra dès son réveil, sans doute leur conversation déterminerait-elle la suite. Il allait devoir lui poser un certain nombre de questions sur ce qui s'était passé dans le temps à la fabrique de glace.

Il considérait comme très probable qu'Ezra ait été conscient de l'état de Jakob lorsqu'on avait refermé le couvercle de son cercueil.

Les récits où il était question de personnes revenues à la vie après avoir été déclarées mortes montraient que, bien souvent, il y avait eu négligence. Erlendur ne soupçonnait rien de tel, l'intuition qui l'avait conduit à aller ouvrir le cercueil de Jakob était d'une nature différente. Le récit d'Ezra avait joué un rôle dans la formation de cette intuition, de même que les propos tenus par Armann sur les bruits qu'il avait entendus. Les connaissances d'Erlendur à propos des effets du froid sur le métabolisme étaient également entrées en ligne de compte. Le fait qu'Ezra ait eu un accès direct à la fabrique de glace laissait imaginer que certaines choses avaient pu se produire. L'histoire que lui avait racontée Thordur à Djupavogur, celle des trois marins des fjords de l'ouest qui s'étaient réveillés sur leurs civières après avoir été déclarés morts, avait également joué un rôle. Finalement, les soupçons d'Erlendur étaient si forts qu'il avait été forcé de prendre le taureau par les cornes, quoi qu'il puisse lui en coûter. Il tenait à obtenir des réponses, même s'il devait aller les chercher au fond d'une tombe. Il ne cherchait pas à se trouver des excuses, mais à justifier ce qu'il venait de faire.

Qu'avait-il obtenu ? Qu'est-ce que ça lui avait apporté de mettre le cimetière sens dessus dessous ?

Il avait obtenu la réponse à la question qui le hantait le plus : Jakob avait été enterré vivant. Il n'était pas mort lorsqu'on l'avait mis en terre. Erlendur avait été secoué par un frisson d'horreur lorsqu'il avait compris la situation et vu les traces du désespoir absolu sur le bois du cercueil. Il avait lu la souffrance dans la position du squelette, ces mains aux doigts écartés, ce doigt brisé, ces deux incisives manquantes à la mâchoire supérieure. Jakob était parvenu à arracher un grand nombre d'éclats aux planches bien qu'étant plus mort que vif après son séjour dans l'eau glacée de la mer et dans le froid de la fabrique de glace. Sans doute était-il doté d'un instinct de survie hors du commun. Et il était mort dans d'atroces souffrances.

Mais il restait une question à laquelle l'examen du cercueil n'avait apporté aucune réponse, il s'agissait de la raison pour laquelle Jakob avait été enterré vivant. Simple négligence ou intention délibérée ?

Erlendur pensait connaître les hommes comme Ezra, même s'il avait l'impression que jamais il ne le comprendrait parfaitement. Il savait qu'il n'avait rien de commun avec nombre de criminels qui avaient croisé sa route. Ezra n'était pas violent et ne manquait pas de sens moral. Rien ne le distinguait vraiment de la plupart des gens qu'Erlendur avait pu rencontrer et qui n'avaient jamais eu ne serait-ce qu'une simple amende pour stationnement gênant. Était-il envisageable que, malgré ça, il ait eu la volonté de commettre le crime affreux qu'Erlendur avait découvert dans le cercueil ?

Si tout ce qu'Ezra avait raconté était vrai, alors il avait vraiment eu de bonnes raisons de se venger. Si Jakob avait effectivement tué Matthildur, dissimulé son cadavre et refusé de lui dire où il l'avait caché. Sept ans plus tard, le destin de Jakob avait été scellé dans le sens le plus littéral du terme. Quel avait été le rôle d'Ezra là-dedans ? Savait-il que Jakob était vivant ? Les deux hommes avaient-ils eu une conversation ? Jakob avait-il dit à Ezra où il avait caché le corps de Matthildur ?

Un seul homme était à même d'apporter des réponses à toutes ces questions et Erlendur tenait à le voir le plus vite possible.

44

Que faites-vous couché ici?

Il entend régulièrement cette question et l'oublie jusqu'au moment où on la lui répète. Elle devient alors insupportable et l'obsède: il ne peut plus se permettre de l'ignorer. Il s'est fait une image de celui qui la lui pose et s'imagine que c'est un voyageur qui, par un étonnant hasard, s'est égaré sur ces étranges rivages.

Comme Boas au pied du rocher d'Urdarklettur.

Il sait pourtant que ce n'est pas Boas, mais un inconnu. Le voyageur ne tient pas compte des réponses qu'il lui fournit. Sa curiosité est agaçante. À nouveau, il perçoit une présence derrière ce visiteur, une personne qui l'accompagne et se tient dans l'ombre. Il perçoit cette présence de plus en plus clairement, sans pouvoir vraiment la définir, sans pouvoir déterminer l'identité de celui qui se cache dans l'obscurité.

Il sait simplement qu'il lui fait peur.

— Vous croyez que c'est une bonne idée de rester couché là?

— Et pourquoi pas? répond-il.

— Vous trouvez que c'est une bonne idée?

— Oui.

— Pourquoi? interroge l'homme.

— Parce que…

— Parce que quoi?

— Qui est avec vous? demande-t-il.

— Vous voulez le rencontrer?

— Qui est-ce?

— Il ne tient qu'à vous. Si vous souhaitez le rencontrer, ça ne pose aucun problème.

— Qui est-ce? Pourquoi se cache-t-il?

— Il ne se cache pas. C'est vous qui le tenez à distance.

Il sent le voyageur s'éloigner brusquement et, tout à coup, il lui semble se souvenir de lui, il lui semble se rappeler l'endroit où il l'a déjà vu, se rappeler qui c'est.

— C'est vous ? interroge-t-il prudemment

— Vous vous souvenez donc de moi ? s'étonne l'homme.

— Ne partez pas, dit-il, même si ce voyageur l'effraie plus ou moins. Ne partez pas !

— Je ne vais pas loin.

— Ne partez pas ! Dites-moi qui vous accompagne ! D'où vient-il ? Qui est-ce ?

Il sent à nouveau la morsure du froid et reprend peu à peu conscience. Il perçoit l'écho de ses hurlements silencieux tout au fond de lui-même. Il lui faut un long moment pour comprendre l'état dans lequel il se trouve. Non seulement son corps est entièrement engourdi par le froid, mais ses pensées le sont elles aussi, elles n'obéissent plus à aucune logique. Il en éprouve très peu d'inquiétude. Il a cessé de s'inquiéter.

Sous l'effet du froid, son esprit est envahi par des considérations sur la chaleur. Il se remémore des méthodes utilisées dans le temps pour réchauffer les corps. Il a lu tout cela dans des livres qui parlent de gens qui se perdent dans les montagnes et sur les hautes landes, il a lu qu'on pouvait survivre dans le froid le plus terrible, en ce pays si rude. La méthode la plus courante, celle qui fonctionnait le mieux quand on n'avait rien d'autre sous la main, était d'utiliser sa propre chaleur corporelle pour réchauffer les victimes d'hypothermie, qu'il s'agisse de pêcheurs tombés à la mer ou de gens qui s'étaient égarés dans le blizzard et avaient réussi à rejoindre une ferme. Les sauveteurs se déshabillaient alors entièrement et s'allongeaient auprès de la victime, parfois à deux, et la chaleur de leurs corps finissait par réchauffer le corps transi de froid.

Il pense à des journées ensoleillées.

Au sourire de sa mère.

À ses mains chaudes et douces.

Son esprit est tout entier tourné vers la chaleur.

Les chaudes journées d'été au bord de la rivière.

Il lève les yeux vers le ciel et laisse le soleil de minuit lui caresser le visage.

Il se rappelle soudain qui est le voyageur et se souvient où il l'a vu. Lui revient en mémoire cette journée à Bakkasel où ils ont reçu une visite inattendue, quelqu'un qui est resté un bref moment chez eux avant de continuer sa route. C'était ce printemps où il avait fait si froid que l'herbe avait eu du mal à naître sur les champs. Des plaques de neige avaient subsisté sur les flancs de la lande jusque tard dans l'été. Il se souvient des étranges paroles que ce voyageur a prononcées devant sa mère à propos de Bergur et se rappelle comme elle avait été affolée en les entendant.

Il n'avait jamais su d'où venait cet homme ni où il allait, même s'il l'avait sans doute dit à ses parents. Après cette brève halte, il avait disparu de leur vue sur les flancs de la lande. Sans doute se rendait-il à Reydarfjördur en passant par les failles de Hrævarskörd ou peut-être en empruntant ce qu'on appelait l'ancienne route du glacier, contournant la montagne Hardskafi par le nord avant de redescendre vers Seydisfjördur. Il arrivait qu'ils reçoivent ce genre de visites inattendues à la métairie de Bakkasel, des hommes qui passaient par là, semblaient épuisés et se reposaient un peu chez ses parents, profitant de leur hospitalité. Certains étaient seuls comme celui-là et d'autres voyageaient à deux, à trois ou même plus et, souvent, ils apportaient avec eux la bonne humeur du voyage, des sourires, une joie bienvenue. Certains demandaient même le gîte pour la nuit, jamais on ne refusait, on les installait confortablement dans la chambre des garçons. Parfois, ils découvraient sur le pas de leur porte des étrangers qui s'efforçaient de se faire comprendre et leur demandaient de l'eau ou l'autorisation de camper sur leurs terres.

Ce voyageur-là avait tout d'un marcheur expérimenté. Erlendur l'avait compris aux expressions de son visage, à ses vêtements et surtout à cette magnifique canne qu'il avait laissée devant la maison. Il portait des chaussures à semelles épaisses, lacées jusqu'au mollet, un pantalon de grosse toile et une veste en cuir boutonnée jusqu'au cou. Ses mains étaient couvertes de mitaines de laine qui laissaient dépasser ses doigts puissants qu'il passait dans sa barbe tout en leur parlant.

Étonnamment à l'aise, il s'était installé à la cuisine avec ses parents pour boire le café. Il dissertait sur le temps, sur ce printemps froid qui avait sévi, parlait de la région et de la nature alentour, leur demandait les noms des lieux et des lieudits, comme si c'était la première fois qu'il venait ici. Peut-être était-il de Reykjavik, cette grande ville qui semblait aussi lointaine que toutes les métropoles du monde. Erlendur n'osait pas adresser la parole à ce visiteur, il restait à l'écart dans un coin de la cuisine et suivait la discussion. Bergur écoutait également, il regardait l'homme boire son café et manger les tartines que leur mère lui avait préparées.

L'homme jetait par moments quelques regards aux deux frères et leur souriait. Bergur n'était pas timide et le dévisageait, mais Erlendur, plus réservé, baissait les yeux à chaque fois. Il avait fini par quitter la cuisine pour se réfugier dans sa chambre. Il se souvenait parfaitement du visage bienveillant de cet homme, de la pureté qui habitait ses yeux, de la sagesse qu'on imaginait derrière ce front haut, de la maturité qu'on devinait dans ses paroles. Ce voyageur était des plus sympathiques, mais il y avait en lui quelque chose qui l'effrayait, quelque chose qui l'avait conduit à fuir la cuisine parce qu'il ne supportait plus d'être dans la même pièce que lui. Il voulait que cet homme s'en aille. Pour une raison qu'il ignorait, il le percevait comme une menace.

Lorsqu'il était revenu à la cuisine, le voyageur s'apprêtait à partir. Debout devant la ferme, sa canne de marcheur à la main, il avait remercié pour le café, les tartines et l'accueil que lui avait réservé la famille. Il avait parlé quelques instants à Bergur, debout dans le froid auprès de ses parents, et, en guise d'au revoir, avait prononcé ces étranges paroles qu'il avait plus particulièrement adressées à leur mère. Il lui avait souri avant d'énoncer ce qui sonnait comme un arrêt du destin.

– C'est une belle âme, avait-il dit. J'ignore combien de temps vous le garderez auprès de vous.

Jamais ils n'avaient revu cet homme.

Il est maintenant persuadé que le voyageur qui lui rend visite dans le froid n'est autre que celui qui est passé chez eux,

227

à Bakkasel, l'homme qui a prononcé ces paroles énigmatiques à propos de Bergur, ces paroles tellement cruelles et tellement vraies. Alors que sa conscience se perd peu à peu dans le lointain, il lui semble deviner l'identité de celui qui l'accompagne, qui l'accompagne comme une ombre, mais ne veut pas se dévoiler.

45

En descendant de voiture, Erlendur entendit les coups réguliers du maillet dans le hangar. Il monta vers la maison d'Ezra, rien ne pressait. Il avait dormi étonnamment bien jusque vers trois heures de l'après-midi, était allé à la piscine, avait pris son habituel repas dans un petit restaurant, de l'aiglefin bouilli accompagné de pommes de terre et de quelques tranches de pain de seigle. Il avait généreusement arrosé de beurre le poisson et les pommes de terre et en avait tartiné une épaisse couche sur le pain, comme pour emmagasiner des calories. Il avait encore des frissons après sa nuit passée à creuser la terre pour découvrir l'histoire que recelait le cercueil de Jakob.

Il descendit vers le hangar dont la porte était grande ouverte. Assis, son maillet à la main, Ezra attendrissait le poisson séché au même rythme infatigable. Il n'accorda aucune attention à Erlendur qui l'observa un long moment. Il ne voyait aucune trace du fusil. Une sorte de calme résolu caractérisait le vieil homme, à moins que ce ne soit l'habitude du geste qui lui ait donné cette contenance.

— Encore vous? lança-t-il sans même lever les yeux. Il avait donc remarqué la présence d'Erlendur et ne semblait pas franchement ravi de cette visite. Je ne peux rien vous dire de plus, poursuivit-il. Vous avez été assez malin pour me tirer les vers du nez par je ne sais quel stratagème. Je n'aurais jamais dû vous raconter tout ça. Je ne sais franchement pas pourquoi je l'ai fait.

— Eh bien, moi non plus, répondit Erlendur. Mais ce qui est fait est fait.

Ezra leva les yeux.

— Vous me prenez pour un imbécile?

— Non, répondit Erlendur. Je suppose que c'est moi qui suis l'imbécile.

Son maillet en l'air, Ezra s'apprêtait à attendrir le morceau de poisson qu'il venait d'attraper dans la cuvette en plastique. Il s'interrompit et laissa lentement retomber sa main, les yeux rivés sur Erlendur.

— De quoi parlez-vous ?

— De votre ami Jakob.

— Comment ça ?

— Je ne sais pas. Vous n'auriez pas quelque chose à ajouter à l'histoire que vous m'avez racontée sur lui ?

— Non.

— Vous êtes sûr ?

— Évidemment que j'en suis sûr.

— J'ai peur de ne pas pouvoir en rester là.

Ezra le dévisagea longuement, reposa son maillet, remit le poisson dans la bassine et se leva.

— Je n'ai rien à ajouter, déclara-t-il. Et j'aimerais bien que vous arrêtiez de m'importuner.

Il passa devant Erlendur et sortit du hangar pour remonter vers la maison d'un pas lent, les épaules tombantes, vêtu de sa doudoune élimée, son bonnet d'aviateur aux cache-oreilles ballants. Erlendur hésita un instant. Il n'était pas certain de vouloir rouvrir d'anciennes blessures dans la vie du vieil homme. C'était là son rôle ? Depuis son retour de Djupavogur, il se demandait ce que pourraient lui apporter d'autres confessions d'Ezra quant à ses relations avec Jakob. Il avait assouvi sa curiosité et obtenu les réponses qu'il cherchait. Rien ne le liait à cette affaire, cette histoire ne le concernait pas et ce, même s'il travaillait dans la police. Le seul crime dont il était au courant, s'il devait croire Ezra, était le meurtre de Matthildur. Ce que l'assassin avait fait du corps demeurait un mystère qui, probablement, ne serait jamais élucidé. En ce qui concernait le décès de Jakob, on ne pouvait pas, pour l'instant, parler d'acte criminel. Et il y avait peu de chance que cela change. Ezra pouvait donc décider lui-même de parler ou non de ces événements. À qui la découverte de la vérité serait-elle utile après toutes ces années, toutes ces décennies ? Pourquoi exhumer des choses que, sans doute, il valait mieux ne pas remuer ? À qui cela profiterait-il ?

C'étaient des questions auxquelles Erlendur avait souvent dû répondre au fil des ans. Il était rarement parvenu à leur apporter des réponses concluantes. Ces dernières dépendaient de chaque enquête, de chaque situation. Il aurait préféré n'avoir jamais mis son nez dans les affaires personnelles d'Ezra, mais il était trop tard. Ayant appris des choses qu'il ne pouvait plus oublier, il voulait au moins obtenir quelques explications, même si ça n'allait pas plus loin. Son objectif n'était pas de sanctionner. Son but n'était pas de remplir les prisons de désespérés. Ce qu'il voulait, c'était découvrir la vérité dans chacune des enquêtes qu'il menait. La seule chose qui lui avait toujours importé était d'obtenir les réponses aux questions qu'il se posait. De découvrir ce qui s'était perdu, avait été oublié et que personne avant lui n'avait jamais trouvé.

Il suivit donc Ezra d'un pas pesant et entra dans la maison. Le vieil homme avait fermé la porte sans la verrouiller. Erlendur y entrevit une petite lueur d'espoir. Il savait que jamais il ne pourrait accorder l'absolution à cet homme, mais il pouvait l'écouter et tenter de le comprendre. Apparemment, cela lui avait fait du bien de pouvoir parler de Matthildur. Peut-être s'y était-il autorisé parce que Erlendur était un parfait inconnu et qu'il avait eu le sentiment qu'il ne le jugerait pas.

— Pourquoi me pourchassez-vous jusqu'ici? interrogea Ezra, debout face à l'évier. Ne vous ai-je pas demandé de me laisser tranquille?

Le ton sur lequel il s'exprimait n'était pas des plus convaincants. Appuyé à l'évier, il lui tournait le dos et regardait par la fenêtre donnant sur le hangar.

— Je voulais que vous me parliez encore un peu de Jakob, répondit Erlendur.

— Je n'ai rien de plus à vous dire sur cet homme.

— Je répète ma question: vous en êtes sûr?

Ezra se retourna et le défia longuement du regard.

— Voulez-vous bien vous en aller? S'il vous plaît. Partez. Je n'ai rien de plus à vous dire. Je vous ai déjà dit tout ce que je voulais et même bien plus que ça.

— Jakob avait les dents en avant, n'est-ce pas?

— Où voulez-vous en venir?

– Je n'ai vu aucune photo de lui, mais je suppose que ses dents avançaient légèrement.

– Oui, on peut dire ça comme ça, répondit Ezra, déconcerté. Vous êtes venu ici pour me parler d'orthodontie?

– Possible. Que s'est-il passé à sa mort?

– C'est-à-dire?

– Était-il décédé lorsqu'on a transféré son corps à la fabrique de glace?

Ezra dévisageait Erlendur.

– C'est quoi ces âneries? Évidemment!

– Vous en êtes sûr?

– Absolument, répondit Ezra. Un acte de décès a été rédigé. Deux actes de décès, un pour chacun de ces hommes tombés à la mer.

– Le médecin n'était pas d'ici, nota Erlendur.

– En effet, il venait d'ailleurs.

– Il a remplacé celui du village pour une courte période. Il n'a pas daigné examiner les corps comme il aurait dû le faire. Je me trompe?

– Je ne suis pas médecin, rétorqua Ezra. Pour une raison que j'ignore, vous en savez apparemment plus long que moi. Maintenant, je vous prie de partir. Je ne vois pas du tout de quoi vous parlez.

– Je vais vous l'expliquer, reprit Erlendur. Il se trouve que j'ai subitement compris que vous travailliez à la fabrique de glace lorsque le corps de Jakob y a été transféré. Tout le monde croyait qu'il s'était noyé, tout comme l'homme qui l'accompagnait. Peut-être que le médecin n'était pas très doué. Peut-être a-t-il pensé qu'il suffisait d'examiner seulement l'un des corps de manière approfondie et que l'autre était, de toute façon, dans le même état. Peut-être n'a-t-il pas ausculté Jakob assez longtemps pour percevoir les battements de son cœur? J'ignore si vous le savez, mais le froid ralentit considérablement l'activité cardiaque. Il ralentit l'ensemble du métabolisme. La respiration devient difficilement perceptible. Un mauvais médecin a très bien pu ne pas voir qu'il était encore en vie.

– Je ne vois pas du tout de quoi vous parlez, répéta Ezra.

– C'est la raison pour laquelle je suis allé à Djupavogur hier. C'est là-bas que Jakob est enterré. J'ai discuté avec un homme sympathique, un certain Thordur, vous le connaissez peut-être. Ce Thordur m'a raconté une histoire où il est question d'une exceptionnelle capacité de résistance au froid. Vous l'avez peut-être entendue ? Vous vous souviendriez de ces trois hommes repêchés dans la mer ? Leurs corps ont été mis dans un entrepôt où ils sont morts de froid, juste parce que tout le monde les croyait décédés.

Ezra continuait à le regarder sans rien dire.

– J'ai également interrogé la fille de l'homme qui prétendait avoir entendu des bruits à l'intérieur du cercueil de Jakob lorsqu'on l'a mis en terre. Vous connaissez cette histoire ?

Ezra ne lui répondit pas.

– Vous ne voyez toujours pas de quoi je parle ? s'enquit Erlendur.

– Non, s'entêta le vieil homme.

– Son père a eu pas mal de problèmes à cause de tout ça. Il a drôlement regretté d'avoir dit une telle bêtise. Toujours est-il que ces différents éléments se sont additionnés dans ma tête et que je n'ai pas eu d'autre choix que de faire une petite halte au cimetière de Djupavogur pour examiner d'un peu plus près la tombe de Jakob. Il y avait dans toutes ces histoires un ensemble de choses qui m'ont forcé à pénétrer dans ce cimetière.

Ezra restait impassible.

– Votre histoire avec Matthildur m'a beaucoup touché, voyez-vous. Ce que Jakob lui a fait, ce qu'il vous a fait. J'imagine très bien la souffrance que vous avez endurée, l'horreur que vous avez vécue. Et je me suis mis à réfléchir sur la vengeance, sur ce qui conduit les meilleurs des hommes à commettre les pires atrocités. Sur la manière dont les gens peuvent se rendre coupables de crimes horribles pour se venger.

Ezra se détourna pour regarder à nouveau le hangar par la fenêtre. La porte était ouverte et se balançait légèrement au vent en grinçant sur ses gonds rouillés.

– La seule justification de ces crimes est la vengeance, conclut Erlendur.

233

– Je ne comprends pas pourquoi vous refusez de me laisser tranquille, observa Ezra à voix basse.

– Je n'ai pas réussi à lui arracher cette information, voilà ce que vous m'avez dit.

– Je ne comprends pas, répéta Ezra.

– Quand je vous ai demandé s'il vous avait indiqué où il avait caché le corps de Matthildur, nous parlions de la fabrique de glace, de vous et de Jakob, et vous m'avez répondu : *je n'ai pas réussi à lui arracher cette information*. Vous vouliez dire : dans la fabrique de glace ?

– Je ne vois pas où vous voulez en venir.

– Il était encore vivant ?

Ezra gardait le silence.

– J'ai creusé la terre jusqu'à atteindre le cercueil de Jakob, annonça Erlendur.

Le vieil homme se tourna lentement vers lui, comme s'il n'était pas certain d'avoir bien entendu.

– J'ai ouvert son cercueil, poursuivit Erlendur.

Ezra le regardait, les yeux écarquillés.

– Il fallait que je sache. Il fallait que je sache ce qui s'est passé. Je n'ai pas pu m'en empêcher.

– Vous êtes complètement fou ? haleta Ezra. Vous imaginez peut-être que je vais croire cette ineptie ? Partez d'ici et fichez-moi la paix ! Maintenant, ça suffit ! s'exclama-t-il en haussant le ton. Je pensais pouvoir vous faire confiance, mais là, c'est n'importe quoi ! C'est insensé de raconter des choses pareilles ! Arrêtez, nom de Dieu !

– J'étais sûr que vous ne me croiriez pas. Voilà pourquoi je vous ai apporté quelques petits objets que j'ai trouvés dans le cercueil, répondit Erlendur, la main plongée dans sa poche. Je ne sais pas si cela vous dira quelque chose.

Il s'approcha de l'évier et vida sa main sur le plan de travail.

Ezra ne le quittait pas du regard. Bientôt, il baissa les yeux. Il ne voyait pas très bien ce qu'Erlendur venait d'y déposer.

– Que... Qu'est-ce que c'est que ça ? murmura-t-il.

– Approchez-vous un peu, conseilla Erlendur.

Ezra s'inclina afin d'examiner les objets d'un peu plus près. Ils étaient deux, petits, grisâtres et très semblables. Il était incapable de dire ce que c'était. Il avait l'impression d'avoir sous les yeux deux petits cailloux de forme un peu surprenante.

— Qu'est-ce que c'est que ça ? répéta Ezra.

— Il a gratté le couvercle du cercueil de toutes ses forces, répondit Erlendur.

— Qu'est-ce que vous racontez ?

— Vous ne les reconnaissez pas ? demanda Erlendur.

— Non. Je... Je ne vois ce que c'est. Qu'est-ce que c'est, au juste ?

— Des dents, informa Erlendur. Ce sont les incisives de Jakob. Je les ai trouvées au fond de son cercueil.

46

La réaction d'Ezra ne le surprit pas. Le vieil homme fit un bond en arrière comme s'il avait aperçu un fantôme. En reculant, il se tordit la jambe, s'affaissa sur un genou et renversa la table de la cuisine. Erlendur se précipita pour l'aider à se relever, mais le vieil homme le repoussa.

— Ne me touchez pas! s'écria-t-il.

Erlendur attrapa la table et la remit sur ses pieds, puis ramassa le verre et l'assiette tombés par terre.

— Sortez de chez moi!

Ezra évitait de regarder les deux incisives posées côte à côte sur le plan de travail de l'évier.

Erlendur les prit pour les remettre dans sa poche. Il savait qu'il aurait besoin de preuves s'il voulait convaincre Ezra qu'il avait ouvert le cercueil. Il avait aperçu ces dents au fond à la lumière falote de la lampe et avait décidé de les emporter. Même s'il ne croyait pas aux fantômes, l'idée de les garder auprès de lui dans la ferme abandonnée le mettait mal à l'aise. Il les avait donc laissées dans la voiture.

— Quelle infamie! s'exclama Ezra quand il se fut à peu près remis du choc. Comment osez-vous faire des choses pareilles?

— J'ai examiné le squelette de Jakob et je peux vous dire que ce n'est pas beau à voir, reprit Erlendur. Sa tête est rejetée en arrière. Sa bouche est béante.

Affaissé sur un vieux fauteuil en osier dans le coin de la cuisine, Ezra baissait les yeux. Le visage livide, il n'osait même plus regarder Erlendur.

— Vous voulez savoir pour quelle raison ces dents se sont détachées de sa mâchoire? s'entêta Erlendur en prenant une chaise pour s'asseoir à côté de lui.

236

– Qui êtes-vous ? haleta Ezra. Furieux et blessé, il plongea ses yeux dans ceux d'Erlendur. Qui... Qui peut faire une chose pareille ? Vous devez être complètement cinglé.

– On me l'a déjà dit, commenta Erlendur. Je veux savoir ce qui s'est passé à la fabrique de glace.

Ezra ne lui répondit rien.

– Je soupçonne la raison pour laquelle les dents de Jakob sont tombées au fond du cercueil, reprit Erlendur. Je l'ai compris en voyant les traces sur le couvercle. Vous savez ce que je pense ?

Assis sur le fauteuil, le visage caché dans les mains, Ezra ne disait rien.

– Vous croyez que vous supporterez d'entendre cette vérité ?

– Ces dents peuvent provenir de n'importe quel cadavre, fit remarquer Ezra, manifestement peu convaincu de ce qu'il avançait.

– Non, rétorqua Erlendur. Et vous le savez très bien.

– Je vous en prie, supplia le vieil homme. Pourquoi vous ne me laissez pas tranquille ? Pour l'amour de Dieu, partez et ne revenez jamais. Je me demande pourquoi vous me persécutez comme ça. Je ne vous ai rien fait. Je ne vous connais même pas. Vous m'avez tiré les vers du nez et je vous ai parlé de Mat-thildur. Ça ne vous suffit pas ? Allez-vous-en et laissez-moi mourir en paix.

– Jakob vous a-t-il dit ce qu'il avait fait du corps ?

– Non, il n'a jamais rien dit. Maintenant, partez. Et laissez-moi tranquille.

– Je voudrais vous aider à retrouver Matthildur s'il y a la plus petite chance d'y parvenir, éluda Erlendur. Vous me demandez pourquoi je ne vous laisse pas tranquille. Je comprends parfaitement votre question. J'espère que vous comprenez ma réponse.

Ezra continuait de cacher son visage entre ses mains.

– C'est très simple, poursuivit Erlendur. Je veux vous aider. Voilà la seule réponse que je peux vous donner. Et je crois que c'est effectivement ce que je fais en ce moment, même si vous avez du mal à le voir. Même s'il vous est difficile de le comprendre. Je sais bien que ce n'est pas sous cet angle que vous envisagez les choses à cet instant. Je veux retrouver le corps de Matthildur. Ezra, si vous savez où il est, je veux que vous me le disiez. Si vous l'ignorez, je vous promets de faire tout ce que je pourrai pour vous aider à le retrouver.

– Je ne sais pas où elle est, répondit Ezra. Et vous ne la retrouverez jamais.

– Je ne suis pas en train de chercher un coupable, reprit Erlendur. Je ne suis pas en quête d'un crime et je n'envisage aucun châtiment. Ce n'est pas une enquête policière. Ne craignez rien, ce qui se dira entre nous ne sortira pas de cette cuisine. Les gens de Djupavogur verront sans doute que quelqu'un a remué la terre d'une des tombes du cimetière. Je ne sais pas quand, peut-être d'ici quelques jours, quelques semaines, peut-être même seulement dans quelques mois. Peut-être qu'ils établiront un lien avec ma visite, mais ils ignorent qui je suis et d'où je viens, pour eux je ne suis qu'un homme qui s'intéresse aux naufrages ayant eu lieu dans la région des fjords de l'est. Et même si quelqu'un voit que la terre a été remuée sur la tombe, personne n'ira imaginer que j'ai ouvert le cercueil. Ça ressemble plutôt à quelques petits dégâts sur la sépulture. En tout cas, c'est ce que j'espère.

Ezra écouta ce plaidoyer en silence.

– Tout ce qui m'importe, c'est de retrouver Matthildur, répéta Erlendur. Nous avons au moins ça en commun.

– Pourquoi?

C'était maintenant au tour d'Erlendur d'être à court d'arguments. Un long moment s'écoula.

– Vous n'avez jamais retrouvé votre frère, déclara Ezra, d'une voix si faible qu'Erlendur l'entendait à peine.

– C'est vrai.

– Et vous croyez que vous allez pouvoir découvrir l'endroit où est cachée ma chère Matthildur?

– Je ne sais pas, reconnut Erlendur. Vous devez me parler de Jakob. Je comprends à quel point ça vous est difficile, même après toutes ces années. Mais il le faut, il faut que vous me parliez de lui.

– Il n'y a rien à en dire.

— Ezra, je veux que vous m'aidiez à retrouver Matthildur.

Le vieil homme s'obstinait à se taire. Erlendur n'était pas prêt à renoncer. Il lui expliqua comment il était arrivé à la conclusion qu'il n'avait pas d'autre choix que d'aller ouvrir le cercueil de Jakob. Il lui fit part des soupçons qui l'avaient envahi après les discussions qu'il avait eues avec lui et Hrund. Il lui expliqua le rapport entre ces soupçons et ses connaissances sur la résistance au froid. Son intérêt pour ça était lié à sa vie, à la perte de son frère et à son expérience dans la police. Erlendur lui parla de la bêche qu'il gardait dans sa voiture et qui lui avait été bien utile au cimetière de Djupavogur. Il précisa que ce qu'il avait le plus redouté, c'était que quelqu'un le remarque et vienne le surprendre pendant qu'il creusait. Il tenait à faire preuve de la plus grande honnêteté et d'une parfaite sincérité afin de regagner la confiance d'Ezra. Il lui décrivit le cercueil, les planches de bois et leur bon état de conservation, même après toutes ces années, et lui expliqua combien il avait été facile de l'ouvrir.

— Je refuse d'entendre ça, tonna Ezra.

— Je crois que vous allez tout de même devoir m'écouter et cesser de me dire que vous n'avez rien à me raconter. Ezra, je pense que vous avez commis un crime terrifiant.

— Je voulais savoir où il avait caché Matthildur. C'était tout ce qui m'importait. Je ne pensais à rien d'autre depuis qu'elle avait disparu. Je voulais savoir où elle était.

— Je comprends.

— Je ne pensais à rien d'autre qu'aux mains de Jakob autour de son cou.

— C'est normal.

— J'ai voulu me venger.

— Oui.

Ezra baissait les yeux.

— Des traces sur le couvercle du cercueil, comment ça? s'inquiéta-t-il en un murmure à peine audible.

Il fallut à Erlendur un moment pour saisir le sens de sa question.

— Vous venez de me dire que vous avez trouvé des traces sur le couvercle, précisa Ezra.

– J'ai compris que Jakob était probablement encore vivant lorsqu'on l'a enterré. Il a eu la force de gratter et de mordre le couvercle, mais cela n'a sans doute pas duré très longtemps, il a dû étouffer rapidement. La vie s'est peu à peu échappée de son corps. J'imagine qu'il a compris qu'il était enfermé dans un cercueil et qu'il reposait sous terre. Mais ce n'est qu'une supposition. Il a dû connaître une mort affreuse. Une mort indescriptible.

Ezra se redressa dans son fauteuil et le regarda. On aurait dit qu'il avait pris une résolution subite.

– Il était vivant, annonça-t-il. L'autre, le gars qui était avec lui dans la barque, est mort noyé dans la mer. Jakob a survécu. Et...

– Et quoi?

– Je ne l'ai jamais dit à personne. J'ai gardé ça secret et je suis le seul à le savoir.

Ezra se cacha à nouveau le visage dans les mains.

– Mon Dieu, soupira-t-il, j'ai encore des cauchemars à cause de ce que j'ai fait.

47

Une violente tempête s'était abattue dans la matinée et la plupart des pêcheurs sortis en mer étaient rentrés peu après midi. Le gros temps n'était pas censé toucher cette partie des fjords de l'est, le bulletin météo avait annoncé un froid glacial accompagné de quelques précipitations. En début d'après-midi, le temps s'était encore dégradé pour se transformer en un blizzard déchaîné et aveuglant qui balayait toute la région jusqu'au Vopnafjördur. Il soufflait des vents de force douze pendant les pires bourrasques, la température avait chuté, il gelait à pierre fendre.

Ezra rangeait des caisses d'appâts à la fabrique de glace quand il avait appris la nouvelle : une barque manquait à l'appel, celle de Jakob, parti en mer avec un autre homme. Sortis très tôt le matin, ils n'étaient pas encore rentrés et on commençait à s'inquiéter. On avait téléphoné dans les villages voisins pour voir s'ils y auraient accosté, mais ce n'était pas le cas. On pouvait à peine tenir debout à l'extérieur tant le vent soufflait fort. Ezra travaillait à la fabrique depuis quelques années, l'usine avait été rebaptisée conserverie deux ans plus tôt. Au lieu d'y produire de la glace, on y entreposait désormais du matériel de pêche et on y travaillait le poisson, sous son autorité.

Les deux hommes n'avaient eu presque aucun contact au cours des années qui s'étaient écoulées depuis que Jakob lui avait révélé le sort de Matthildur, il avait reconnu son crime tout en le menaçant de le faire accuser. Jakob avait quitté le village pendant un moment. Il avait habité à Egilsstadir et à Höfn i Hornafirdi où il avait travaillé à terre et en mer. Il était même, un temps, parti à Reykjavik où, après la guerre, l'argent abondait. Il en avait gagné un peu, disaient certains. Il y avait maintenant deux ans qu'il était revenu à Eskifjördur où il avait loué la maison qu'il habitait autrefois avec Matthildur. Il avait retrouvé sa place à bord de *La Sigurlina*. Il lui était arrivé de passer à la fabrique sans échanger un mot avec Ezra. Jakob ne s'était pas remarié même s'il avait fréquenté quelques femmes. Ezra était seul avant de rencontrer Matthildur et il l'était à nouveau.

Il était passé à deux reprises chez Jakob peu après leur dispute en lui demandant ce qu'il avait fait du corps. Chaque fois, Jakob avait refusé de lui dire la vérité, il s'était moqué de lui et avait ridiculisé son ancien ami qu'il surnommait maintenant l'homme à femmes. Ezra n'avait pas eu le courage d'aller voir la police. Il avait réfléchi à différentes manières de le contraindre à lui raconter la vérité. Ce n'était pas un homme violent et il savait que jamais il ne réussirait à obtenir la réponse de la bouche de cette ordure. Comme il ne possédait rien, il ne pouvait pas non plus lui offrir de l'argent en échange. Jakob devait malgré tout préserver ses intérêts. Il ne niait pas qu'à l'occasion de leur dernière entrevue, il avait prévenu Ezra que, s'il apprenait où se trouvait Matthildur, il n'hésiterait pas à s'en servir contre lui et s'arrangerait pour qu'il soit condamné pour meurtre. Tant qu'il n'y avait aucun cadavre, il n'y aurait aucune enquête. Il vaut mieux pour nous deux qu'on ne la retrouve jamais, lui avait-il dit. Il vaut mieux pour nous deux que tout le monde croie qu'elle s'est perdue sur la lande.

Ezra avait refermé la porte de la fabrique et rentrait chez lui en longeant la rue Strandgata quand quelqu'un lui avait crié qu'une barque avait chaviré sur l'autre rive du fjord. On pense que c'est *La Sigurlina* ! Puis, l'homme s'était évanoui derrière le rideau de neige. Ezra avait hésité. Il ignorait où ce gars allait, mais avait eu l'impression qu'il devait le suivre. Finalement, il avait baissé la tête pour se protéger du blizzard, avait repris sa route et était rentré chez lui. À son arrivée, il avait ôté ses épais vêtements couverts de neige et de givre pour les faire sécher. Il avait posé la cafetière sur le poêle à charbon. Il fallait du temps pour chauffer la maison et se réchauffer soi. Il s'était assis à côté du poêle, avait mâchouillé un morceau de poisson séché en pensant à cette barque perdue dans la tempête et au sort des deux hommes si ce qu'il avait entendu était vrai, si c'était effectivement *La Sigurlina* qui avait sombré. Avaient-ils coulé ? Jakob était-il mort ?

Il venait de manger un morceau et commençait tout juste à se réchauffer quand des coups violents avaient retenti à sa porte. Il était allé ouvrir. Un gamin prénommé Valdi qui travaillait à la fabrique était entré, couvert de neige. Ezra avait refermé derrière lui.

– Il faut que tu viennes ouvrir l'usine, avait expliqué le jeune homme. Ils veulent y déposer les corps.

– Les corps ?

– Les deux hommes à bord de *La Sigurlina* sont morts, avait précisé Valdi. Ils se sont noyés.

– Et Jakob, il est mort ?

– Oui, lui et Oskar. Le moteur a calé en pleine tempête et ils n'ont rien pu faire. Enfin, c'est ce qu'on m'a dit.

Ezra s'était rhabillé chaudement, il avait enfilé un bonnet et des gants. Valdi lui avait raconté ce qu'il savait mais, un peu plus tard, il avait entendu toute l'histoire de la bouche des deux hommes qui l'attendaient avec les corps et avaient été témoins du naufrage. Accompagnés de deux autres hommes, ils roulaient sur la route qui partait d'Eskifjördur et passait par Holmahals quand ils avaient aperçu une lumière à la surface de la mer, non loin des Holmaborgir, à l'endroit qu'on nomme Skeleyri. Étant eux-mêmes en difficulté, ils s'apprêtaient à rebrousser chemin pour rentrer au village. Ils avaient immédiatement soupçonné que la lumière qu'ils apercevaient était celle d'une embarcation qui voguait dangereusement près de la côte. Les quatre hommes s'étaient approchés du rivage et avaient vu à travers les bourrasques de neige une barque foncer droit vers les rochers de Skeleyri. À son bord, deux pêcheurs transis luttaient pour sauver leur vie. Le moteur semblait être en panne. En tout cas, ils ne l'entendaient pas, mais les rugissements du vent étaient tels qu'ils ne s'entendaient même pas crier. La barque avait foncé vers le rivage et les récifs. Les quatre hommes avaient pris la corde qu'ils avaient dans leur voiture, mais c'était en vain qu'ils avaient tenté de la lancer aux pêcheurs. L'accès à cet endroit était difficile, le vent mugissait sur les rochers que des paquets de mer submergeaient. La barque avait oscillé, une vague l'avait soulevée très haut, puis renversée et jetée sur le rivage où elle s'était brisée sous leurs yeux. Les deux hommes à bord étaient tombés à la mer, avaient heurté les récifs avant d'être aspirés par le ressac. Un long moment s'était écoulé, puis ils avaient aperçu l'un des naufragés, à côté de ce qui restait de la barque. L'un des quatre hommes s'était encordé et était descendu le récupérer, puis ses compagnons les avaient ramenés en tirant sur la corde. Le naufragé était gravement blessé, tous les os de son corps semblaient brisés. Sans doute était-il déjà mort. Ils avaient appelé le second, mais sans résultat. Ils savaient qu'il ne survivrait pas longtemps dans cette eau glacée. La barque n'était plus qu'un amas de planches. Le temps passait. Tous étaient trempés jusqu'aux os. Transis, ils désespéraient de le retrouver quand l'un d'eux avait enfin aperçu une forme au pied des récifs. C'était lui. Allongé sur le ventre, gelé, le visage ensanglanté, il avait une large plaie à la tête.

Quand Ezra était arrivé à la fabrique, de nombreux villageois s'étaient rassemblés devant le bâtiment, bravant la tempête. Un jeune interne plutôt fébrile, originaire de Reykjavik, avait déjà confirmé le décès des deux naufragés. Les quatre hommes avaient d'abord transporté les cadavres à son domicile. Le futur médecin avait saisi assez vite ce qu'il en était en entendant leur récit. L'armateur et propriétaire de la barque avait décidé qu'on entreposerait les corps à la fabrique le temps de prévenir les proches. Ensuite, on verrait bien. On savait que Jakob avait un oncle à Djupavogur. Son compagnon d'infortune, Oskar, venait en revanche de Grindavik, à l'autre bout du pays, il avait pêché ici et là, et parfois à Eskifjördur. On venait juste de l'embaucher sur *La Sigurlina*. L'armateur ne le connaissait pas vraiment et ignorait à qui confier sa dépouille.

Ezra s'était immédiatement occupé des corps. Il avait entassé quelques palettes sur lesquelles il avait posé de vieilles planches à fileter le poisson et avait mis côte à côte les deux cadavres qui ressemblaient presque à des blocs de glace. L'un d'eux avait la tête ensanglantée. Il lui semblait que c'était

Jakob. Le groupe des villageois se dispersa bientôt. Ezra se retrouva seul et le calme revint aux abords de la fabrique. Il était presque minuit. Il avait froid, il était fatigué après sa longue journée de travail. Devait-il veiller les morts ou simplement rentrer chez lui pour essayer de s'endormir? Son esprit n'avait pas encore totalement intégré l'idée que Jakob était mort. Que l'homme qu'il haïssait si fort et dont il avait si souvent envisagé de se venger à cause de ce qu'il avait fait à Matthildur n'était plus de ce monde. Il ne comprenait pas encore exactement ce que ce décès impliquait pour lui. Une chose était toutefois certaine. Désormais, il ne serait plus possible de retrouver le corps de Matthildur. Cette évidence apparaissait, de plus en plus claire, dans l'esprit d'Ezra tandis qu'il regardait le cadavre mutilé sur la planche à fileter. Il pouvait renoncer à jamais à l'espoir de découvrir la cachette de Jakob.

— Le diable, avait-il murmuré.

Le blizzard était légèrement retombé, mais le vent soufflait encore avec violence sur le bâtiment dont il faisait grincer le toit et les poutres. Au plafond, une ampoule nue se balançait au bout d'un fil électrique.

— Le diable, avait-il répété. J'aurais dû te tuer de mes mains.

Il décida de rentrer chez lui, son travail n'incluait pas les veillées funèbres. L'un de ces hommes était un parfait inconnu ; l'autre, il le haïssait plus que les mots ne sauraient dire.

Quand il était revenu travailler le lendemain matin, au terme d'une nuit aussi brève qu'agitée, il avait trouvé le corps de Jakob gisant sur le sol. Cela l'avait beaucoup perturbé, il s'était précipité pour le relever et, non sans difficulté, l'avait remis sur la planche à fileter. Il ne parvenait pas à comprendre comment le cadavre avait pu tomber par terre. En le reposant, la tête de Jakob avait violemment heurté le bois et Ezra avait cru entendre comme un faible gémissement. Il avait examiné l'autre victime, lui avait attrapé la jambe, avait essayé de la bouger, mais le membre était aussi raide qu'un bout de bois, la rigidité cadavérique s'était installée. Il avait supposé que c'était également le cas pour Jakob, mais il en allait tout autrement. Son corps était très froid, cependant les membres étaient souples.

À nouveau, il avait entendu ce discret gémissement. Il avait sursauté, puis s'était dit que c'était le vent qui continuait de souffler au-dehors. Il s'était penché sur Jakob sans parvenir à déceler sa respiration. Il avait plaqué son oreille contre sa poitrine pour voir si son cœur battait, mais n'avait rien entendu.

Ezra s'était redressé et avait scruté le cadavre.

Il lui avait semblé voir sur ce visage l'esquisse d'une grimace. Il avait continué de l'observer. L'œil droit était fermé et couvert de sang, ses cheveux étaient collés. Il portait une blessure ouverte à la joue ainsi qu'une profonde entaille au menton. Sans doute étaient-ce les traces du choc contre les récifs de Holmaborgir.

Peut-être la grimace qu'il avait cru voir sur son visage n'était-elle qu'une illusion. Il n'en était cependant pas certain.

Alors qu'il s'apprêtait à se retourner, il avait à nouveau aperçu un mouvement sur ce visage, comme un léger tremblement à la commissure des lèvres et là, il n'y avait pas de doute.

Il avait fixé son regard sur le visage Jakob et vu très clairement que ses lèvres bougeaient.

Il était manifeste qu'il respirait.

La porte s'était ouverte.

Le cœur d'Ezra avait bondi dans sa poitrine. Il avait pensé mourir de peur.

L'armateur, propriétaire de *La Sigurlina*, était entré et l'avait regardé.

— Quelle horreur, quel enfer, s'était-il exclamé en frappant ses pieds sur le sol pour les débarrasser de la neige.

48

Ezra se leva du fauteuil en osier tant ce souvenir lui était insupportable. Il ne tenait plus en place et se mit à faire les cent pas dans la cuisine. Erlendur l'avait écouté avec attention et avait remarqué qu'il avait de plus en plus de mal à évoquer ces événements. Les silences s'étaient allongés, sa voix était devenue plus grave. Il se tordait les mains et fuyait le regard de son hôte. Même si le temps avait passé, on aurait dit que ces événements s'étaient déroulés la veille. Erlendur avait pour le vieil homme cette compassion qu'il éprouvait pour tous ceux qui n'avaient pas eu l'occasion de se remettre debout après un coup du sort.

— Vous voulez que je vous fasse un café? demanda-t-il en se levant également. Je crois que vous en auriez bien besoin.

Ezra semblait perdu dans un autre monde. Erlendur avait dû répéter sa proposition pour être entendu. Le vieil homme s'immobilisa tout à coup et le dévisagea.

— Que disiez-vous? interrogea-t-il.

— Un café? Vous voulez que je fasse un café?

— Allez-y, répondit Ezra. Faites comme chez vous.

Sur quoi, il disparut à nouveau dans son univers, peuplé par les vents de l'hiver et le froid glacial. Erlendur préférait ne pas le brusquer. Il savait qu'il finirait par lui raconter toute cette histoire, même s'il lui était de plus en plus pénible de parler de ces événements. C'était la première fois qu'il les évoquait et il tenait à le faire avec la plus grande exactitude. Il se souvenait des moindres détails et la manière dont il racontait tout cela montrait clairement qu'il n'avait pas tenté de les oublier ou de les effacer, mais qu'au contraire, il les avait conservés intacts dans sa mémoire, exactement comme ils s'étaient produits. Erlendur ignorait si le fait de les raconter lui procurerait une forme d'apaisement. Il était trop tôt pour le dire. Il savait cependant d'expérience qu'il était bénéfique de soulager sa conscience.

Les deux hommes se taisaient. Erlendur prépara le café et trouva des tasses qu'il posa sur la table. Il en tendit une à Ezra qui avala une petite gorgée brûlante.

– Ce n'est pas facile pour vous de parler de tout ça, observa-t-il.

– Ce n'est pas drôle, en effet.

– Je comprends bien.

Ezra fut pris d'une hésitation.

– Je vous ai montré la photo de Matthildur? s'enquit-il.

– Non, je m'en souviendrais, répondit Erlendur.

– Vous aimeriez peut-être la voir?

– Ce serait…

– Elle est dans ma chambre. Attendez.

Le vieil homme quitta la cuisine. Erlendur s'approcha de la fenêtre qui donnait sur la lande. Tout était blanc. D'ici, il n'apercevait pas la ferme de Bakkasel, son chez-lui. Il tendait le cou pour essayer de la voir lorsque Ezra revint.

– C'est elle qui me l'a donnée. C'est la seule chose qui me reste d'elle, commenta Ezra.

Il tendit la photo à Erlendur comme s'il s'était agi d'un bijou précieux. Erlendur la prit précautionneusement. Elle était très usée, le papier à l'arrière avait jauni, elle avait été pliée et il en manquait la moitié. Sans doute avait-elle été coupée en son milieu.

– Elle est prise ici, devant chez eux, à Eskifjördur, précisa le vieil homme. En plein été. Un photographe est passé au village et il la leur a offerte. Matthildur l'a coupée en deux. Jakob était sur la photo, à côté d'elle.

Erlendur scruta le cliché où on voyait Matthildur devant sa maison, les yeux plissés face au soleil. Un beau sourire, des cheveux bruns qui lui tombaient sur les épaules, les mains le long du corps, la tête légèrement penchée sur le côté, son visage bienveillant, cet air résolu, son ombre qui tombait sur la porte derrière elle.

– À cette époque, on n'était pas encore ensemble, commenta Ezra. Ce n'est arrivé qu'un an plus tard. Mais je pensais déjà à elle, j'avais de douces pensées pour elle.

– Qu'avez-vous dit à l'armateur quand il est entré dans la fabrique ? interrogea Erlendur en lui rendant son trésor.

– Je ne sais pas pourquoi je lui ai menti, répondit Ezra. À ce moment-là, je n'avais rien en tête, mais comme j'avais menti une fois, la suite a été plus facile. Au début, je voulais seulement que Jakob me dise où il avait caché le corps de Matthildur. Il était en position de faiblesse et j'entendais bien en profiter. Je voulais savoir où il l'avait cachée et comment il s'y était pris pour la faire disparaître. Mais ensuite…

– Vous avez décidé de vous venger ? compléta Erlendur.

Ezra regarda longuement la photo.

– J'ai voulu que justice soit faite, corrigea-t-il.

Emmitouflé dans un épais manteau d'hiver, l'armateur avait un bonnet sur la tête et une écharpe autour du cou. Âgé de presque quatre-vingt-dix ans, il se tenait à la porte et semblait ne pas vouloir entrer dans la fabrique, pour éviter de côtoyer la mort de trop près. Il venait de perdre deux employés ainsi que sa barque dans un naufrage. C'était là un moment difficile qui l'affectait de manière visible. Ezra savait que c'était quelqu'un de bien, il travaillait pour lui depuis longtemps et n'avait jamais eu à s'en plaindre. Il avait deux autres bateaux, nettement plus grands, et avec des équipages plus nombreux. Souvent, par gros temps, on le voyait sur la jetée où il attendait leur retour. Il avait lui-même été pêcheur pendant de longues années et avait presque toujours évité les malheurs. Une seule fois, l'un de ses hommes était tombé par-dessus bord alors qu'ils pêchaient le hareng. Le marin s'était noyé.

– Prends bien soin d'eux, mon petit, avait dit l'armateur.

– Je ne vois pas vraiment de qui je prendrais soin, avait répondu Ezra en s'efforçant d'agir comme si de rien n'était. La vision de Jakob bougeant les lèvres l'avait tellement troublé qu'il parvenait à peine à se maîtriser. Il faisait de son mieux pour être aussi calme et détendu que possible face à l'armateur, mais sentait des gouttes de sueur perler sous son bonnet.

– Je n'ai pas encore réussi à joindre la famille du gars de Grindavik, reprit le patron en évitant de poser son regard sur les corps. Je ne sais pas grand-chose sur lui. Pour ce qui est de Jakob, c'est plus simple. Son père et sa mère sont morts tous les deux et il n'avait ni frères ni sœurs. Son oncle maternel qui vit à Djupavogur m'a demandé de le mettre dans un cercueil. Il viendra le chercher plus tard dans la journée. La famille tient à faire vite. Il m'a dit que ça ne servirait à rien d'attendre. Évidemment, il a raison. Ils vont creuser la tombe aujourd'hui, avant que le froid glacial ne durcisse à nouveau la terre.

— C'est… je… enfin, j'imagine qu'ils n'ont pas tort.

— Et il ne veut pas que ça lui coûte de l'argent, avait ajouté l'armateur en haussant les épaules. Il me l'a dit clairement. Je lui ai proposé de partager les frais, mais il a refusé, il ne veut pas en entendre parler.

— Je comprends, avait répondu Ezra, histoire de dire quelque chose.

— Aucun d'eux n'était père de famille, c'est déjà ça.

Ezra ne savait pas ce qu'il comptait faire. Il venait juste de comprendre que Jakob était probablement encore vivant. Dans n'importe quelle situation, il en aurait informé tout le monde, l'aurait bien vite sorti de la fabrique de glace pour le mettre au chaud et l'aurait soigné en attendant l'arrivée du médecin. Il avait le devoir de sauver toute vie humaine, quelle qu'elle soit. Cela, il se savait.

Mais il s'agissait de Jakob.

S'il y avait quelqu'un qu'il haïssait vraiment, c'était bien lui. Il ignorait la réponse qu'il aurait fournie la veille si on lui avait demandé : tu lui sauverais la vie ? Cette vie, elle était maintenant entre ses mains. Sa conscience lui hurlait de dire ce qu'il avait vu et de lui venir en aide. Il s'attendait à le voir se lever de la planche à fileter d'un moment à l'autre. Le temps passait. Il ne disait rien. Il ne faisait rien. Il ne tentait pas d'aider ce mourant.

— Quelle horreur, quel enfer, s'était à nouveau exclamé l'armateur. Tu peux fabriquer un cercueil de fortune pour Jakob, non ? Tu n'as qu'à prendre du bois à la nouvelle conserverie. Fais de ton mieux, mon petit.

Ezra avait hoché la tête.

— Ensuite, tu n'as qu'à attendre ces gens de Djupavogur. L'oncle ne veut pas se donner en spectacle. Il veut transporter la dépouille par bateau. Il m'a dit que ce serait ridicule que je vienne à l'enterrement. Drôles de gens, mais j'irai quand même. Tu le connaissais bien, non?

— Un peu, avait bredouillé Ezra. Nous... Nous avons travaillé ensemble à bord de *La Sigurlina* il y a quelques années.

— Ah oui, évidemment, où avais-je la tête? Matthildur, sa femme, était exceptionnelle. Mais bon, il est arrivé ce qui est arrivé.

— Oui, avait répondu Ezra.

L'idée lui était venue en entendant le vieil homme prononcer le prénom de Matthildur. Il pouvait attendre pour informer les autres de l'état de Jakob. Il devait d'abord l'examiner un peu mieux pour savoir s'il était réellement vivant. Puis, il lui poserait des questions, il lui demanderait ce qu'il avait fait du corps. Si Jakob refusait de lui répondre, il refuserait de lui venir en aide. En tout cas, il pouvait toujours recourir à cette menace.

L'armateur l'avait salué avant de disparaître par la porte. Ezra était figé sur place. Un long moment avait passé, puis il s'était à nouveau intéressé au mourant. Il s'était approché de la planche à fileter et avait baissé les yeux sur le corps parfaitement inerte. Il était resté là un long moment sans que rien ne se passe. Peut-être s'était-il simplement trompé. Pourtant, il avait vu ses lèvres bouger?

Il était presque persuadé que ses sens l'avaient abusé, que tout cela n'était que le fruit de son imagination quand Jakob remua de nouveau les lèvres. On aurait dit qu'il cherchait à dire quelque chose. Les mouvements étaient si infimes qu'il les remarquait à peine.

Il s'était penché en avant pour placer son oreille juste au-dessus de la bouche. La respiration qu'il percevait était extrêmement faible et, à chaque fois que Jakob expirait l'air, cela ressemblait à une prière...

à l'aide

à l'aide

49

Ezra avait relevé la tête, le regard rivé sur Jakob. Cet homme était doté d'une endurance exceptionnelle. Il avait survécu au naufrage, à son séjour dans l'eau glacée, au transfert jusqu'à la fabrique et, bien que gravement blessé et transi de froid, il était encore vivant après cette nuit passée dans l'entrepôt glacial.

– Jakob? avait-il murmuré en jetant un regard vers la porte. Jakob! avait-il répété, un peu plus fort. Jakob?!

Il l'avait vu entrouvrir un œil. L'autre était complètement couvert du sang de la blessure qu'il avait à la tête.

– Tu sais où tu es?

Il avait placé son oreille tout près de sa bouche.

– … à l'aide… avait murmuré Jakob.

Cela n'avait rien d'une illusion. Il était vivant. Il avait survécu à ce naufrage.

– Tu m'entends? avait demandé Ezra sans obtenir aucune réponse. Il avait placé sa bouche tout près de l'oreille de Jakob pour lui répéter la question.

L'œil s'était entrouvert un peu plus largement.

– Je vais t'aider, Jakob, lui avait murmuré Ezra à l'oreille. Je vais te sortir de là, appeler un médecin et chercher des couvertures pour te réchauffer. Je te le promets, Jakob.

L'œil s'était fermé une nouvelle fois.

– Jakob!

L'œil s'était rouvert.

– Je te sauverai, Jakob, si tu me dis où tu as caché Matthildur. Si tu me dis ce que tu as fait d'elle.

Les lèvres du naufragé s'étaient à nouveau animées, Ezra avait approché son oreille.

– … fff… roid…

– Je vais te tirer de là tout de suite, si tu me dis ce que je veux. Qu'as-tu fait du corps de Matthildur?!

L'œil s'était ouvert un peu plus grand encore. Ezra avait l'impression qu'il le fixait. Sa peau était bleue de froid, ses lèvres, presque violettes, laissaient entrevoir les incisives de sa mâchoire supérieure. Ses cheveux étaient encore collés par l'eau de mer gelée. Il portait un épais chandail islandais noir tout couvert de stalactites et un pantalon de grosse toile huilée. Ezra avait l'impression de voir sa pupille bouger au fond de son œil mi-clos.

– Où est Matthildur?

– ... ffr...

– Tu m'entends? Dis-moi où Matthildur se trouve et je t'aiderai.

– ... peu... pa...

– Je ne peux pas? Tu ne peux pas? Tu ne peux pas me dire où elle est? C'est ça? C'est ça que tu essaies de me dire?

L'œil s'était à nouveau fermé. Les lèvres étaient immobiles. Ezra avait cru que Jakob avait rendu l'âme. L'espace d'un instant, il avait douté. Était-il trop tard pour lui sauver la vie? Devait-il faire tout ce qu'il pouvait pour secourir cet homme? Jakob avait assassiné sa bien-aimée. Il avait étranglé Matthildur et caché son cadavre. Méritait-il la moindre pitié?

L'ancienne haine d'Ezra explosait tout à coup et envahissait tout son corps, une vague de chaleur lui montait au visage. Il avait imaginé Matthildur entre ses mains, l'avait imaginée luttant pour sa vie, se l'était représentée, étouffant peu à peu, avait vu ses yeux supplier son bourreau de l'épargner. Jakob ne l'avait pas épargnée. Il n'avait eu aucune pitié.

Ezra l'avait longuement observé sur la planche à fileter.

Puis, il était sorti chercher le matériel nécessaire pour confectionner son cercueil.

Il avait fermé la fabrique à clef et avait pris une brouette pour transporter le bois. Il n'avait croisé personne en chemin. Il avait trouvé des clous sur le chantier que lui avait indiqué l'armateur et était passé chez lui pour y prendre des outils, une scie et un marteau. Il s'était efforcé de chasser Jakob de son esprit pendant qu'il assemblait le cercueil devant la fabrique. Il avait pensé à Matthildur. Aux moments qu'ils avaient passés ensemble. À cet avenir qu'ils n'avaient pas. Cet avenir, il y avait souvent songé, songé à ce qu'aurait pu être leur existence si Matthildur avait vécu. Peut-être auraient-ils fondé une famille. Des enfants auxquels il aurait dit au revoir le matin et qu'il aurait accueillis le soir, des petits auxquels il aurait lu et raconté des histoires. Cette vie-là, Jakob l'avait également assassinée en étranglant Matthildur de ses mains nues.

Ezra plaça dans le sens de la longueur quelques planches qu'il fixa à celles qu'il avait mises en travers et, bientôt, le cercueil rudimentaire fut terminé. Le temps était encore mauvais, il faisait froid, il neigeait, la plupart des gens ne sortaient pas de chez eux. Les rares passants lui avaient toutefois posé quelques questions. Il leur avait répondu que le corps de Jakob serait emmené à Djupavogur et que celui de l'autre naufragé, originaire de Grindavik, serait envoyé chez lui, dans le sud-ouest du pays. Jakob avait très peu d'amis au village.

Un seul homme s'était spécialement déplacé pour lui rendre un dernier hommage. C'était Larus. Il était arrivé sans prévenir, comme sorti du rideau de neige, Ezra avait violemment sursauté.

— On m'a dit qu'on l'emmenait à Djupavogur aujourd'hui, avait déclaré Larus, un petit homme âgé d'une cinquantaine d'années qui avait travaillé en mer avec Jakob. Le visage buriné et les dents jaunies par le tabac, son dos était déjà légèrement voûté. Ezra le connaissait un peu et savait que sa vie n'était pas une partie de plaisir.

— En effet, avait-il répondu en s'étirant, le marteau à la main.

— Et tu fabriques la boîte dans laquelle on le mettra ?

— Oui.

— Je voulais le voir une dernière fois, avait expliqué Larus en désignant la porte de la fabrique d'un mouvement de tête.

Ezra avait hésité un instant.

— Il a le visage tout en sang, avait-il dit afin de meubler. Il n'est pas beau à voir.

— Je suppose que j'ai vu pire que ça, avait répondu Larus en éteignant la cigarette qu'il protégeait du vent au creux de sa paume. Il avait écrasé la braise entre son pouce et son index, puis rangé le mégot dans sa poche.

– Dans ce cas, suis-moi, avait consenti Ezra, encore hésitant.

Ils étaient entrés dans la fabrique et s'étaient approchés de la planche à fileter. Ezra avait été soulagé de constater que le corps n'avait pas bougé. Il était toujours allongé, les bras le long du corps, le visage tourné vers le plafond. Larus s'était approché pour faire un signe de croix au-dessus de la dépouille, puis il était resté un instant immobile à se recueillir. Ezra fixait l'œil et les lèvres de Jakob, il fixait Larus, debout devant le cadavre. On aurait dit que le temps s'était figé.

– C'était un brave homme, avait commenté Larus en se tournant tout à coup vers lui. C'était un bon ami.

– Oui, avait répondu Ezra. Je… je sais.

– Son heure était venue, avait philosophé Larus. C'est comme ça. Il y a un moment et un lieu pour toute chose.

Ezra avait à nouveau regardé le corps et vu que Jakob ouvrait l'œil. Larus tournait le dos au cadavre et n'avait rien remarqué.

– Eh oui, sans doute, avait commenté Ezra, surpris de s'entendre prononcer ces paroles.

Larus avait à nouveau baissé les yeux sur le corps. Il allait sans doute voir que l'œil était entrouvert. Ezra fixait le sol, s'attendant à l'entendre pousser de grands cris, mais rien ne s'était produit. Il avait lentement levé les yeux tandis que Larus continuait de regarder le défunt.

– Mais parfois c'était une vraie plaie, avait-il déclaré d'une voix forte.

Ezra avait gardé le silence.

– Une satanée plaie, avait-il répété en regardant longuement Ezra dans les yeux avant de quitter les lieux à petits pas rapides.

Dès qu'il avait achevé d'assembler le cercueil, il avait pris l'une des extrémités pour le traîner jusqu'à l'intérieur de la fabrique. Le bois crissait et raclait le sol de ciment. Il avait bruyamment laissé tomber la boîte à côté de la planche à fileter où reposait Jakob. Il était ensuite sorti chercher le couvercle.

Puis, il était allé chercher les clous.

50

Il avait pris une décision. Elle s'était formée dans son esprit pendant qu'il était allé chercher le bois et qu'il avait assemblé le cercueil, mais également, et surtout, au cours des années qui avaient passé depuis la disparition de Matthildur. Un jour, Jakob devrait payer pour ce qu'il avait fait. S'il parvenait à lui arracher la vérité, il serait satisfait, il aurait enfin obtenu la réponse à la question qui le torturait depuis si longtemps. Mais cela ne changerait rien au destin de Jakob. Ses jours étaient comptés. Il aurait dû mourir quand la barque s'était brisée en mille morceaux sur les récifs. La seule façon pour Ezra de justifier ses actes à ses propres yeux était de se convaincre qu'il ne faisait là qu'achever une tâche que les puissances supérieures avaient commencée.

Plus tard, lorsque tout était terminé, il s'était étonné d'avoir ressenti aussi peu de culpabilité. Sans doute cela n'était-il que la suite logique de ce qui était arrivé. Il ne voyait pas son acte comme un meurtre, mais plutôt comme l'exécution d'un châtiment. Peut-être l'excluait-il sciemment, peut-être évitait-il d'appeler les choses par leur nom car ce qu'il s'apprêtait à faire était sale, désagréable, violent et impitoyable.

À son retour, l'œil de Jakob était entièrement ouvert et regardait autour de lui. Il semblait qu'il percevait le danger qui le menaçait. Son bras ne reposait plus le long du corps, il avait mis sa main sur sa poitrine. On distinguait à peine la vapeur de son haleine dans le froid glacial. Jakob luttait contre la mort depuis longtemps et, apparemment, il ne comptait pas renoncer. Sa résistance était phénoménale.

— Parle-moi de Matthildur.

Ezra s'était penché vers lui pour lui souffler ces mots à l'oreille.

– Qu'as-tu fait de Matthildur?

Son œil était écarquillé et il commençait à ouvrir l'autre, couvert de sang.

– Où est-elle?

Jakob le fixait de son œil grand ouvert. Ses lèvres tremblaient. Ezra approcha son oreille.

Au même moment, une main glacée lui avait attrapé la tête. Jakob avait murmuré trois mots :

va

au

diable

Ezra s'était libéré. La main de Jakob était retombée, épuisée le long de son corps. Il avait de nouveau perdu conscience.

Ezra avait trouvé deux grosses caisses en bois pour surélever le cercueil de manière à y faire glisser Jakob. Un bruit sourd avait retenti quand le corps avait touché le fond.

Il était allé chercher le couvercle qu'il avait solidement fixé à l'aide de clous. Il s'efforçait de ne pas réfléchir à ce qu'il faisait. Il exécutait un homme sans défense et devrait éviter d'y penser à chaque heure de sa vie future.

Il avait entendu des gens approcher du bâtiment alors qu'il enfonçait le dernier clou. L'oncle venait chercher le corps, accompagné par l'armateur.

Ce dernier avait reproché à son employé d'avoir scellé le couvercle avant que le parent ne puisse voir son neveu et il lui avait ordonné d'aller chercher un crochet sur-le-champ.

Ezra était resté immobile, ne sachant que faire.

– Allez, dépêche-toi de m'enlever ce couvercle, avait répété l'armateur.

Ezra semblait rivé au sol.

– Vous avez envie de le voir, non? s'était enquis l'armateur auprès de l'oncle, un homme âgé, pauvrement vêtu, qui portait une veste de peau élimée et des bottes en caoutchouc, et ne semblait pas très affecté par le décès.

Abasourdi, Ezra avait levé les yeux. Il n'avait pas imaginé un instant que la famille puisse demander à voir le corps.

— C'est inutile, avait répondu l'homme à la veste en peau après un instant de réflexion. Je ne le connaissais pas très bien.

Accompagné d'un autre homme, l'oncle était venu en bateau depuis Djupavogur. Tous deux avaient porté le cercueil à bord et l'avaient enveloppé de grosse toile, aidés par Ezra.

C'était fini. Le temps s'était calmé au fil de la journée et le bateau quittait le fjord avec le cercueil à son bord. L'armateur avait tapoté l'épaule d'Ezra en le remerciant de s'être aussi bien occupé de Jakob. Ezra avait marmonné des paroles incompréhensibles dans sa barbe.

Ensuite, ils s'étaient dit au revoir.

Erlendur était arrivé à ses fins, mais n'était plus aussi certain d'avoir eu raison de cuisiner Ezra avec une telle violence. Il n'était plus aussi sûr de vouloir entendre toute la vérité. Il avait écouté en silence le récit du vieil homme et pu mesurer à quel point il était résolu à ne rien omettre, à lui dévoiler enfin toute la vérité, à retracer l'ensemble des événements, même si cela lui était aussi déplaisant que pénible. Son attitude tout entière montrait clairement que peu de choses l'avaient autant ébranlé au cours de sa vie que l'aveu du crime qu'il avait commis.

Erlendur attendit qu'il poursuive, mais Ezra gardait le silence, assis dans son fauteuil en osier. Il semblait absent de cette cuisine, absent de cette maison, absent de ce monde. Il tenait à la main la photo de Matthildur et la caressait de son index, comme pour la toucher encore une fois.

— Pour ce que ça vaut…

Ezra s'arrêta au milieu de sa phrase.

— Pour ce que ça vaut, reprit-il, je peux vous dire que je regrette mon acte depuis toujours. Dès le début, je me suis demandé si je ne devais pas prévenir les autres qu'il était vivant. J'espérais plus ou moins que l'oncle le garderait quelques jours avant de l'enterrer et là, peut-être qu'il réussirait à l'alerter. Mais je n'ai rien fait pour le sauver. J'ai prié pour lui, prié pour qu'il meure sans trop souffrir. J'ai prié mon Dieu de lui épargner ce supplice. L'idée qu'il ait pu se débattre au fond de son cercueil m'était insupportable. Mais je n'y ai pas pensé au moment où je l'y ai enfermé. En fait, je n'ai pas vraiment eu besoin de lutter contre cette pensée car j'ignorais la suite, je ne savais pas ce qui s'était passé après avoir cloué le couvercle. Au fil des ans, j'ai réussi à composer avec Dieu. Il ne me restait plus qu'à mourir. Puis, voilà que vous arrivez et…

Ezra quitta la photo des yeux pour regarder Erlendur.

— Vous entrez ici en me disant que vous l'avez déterré. Vous me racontez que vous avez trouvé les traces de ses dents sur le couvercle de son cercueil et vous posez ses incisives sur le plan de travail.

— Pardonnez-moi si…

Erlendur n'eut pas le temps d'achever sa phrase.

— Ce n'est qu'à ce moment-là que j'ai pris toute la mesure de ce que je lui ai fait, coupa Ezra avant de baisser à nouveau les yeux sur la photo de Matthildur. Je suppose que vous me méprisez au plus haut point.

— Mon arrivée n'a rien changé à l'affaire, répondit Erlendur.

— C'est vous qui le dites. Si vous n'étiez pas venu me harceler comme un fantôme sorti du passé, je n'en aurais jamais parlé à personne.

— J'imagine bien…

Ezra lui coupa à nouveau la parole.

— Vous êtes l'homme le plus buté que j'aie rencontré dans ma longue existence.

Erlendur ne voyait pas quoi lui répondre.

— Je n'en ai plus pour très longtemps, ensuite c'en sera fini de tout cela, conclut-il.

— J'imagine comme il a été difficile pour un homme honnête comme vous de vivre avec ce poids sur la conscience.

— Oui, je ne suis finalement pas si honnête que ça, observa Ezra. Je me suis employé au mieux à réparer ma faute. Mais vous ne devez pas oublier non plus ce que Jakob a fait à Matthildur. J'arrive parfois à justifier à mes yeux l'horreur que j'ai fait vivre à Jakob. Je le rends responsable de tout. Alors, je me sens mieux, l'espace d'un instant. Mais ça ne dure jamais bien longtemps.

— Comme je vous l'ai déjà dit, ce n'est pas la première fois que j'entends parler de gens qui sortent vivants d'épreuves tout à fait incroyables, reprit Erlendur. Des gens qui se sont perdus dans la nature par grand froid et que tout le monde considérait comme morts, mais qui, contre toute attente, sont revenus à la vie. Et ce, grâce aux forces incroyables qui habitent parfois l'être humain.

— Je me suis souvent dit qu'il aurait mieux valu qu'il meure pendant le naufrage. Voilà qui aurait été plus... plus propre et plus simple.

— La vie n'est jamais simple, nota Erlendur. C'est la première chose que nous devons apprendre. La vie n'est jamais simple.

— Quelles suites vous allez donner à cette histoire ? interrogea Ezra.

Les deux hommes se regardèrent longuement.

— Aucune, à moins que vous le souhaitiez.

— C'est donc à moi que revient la décision ?

— Personnellement, je n'ai rien à voir avec tout ça, je voulais simplement atteindre le fond des choses.

— Mais... vous travaillez dans la police. Vous n'avez pas le devoir de... ?

— Le devoir est une notion complexe, observa Erlendur.

— Quoi que vous fassiez, ça ne changera rien pour moi si ce n'est que certaines personnes n'auront plus la même opinion à mon sujet. Mais je m'en fiche. En revanche, j'aimerais bien que la version officielle du destin de Matthildur demeure inchangée. Si c'est possible. Il y a dans l'histoire de sa disparition une certaine beauté. Même si elle est fondée sur un satané mensonge, l'image de Matthildur gravissant la lande vers les failles de Hrævarskörd mérite de continuer à vivre dans les mémoires. Pour peu que tous ceux qui se souviennent d'elle ne soient pas déjà morts.

— Je suppose que pendant toutes ces années, personne ne vous a jamais posé de questions sur Jakob ?

— Non, vous êtes le premier et le seul à l'avoir fait, répondit Ezra.

— Il ne vous a vraiment rien dit ?

— Non.

— Et vous n'avez aucune idée ?

— Aucune.

— Vous auriez pu lui sauver la vie s'il avait parlé ?

— Non, ça n'aurait rien changé. J'en suis persuadé. Et même si je l'avais aidé, il ne m'aurait jamais rien dit.

— Il a l'air d'avoir quand même vivement réagi quand vous l'avez mis dans le cercueil, avança précautionneusement Erlendur.

— Aux yeux de tous, il était mort, répondit Ezra. Je n'ai fait que le mettre en bière.

Le vieil homme semblait avoir plus d'une fois justifié son acte à ses yeux en usant de cet argument. Il se leva et se mit à regarder par la fenêtre où on apercevait la lande, immaculée et pure.

— Il m'arrive de me demander, commença-t-il, si... Je n'avais pas l'intention de le laisser vivre, mais s'il avait exprimé des regrets, le moindre remords, un je-ne-sais-quoi... peut-être qu'alors je l'aurais sauvé.

Erlendur ne savait pas quoi dire.

— Et je vis avec ça depuis tout ce temps, murmura Ezra à la fenêtre après un silence. Dans les pires moments, cette culpabilité m'a rendu presque fou.

52

Hrund était rentrée de l'hôpital. Erlendur passa chez elle dans la soirée. Elle était assise à sa fenêtre, comme à son habitude. Cette fois-ci, en venant lui ouvrir, elle lui sourit et lui souhaita la bienvenue. Erlendur s'installa auprès d'elle dans le salon et l'interrogea sur son état de santé. Elle était rentrée dans la matinée et tout allait bien, elle n'avait pas à se plaindre.

— Vous avez découvert de nouveaux éléments ? s'enquit-elle tout en allant lui chercher un café tout frais passé à la cuisine. Vous en savez un peu plus sur Matthildur ?

Il ne savait pas jusqu'à quel point il pouvait l'informer du sort qu'avaient connu Matthildur et Jakob, ni s'il devait lui parler de la vengeance d'Ezra après le naufrage de 1949. Il préférait taire ce à quoi il s'était livré au cimetière de Djupavogur. Et puisqu'il gardait le silence sur certains points, il pouvait bien en omettre d'autres. Il s'arma donc de précautions quand il commença à lui raconter ses entretiens avec Ezra. Hrund l'écouta sans rien dire jusqu'au moment où il en vint au sujet qui l'intéressait vraiment.

— J'espère que ça restera entre nous, ce que je vais vous dire ne doit pas sortir d'ici, précisa-t-il.

— Bien sûr, répondit Hrund.

— Ezra a la certitude que Jakob a assassiné Matthildur.

Hrund le regardait, impassible.

— Il n'en a aucune preuve, ajouta-t-il, mais il m'a affirmé que Jakob lui avait avoué son crime en lui disant qu'il avait fait ça par jalousie et par soif de vengeance. Certains parleraient de crime passionnel. Ezra et votre sœur avaient une liaison. Elle prévoyait de quitter Jakob. Il s'est mis à les soupçonner de manigancer des choses dans son dos et, en cachette, l'a suivie jusque chez Ezra. Il a tout vu et ne l'a pas supporté. Il n'a pas supporté d'être trahi.

Hrund continuait de le regarder d'un air imperturbable.

— Jakob a menti en disant que Matthildur était partie voir votre mère à Reydarfjördur et qu'elle s'était perdue dans la tempête. Elle n'est allée nulle part.

— Dieu tout-puissant! murmura Hrund.

— Je n'ai aucune raison de mettre en doute la parole d'Ezra, précisa Erlendur.

— Quelle ordure! soupira Hrund.

Erlendur lui expliqua comment il avait peu à peu amené le vieil homme à lui parler de sa liaison avec Matthildur. Il précisa qu'après la disparition de la jeune femme, le temps s'était en réalité arrêté dans la vie d'Ezra. Il lui raconta les discussions que ce dernier avait eues avec Jakob après le drame, celle qui avait eu lieu au cimetière et la seconde, chez Jakob, qui lui avait alors avoué son crime.

— Comment... comment avez-vous réussi à l'amener à vous raconter tout cela? interrogea Hrund.

Erlendur haussa les épaules.

— Il semblait simplement disposé à en parler, répondit-il, espérant ne pas trop mentir.

Il ne songeait pas du tout à dire à Hrund comment il avait dû cuisiner le vieil homme pour obtenir qu'il coopère. D'une certaine manière, il éprouvait quelques remords, maintenant qu'il était arrivé à ses fins. C'était au prix d'énormes sacrifices qu'il avait découvert la vérité. Erlendur n'était pas fier de ce qu'il avait dû faire pour atteindre le fond des choses. Il avait honte d'avoir profané la sépulture de Jakob, mais plus encore de s'être comporté ainsi avec Ezra. En réalité, il avait forcé le vieil homme à lui dire toute la vérité. Il ne pouvait que le plaindre. Il était poussé par une force qu'il avait du mal à maîtriser, une force qu'il portait en lui, permanente et impérieuse. Il éprouvait un besoin constant de découvrir les choses cachées, de retrouver ce qui était perdu. Pourquoi Ezra n'aurait-il pas eu le droit de garder son secret sans être inquiété? Il n'avait rien d'un criminel endurci et ne représentait aucune menace pour la société. Lorsqu'il l'avait quitté, le vieil homme lui avait dit qu'il se fichait des suites qu'il donnerait à cette affaire, mais Erlendur pensait le contraire.

Après les confidences était venue la colère.

— Il est difficile d'imaginer une mort plus affreuse que celle-là, avait déclaré Erlendur, parlant de Jakob.

— Vous croyez peut-être que je ne le sais pas? lui avait craché Ezra au visage. Vous croyez que je n'y ai pas pensé chaque jour? Je vous dispense de me faire la morale.

Ezra s'était détourné de la fenêtre et lui lançait un regard furieux.

— Maintenant, vous pouvez partir, avait-il ordonné. Partez et fichez-moi la paix. Je ne veux plus jamais vous voir. Je ne veux plus vous voir le peu qu'il me reste à vivre.

— Je comprends bien que…

Erlendur n'avait pas eu le loisir d'achever sa phrase.

— Dehors! s'était écrié Ezra. Je vous dis dehors! Obéissez-moi, pour une fois! Sortez de chez moi!

Erlendur s'était levé et dirigé vers la porte de la cuisine.

— Je ne voudrais pas que nous nous séparions fâchés, avait-il dit.

— Je me fiche de ce que vous voulez, avait rétorqué Ezra. Laissez-moi tranquille!

C'est donc ainsi qu'ils s'étaient quittés. Erlendur avait fini par céder malgré ses réticences à laisser le vieil homme alors qu'il le savait totalement bouleversé. Il savait aussi que, en l'état des choses, il n'y avait rien à faire. Il s'était dit qu'il repasserait le lendemain pour voir s'il s'était un peu remis.

Il fallut à Hrund un long moment pour comprendre toutes les implications de ce qu'Erlendur venait de lui dévoiler.

— Et Jakob a avoué ça à Ezra? s'enquit-elle. Il lui a avoué qu'il avait tué Matthildur?

Erlendur hocha la tête.

— Comment?

— À mains nues, répondit Erlendur après une brève hésitation. Il l'a étranglée.

Hrund porta sa main à sa bouche quand l'image de la mort de sa sœur prit forme dans son esprit, on aurait dit qu'elle voulait ainsi étouffer le cri qui s'apprêtait à franchir ses lèvres.

— Pourquoi Ezra n'en a-t-il pas parlé? Pourquoi il n'est pas allé voir la police?

— Ce n'est pas aussi simple que ça, répondit Erlendur. Jakob le tenait. Il l'avait prévenu qu'il avait veillé à ce qu'il soit personnellement impliqué dans le meurtre si jamais il allait en parler à la police. Ezra n'a pas voulu prendre le risque. Ça n'aurait pas ramené Matthildur et il était convaincu que Jakob n'avouerait jamais à personne comment il s'était débarrassé du corps.

— Et qu'en a-t-il fait? Qu'a-t-il fait du corps de ma sœur?

— Il a toujours refusé de le dire.

— Donc, personne ne le sait?

— Non.

— Ezra non plus?

— Non plus.

— Et vous ne l'avez pas découvert?

— Non.

— Donc, on ne la retrouvera jamais?

— Sans doute, répondit Erlendur.

— Elle a disparu pour toujours?

— Oui, disparu pour toujours.

Hrund resta longuement immobile à regarder ses mains tandis qu'elle méditait sur les paroles d'Erlendur. Elle était choquée. Elle semblait déçue et épuisée.

— Le pauvre homme, dit-elle.

— Ezra n'a pas eu une vie bien joyeuse depuis, observa Erlendur.

— Tout ce temps-là, il a fallu qu'il vive en supportant de ne pas savoir.

— En effet.

— Qui faut-il être pour faire une chose pareille? Quel genre d'homme faut-il être? s'interrogea-t-elle en se levant de son fauteuil, désemparée. Quel genre d'ordure était donc ce Jakob?

— Vous m'aviez bien dit qu'il n'avait pas très bonne réputation.

— Certes, mais ça! Qui ferait une chose pareille?

— Il a eu la monnaie de sa pièce, observa Erlendur.

— Eh bien, pas assez ! cria Hrund.

— Peut-être qu'avant de mourir, il a eu l'occasion de réfléchir aux souffrances qu'il avait infligées à d'autres.

— Comment ça ?

— Disons que cela aurait été un juste châtiment, conclut Erlendur.

53

Au terme de sa longue journée, Erlendur monta en jeep vers une petite maison en bois aux murs couverts de tôle ondulée du village de Seydisfjördur. Il était parti de chez Hrund, avait traversé la vallée de Fagradalur, s'était accordé une brève halte à Egilsstadir pour s'y approvisionner en essence, en cigarettes et en café. Il devait encore rendre visite à quelqu'un et il tenait à s'en acquitter ce jour-là. Il avait trouvé l'adresse dans l'annuaire. L'homme qu'il allait voir s'appelait Daniel Kristmundsson. C'était le paysan Ludvik qui lui avait parlé de lui au cours de leur conversation. Pendant des années, Daniel avait guidé des chasseurs originaires de la capitale, c'était un vieux de la vieille, avait dit Ludvik.

Il vit une lumière briller à l'une des fenêtres de la maison, située à l'orée du village, et dont l'extérieur était mal éclairé. Il frappa à la porte après avoir en vain cherché la sonnette dans l'obscurité. Personne ne répondait. Il frappa de nouveau et, au bout d'un long moment, entendit du mouvement à l'intérieur. Il attendit tranquillement que la porte s'ouvre et se retrouva face à un homme d'une cinquantaine d'années, mal rasé, le cheveu hirsute, le regard fuyant.

— Que me voulez-vous ?

L'homme n'était en rien le portrait craché d'un vieux de la vieille et Erlendur supposa qu'il ne s'agissait pas de Daniel. Il lui demanda donc si un certain Daniel Kristmundsson vivait ici.

— Ah, ce Daniel-là, répondit-il, eh bien, il est décédé.

— Ah bon ? Il y a longtemps ?

— Non, ça remonte à six mois.

— Ah, je comprends, dit Erlendur. C'est donc assez récent. Il est encore dans l'annuaire téléphonique.

— Oui, il faudrait que je les appelle.

L'homme le toisa, le regard subitement animé d'une étincelle de curiosité.

– Pourquoi vous vouliez le voir, vous êtes représentant ?

– Non, répondit Erlendur. Je ne vends rien du tout. Veuillez m'excuser du dérangement.

Erlendur prit congé et s'apprêta à retourner à sa voiture quand l'homme sortit sur le pas de sa porte.

– Que vouliez-vous à Daniel ? interrogea-t-il.

– Aucune importance, j'arrive trop tard.

– Vous veniez le voir pour une raison précise ?

– Vous le connaissiez ? demanda Erlendur.

– Assez bien, c'était mon père.

Erlendur sourit.

– Je voulais lui parler de chasse, de chasse au renard, annonça-t-il. Dans l'ancien temps. Lui parler du mode de vie de cet animal et de ses tanières. Rien de très original. On m'a dit que votre père était spécialiste.

– Vous faites des recherches ?

– Eh bien, ce n'est qu'un passe-temps personnel, répondit Erlendur.

– Et que désiriez-vous savoir ?

La lumière qui brillait faiblement à l'intérieur de la maison éclairait les deux hommes dans la nuit. Erlendur était gêné et ne savait plus vraiment à quoi s'en tenir, maintenant qu'il avait appris que celui qu'il venait voir était mort. En revanche, le fils semblait tout à coup revenir à la vie, on eût dit que cet hôte inattendu avait piqué sa curiosité.

– Rien de très original, répéta Erlendur. Peut-être aurait-il pu me parler d'objets surprenants ou inhabituels qu'il aurait trouvés sur les landes et les montagnes au sud de chez vous. Les montagnes entre les fjords de Reydarfjördur et Eskifjördur, les sommets d'Andri et de Hardskafi. Mais je suppose que tout cela ne vous dit rien.

– Vous travaillez au barrage ? interrogea l'homme.

– Non, répondit Erlendur.

– Ou peut-être à la fonderie d'aluminium ?

– Non, je ne fais que passer par ici, précisa Erlendur. Je ne travaille pas dans la région.

– Il a trouvé toutes sortes de choses. Je parle de mon père. Toutes sortes de saletés. Et il en a gardé certaines.

– Des objets qu'il a trouvés dans des nids ou des tanières?

– Oui, et aussi, parfois, au bord de la mer. Il collectionnait les pierres, les coquillages et les ossements d'animaux. Ça vous aurait sans doute plu de le rencontrer.

– Je suis désolé qu'il soit mort, répondit Erlendur, simplement pour meubler.

– Enfin, c'est ainsi. Il était très vieux. À la fin, il était grabataire. C'était insupportable pour lui. Il était soulagé de partir. Vous avez peut-être envie de jeter un œil à tout ça? Le hangar en est plein. Je n'ai pas eu le courage de me débarrasser de quoi que ce soit, il a tellement accumulé de choses. Je me suis souvent dit que je ferais mieux de mettre le feu au hangar.

Erlendur hésitait. Sa journée avait été longue et éprouvante.

– Enfin, c'est à vous de voir, conclut l'homme en attendant sa réponse.

– Je veux bien y jeter un œil, consentit Erlendur. Son hôte voulait lui être agréable, il était inutile de le froisser.

– Je m'appelle Daniel, tout comme lui, annonça l'homme en lui tendant la main. Daniel Danielsson, c'est un nom qui ne court pas les rues.

Erlendur ne comprit pas bien le sens de sa remarque, mais le suivit en silence à l'arrière de la maison, pénétrant plus loin dans la nuit, vers le hangar en ciment qui avait sans doute autrefois été un garage. L'homme ouvrit la porte, chercha l'interrupteur et alluma l'ampoule nue suspendue au plafond.

On ne pouvait pas dire que celui que Ludvik avait appelé le vieux de la vieille était très ordonné ou qu'il avait classé avec soin ce qu'il possédait. Le hangar regorgeait d'objets hétéroclites, en bon état ou cassés, que l'homme avait collectés et accumulés, semblait-il, n'importe comment. Erlendur hésita à la porte. Sans doute n'avait-il rien à faire ici.

– Vous voyez ce que je veux dire, observa Daniel. Ne serait-il pas plus simple de mettre le feu à tout ça?

– Je ne crois pas que cela m'apportera grand-chose, répondit poliment Erlendur. Hélas. Je ne veux pas vous déranger plus longtemps. Je ferais peut-être mieux d'y aller.

— Vous me parliez des tanières de renard, déclara Daniel.

— Oui, mais ce n'est pas grave. Vous savez, je suis un peu pressé.

— Je sais qu'il y a une caisse, là, je crois qu'il y en a trois en tout. Elles contiennent de plus petits cartons ainsi que des enveloppes où il avait classé ses os d'animaux. Il me les montrait souvent, dans le temps, il me racontait où il les avait trouvés, enfin, ce genre de choses. Il avait une sacrée collection. Il avait aussi des os de renards, un certain nombre. Ça vous intéresserait ?

Daniel se fraya un chemin à travers le fouillis. Il déplaça quelques objets, des pièces détachées de voitures, des pneus et le cadre d'un vélo. Du matériel de plomberie était accroché le long du plafond, des tuyaux, dont certains étaient coudés. Erlendur remarqua la présence de deux fusils qui lui semblaient hors d'état. L'un d'eux n'avait plus de gâchette et la crosse de l'autre était séparée du canon. Dans un coin, on voyait un corbeau empaillé et la fourrure d'un animal qu'il ne parvenait pas à identifier. Daniel progressait à l'intérieur du hangar, Erlendur commençait à regretter de l'avoir dérangé. Il avait presque envie de filer à l'anglaise sans même lui dire au revoir et envisageait sérieusement de le faire quand son hôte se manifesta.

— Ah, voilà ! déclara-t-il, une grande caisse sur les bras. Regardez là-dedans, si vous voulez, proposa-t-il en la lui tendant. Je vais voir si le reste ne serait pas là.

— Ne vous donnez pas tout ce mal pour moi, plaida Erlendur, mais Daniel ne l'entendait pas ou ne l'écoutait plus.

Erlendur attrapa la caisse et la posa sur un tas de chutes de moquette. Elle était remplie d'os très blancs dont il était incapable de déterminer la nature précise. Il y avait là des crânes d'oiseaux et de chats, lui semblait-il, mais aussi le crâne d'un renard aux dents acérées, des pattes, des côtes d'animaux divers. Rien de tout cela n'était marqué, ni la nature de l'os ni le lieu où il avait été trouvé n'étaient indiqués. Erlendur leva les yeux et vit que Daniel avait trouvé une seconde caisse, une caisse en bois qui avait autrefois contenu des bouteilles de soda de marque islandaise qui n'était plus fabriquée depuis longtemps. Le soda s'appelait le Spur et jamais Erlendur n'en avait goûté.

Le contenu de cette seconde caisse était un peu mieux organisé. Certains des os avaient été placés dans des enveloppes en papier kraft et le vieux Daniel avait indiqué la nature et le lieu où l'objet avait été trouvé. Erlendur pensa qu'il avait voulu commencer à classer tout cela, mais qu'il avait fini par renoncer. Peut-être ses trouvailles s'étaient-elles accumulées à un rythme qu'il n'arrivait pas à suivre.

— C'était un vrai connaisseur, déclara le fils, tout fier, depuis le fond du hangar. Surtout en matière de squelettes d'oiseaux. Il avait appris à les naturaliser dans sa jeunesse. C'était devenu un passe-temps pour lui. J'ai un renard arctique à la maison, c'est lui qui l'a empaillé. Et rudement bien. Je peux aussi vous montrer les faucons, si ça vous intéresse.

— Je veux bien. Et ce corbeau, c'est aussi lui qui l'a naturalisé ? demanda Erlendur en montrant l'oiseau juste sous le toit.

— Exact, répondit Daniel le jeune, c'est son œuvre. Vous êtes originaire de Reykjavik ? demanda-t-il.

— Oui, je vis là-bas, répondit Erlendur tandis qu'il passait en revue les enveloppes, subitement pris d'un regain d'intérêt. L'une d'elles indiquait Lodmundarfjördur, Sterne Arctique. Il l'ouvrit et fit glisser le squelette intact de l'oiseau dans sa paume.

— Il disait toujours qu'il voulait exposer ces os dans des vitrines, les répertorier correctement et en faire don au lycée. Il y a longtemps, il a fait une vitrine de ce genre, mais je n'arrive pas à la retrouver, je me demande ce qu'elle est devenue.

Erlendur remit le squelette de la sterne dans l'enveloppe. Daniel avait trouvé une troisième caisse qu'il lui tendait. Elle contenait des étuis et des boîtes soigneusement étiquetés. Il semblait que le père avait correctement classé cette partie de sa collection.

Erlendur attrapa l'une des boîtes dont le couvercle portait une étiquette blanche indiquant la date, le lieu et la nature des os qu'elle contenait. Pied du Snaefell. Pluvier doré.

Il sortit quelques boîtes pour les examiner. L'une d'elles portait un point d'interrogation. Il lut l'étiquette :

Hardskafi. Versant nord.

Les mots avaient été écrits au crayon à papier. Le point d'interrogation éveilla sa curiosité.

Il ouvrit la boîte et constata immédiatement qu'elle renfermait des os humains de petite taille. Dans le passé, il avait dû exhumer le corps d'une fillette âgée de quatre ans. Il baissait les yeux sur la boîte, parcouru d'un frisson.

– Vous avez trouvé quelque chose ? lui cria Daniel du fond du hangar quand il constata que son visiteur était debout, aussi figé qu'une statue, l'une des boîtes de son père à la main.

– Votre père vous a parlé de disparitions sur les landes situées à l'est d'ici ? interrogea Erlendur sans quitter les ossements des yeux.

– De disparitions ? Non.

– D'un enfant d'Eskifjördur qui s'est perdu dans la tempête, il y a des années ?

– Non, il n'a jamais parlé de ce genre de choses, répondit Daniel. En tout cas, pas à moi.

– Vous êtes certain ?

– Oui, je m'en rappellerais et, vraiment, ça ne me dit rien.

Erlendur scrutait le point d'interrogation sur le couvercle de la boîte. Le vieux Daniel ignorait la nature de ce qu'il avait trouvé sur le versant nord de la montagne Hardskafi. Il l'avait simplement mis dans sa poche parce qu'il s'intéressait aux os d'animaux qu'il pouvait trouver ici et là. C'était sa passion. Peut-être s'était-il dit qu'un jour, il enverrait ces ossements à un spécialiste afin de savoir de quel animal ils provenaient. Mais il ne l'avait pas fait. Dans le cas contraire, il aurait appris leur nature. Dans son entourage, il y aurait alors bien eu quelqu'un pour se souvenir de cette histoire d'enfant disparu.

Erlendur chercha une date, mais n'en trouva aucune.

Il y avait deux os. Il n'osait pas les toucher, mais il en était sûr. L'un était un morceau de mâchoire, l'autre, celui de la pommette.

Et ce n'étaient pas des os d'adulte.

C'étaient ceux d'un enfant.

54

Erlendur gravit la lande en silence. Il marche derrière son père sans s'intéresser au chemin qu'ils empruntent. Bergur a de la peine à les suivre et se met à courir pour les rattraper. Puis, le voilà encore distancé et il doit courir à nouveau. Erlendur talonne son père même s'il a beaucoup de mal, il fait de son mieux pour marcher dans les traces de ses pas, mais c'est difficile, il n'a pas les jambes assez longues. Parfois, il doit presser le pas pour ne pas laisser la distance se creuser comme le fait Bergur.

Ils marchent ainsi un long moment jusqu'à ce que leur père décide de s'accorder une halte. Ce n'est pas lui qui a besoin de se reprendre, il pense à ses fils. Plus on monte en altitude, plus la neige est profonde et la progression difficile, surtout pour de petites jambes. Il a emporté ses jumelles avec lesquelles il parcourt les montagnes à la recherche de ses moutons.

— Lendi, attends-moi, dit Beggi derrière lui.

Il fait semblant de ne pas l'avoir entendu.

Beggi l'appelle souvent Lendi, il parle parfois de son frère Lendi. Sa mère le surnomme aussi Lillabob, ce qui l'agace prodigieusement. C'est un surnom qui lui vient de la prime enfance et qu'elle n'emploie presque plus, sauf quand elle veut le taquiner. Son père l'appelle toujours par son vrai nom. Erlendur, dit-il, apporte-moi le livre qui est là. Ou bien : Erlendur, va te coucher.

Beggi le rattrape. Tous deux sont vêtus de vestes épaisses, d'écharpes et de bonnets. Ils portent des pantalons en grosse toile, des chaussures d'hiver et des gants. Il voit son petit frère se débattre avec l'un d'eux et constate qu'il a emporté la petite voiture avec lui. Il a ôté son gant pour prendre le jouet dans sa poche. Il l'examine comme pour s'assurer qu'il est en bon état. Puis, il le glisse dans son gant qu'il remet sur sa main. Comme ça, il sent la voiture au creux de sa paume.

— Je ne vois pas les brebis, déclare leur père. Il faut monter un peu plus haut, peut-être qu'on trouvera leurs traces dans la neige.

Ils continuent à gravir la pente dans le même ordre, leur père ouvre la marche, puis vient Erlendur, et enfin, Bergur qui serre sa voiture dans sa main et s'efforce de les suivre. Leur père ne marche pas vite. Il place ses jumelles devant ses yeux, prend une autre direction, puis une autre encore. En un clin d'œil, les voilà arrivés au sommet de la lande. Aux yeux d'un enfant qui ne comprend et ne perçoit pas tout, les choses se produisent à toute vitesse. Les événements s'enchaînent comme autant d'instantanés. Leur père lève les yeux vers le ciel. Beggi est à nouveau à la traîne. Il y a un certain temps qu'il s'est remis à neiger. Des nuages noirs s'amoncellent rapidement au-dessus des montagnes. Le ciel s'assombrit subitement. Il est de plus en plus difficile d'avancer dans la neige, de plus en plus profonde. Erlendur, qui n'a pas du tout pensé au temps, sent une bourrasque d'air glacé lui frôler la joue. Il ne voit plus Eskifjördur, il neige trop fort. Le petit est assez loin derrière eux. Erlendur l'appelle. Bergur ne l'entend pas. Erlendur va le chercher. Tout à coup, il ne voit plus son père et une bourrasque aveuglante s'abat sur les deux enfants. Il appelle Bergur qui est tombé dans la neige. Il appelle son père, mais n'obtient aucune réponse.

Beggi se relève et perd un de ses gants que le vent emporte aussitôt. Il tente de le rattraper et Erlendur le suit. Le gant a disparu dans le blizzard en l'espace d'un instant, mais ils ne renoncent pas à aller le chercher. Il s'en faut de peu qu'il ne perde la trace de son petit frère qui ne pense à rien d'autre. Leur mère leur a appris à prendre soin de leurs vêtements et à ne pas les perdre. Il attrape Bergur par le pan de sa veste pour le faire ralentir. Bergur tient le jouet au creux de sa main gelée et le plonge dans sa poche.

— Je veux retrouver mon gant, hurle-t-il au vent.

— On s'en occupera plus tard, répond Erlendur.

Il doit également crier s'il veut que Beggi l'entende. Il marche vers l'endroit où il pense que se trouve son père. Cette course à la recherche du gant l'a un peu désorienté, mais il croit tout de même savoir où il est. Il est de plus en plus difficile d'avancer dans la neige avec ces bourrasques glaciales qui vous cinglent le visage. On dirait qu'elles gagnent en violence à chacun de ses pas et il est presque forcé de fermer les yeux face à ce blizzard. Il a l'impression de ne plus progresser. Il ne voit rien que ce blanc, cette neige et ce blizzard. Tout s'est passé si vite qu'il n'a même pas eu le temps d'avoir peur. Il est rassuré de savoir que son père n'est pas loin. Il crie, Beggi l'imite, mais il n'y a toujours aucune réponse.

Il ne sait plus dans quelle direction il doit marcher et ne sait pas non plus s'il monte ou s'il descend. Il a l'impression qu'il monte, qu'il marche vers l'endroit où il a vu son père avant de le perdre. Peut-être qu'il a tort, se dit-il. Peut-être qu'au lieu de le chercher, il devrait redescendre avec Beggi vers les terres habitées et les vallées. Penser à sauver sa vie et celle de son frère.

Il commence à avoir peur. Il lui semble que Beggi s'en rend compte.

— Lendi, tout ira bien, non?

Cette phrase, Beggi doit la lui crier à l'oreille.

— Oui, tout ira bien, répond Erlendur, rassurant. On va rentrer à la maison. On sera bientôt chez nous.

Il s'apprête à donner l'un de ses gants à son petit frère, mais le gant lui échappe, happé par la tempête. Beggi lui prend la main et ne la lâche pas.

Erlendur n'a plus aucune idée de la direction dans laquelle il marche. Il espère qu'il descend, mais n'en est pas sûr du tout. Il est convaincu que le temps sera meilleur dès qu'ils auront quitté la lande. Beggi tombe constamment dans la neige, cela les retarde, mais Erlendur ne le lâche pas. Ils ont les doigts complètement transis, mais Erlendur veille à ne pas lâcher la main de son frère.

Le blizzard se déchaîne sur eux, il souffle de tous les côtés, les malmène terriblement, les fait tomber, les plaque sur la neige, et ils éprouvent de plus en plus de difficultés à se relever. Ils ne voient plus rien, ils ont froid, ils sont épuisés. Erlendur continue d'espérer qu'ils vont retrouver leur père, mais il n'en est rien et il se demande s'ils vont parvenir à regagner les terres habitées.

Puis cela arrive. Il ne sent plus la main glacée de Beggi au creux de la sienne. On dirait qu'ils sont séparés depuis un moment, mais qu'il ne s'en aperçoit que maintenant. Ses doigts sont figés dans la position qu'ils occupaient autour de la main de Bergur, mais Bergur a disparu. Il se retourne, court un instant avant de trébucher sur un amas de neige. Il se relève, appelle Beggi, encore et encore, tombe à nouveau dans la neige, hurle et appelle de toutes ses forces. Il s'est mis à pleurer. Les larmes gèlent sur ses joues.

Désemparé, il s'assoit dans la neige, submergé de peur pour lui-même, pour son père et surtout pour Beggi. Il a l'impression que, d'une certaine manière, c'est sa faute si son frère les a accompagnés. Il n'arrive pas à écarter la pensée que, s'il n'avait rien exigé, il serait resté à la maison.

Les hurlements de la tempête sont encore plus forts lorsque Erlendur se relève et se met à ramper plutôt qu'il n'avance, il est complètement perdu. Il a lu des histoires de gens qui se sont égarés dans des tempêtes, il a entendu parler de voyages désastreux et se souvient que l'une des façons de se protéger est de s'enterrer dans la neige en attendant que le pire soit passé. Il se rappelle aussi qu'il ne faut pas s'endormir car, si on cède au sommeil, on risque de ne jamais se réveiller. Il ne veut pas renoncer à chercher Beggi. Il espère de tout cœur que son frère a trouvé un moyen de descendre de la lande et qu'il est en route vers chez eux, il est peut-être même déjà dans les bras de leur mère. Il se dit que, lorsqu'il rentrera à la maison, il sera sans doute accueilli par Beggi, par leur père, et que ce sera le bonheur absolu quand sa mère le serrera fort dans ses bras. Il se fait du souci pour elle, elle doit être affreusement inquiète de les savoir dans cette tempête.

Il a perdu la notion du temps. Il a l'impression que la nuit noire est tombée depuis longtemps. Ses forces déclinent de plus en plus. Il refuse pourtant de céder face à cette tempête et continue de braver le blizzard, il rampe plus qu'il ne marche, mais il a l'espoir d'être sur la bonne voie, sur le chemin qui finira par le conduire à la maison. Le froid transperce ses vêtements, il a cessé de claquer des dents et les tremblements incontrôlables qui secouaient tout son corps se sont également arrêtés. Finalement, il tombe à plat ventre et ne bouge plus.

Il s'endort aussitôt.

La dernière image dont il se souvient, c'est celle de Beggi avançant dans le blizzard, Beggi qui s'en remet entièrement à son grand frère.

— Ne me perds pas, lui avait-il crié. Il ne faut pas que tu me perdes.

— Ne t'inquiète pas, avait-il répondu.

Ne t'inquiète pas.

55

Le dernier matin dans la ferme abandonnée, il s'était réveillé après une nuit agitée. Jamais il n'avait eu aussi froid, il s'était très vite réfugié dans la voiture et avait mis le chauffage. Dès que la température avait suffisamment augmenté dans l'habitacle, il s'était servi un café dans le couvercle de son thermos et avait allumé une cigarette. La boîte contenant les ossements reposait sur le siège du passager. Daniel la lui avait donnée lorsque les deux hommes s'étaient dit au revoir. Il avait ajouté qu'il ne savait pas ce qu'il ferait de toutes les saletés qu'avait accumulées son père, le plus simple serait sans doute de mettre le feu au hangar, avait-il répété. Erlendur l'avait remercié, puis était reparti vers Bakkasel avec les ossements dans sa voiture.

S'il fallait en croire l'étiquette collée sur le couvercle, le vieux Daniel les avait trouvés sur le versant nord de la montagne Hardskafi, dans un endroit assez éloigné de celui où les sauveteurs avaient découvert Erlendur entre la vie et la mort. Bergur semblait avoir marché bien plus loin vers le nord qu'on ne l'avait imaginé. Si tant est que ces ossements soient effectivement les siens. Peut-être n'était-ce pas à cet endroit-là qu'il était mort. Ces os pouvaient être arrivés sur le versant nord d'une autre manière, ils y avaient peut-être été apportés par un renard. Seuls au fond de cette petite boîte en carton trouvée dans un hangar à Seydisfjördur, ils n'apprenaient pas grand-chose à Erlendur, mais c'était tout de même assez. Convaincu que cette pommette et cette partie de mâchoire étaient celles d'un enfant, il avait eu immédiatement le sentiment qu'ils ne pouvaient appartenir qu'à son frère.

Au cours de la nuit, il avait envisagé de les faire analyser afin d'obtenir une confirmation scientifique. Cela aurait permis de déterminer l'âge du sujet, on aurait émis des hypothèses sur la manière dont ils s'étaient brisés et détachés du reste du corps ainsi que sur la durée de leur séjour en pleine nature. Mais cela prendrait du temps et Erlendur n'était pas certain du résultat. Il était donc arrivé à la conclusion qu'il se passerait de la science. Il était sûr de lui et, bientôt, il sut ce qu'il allait faire de ces ossements.

Erlendur démarra après avoir bu son café et fumé deux cigarettes. Il quitta lentement la ferme abandonnée de Bakkasel et s'engagea sur la route qui menait à Eskifjördur. Au lieu d'entrer dans le village, il tourna vers le cimetière et se gara devant la grille. Il resta un moment dans sa voiture, le moteur allumé, afin de profiter encore un peu de la chaleur de l'habitacle. Il attrapa la boîte, l'ouvrit et examina les ossements. S'il y en avait eu d'autres à l'endroit où Daniel les avait trouvés, ne pouvait-on supposer qu'il les aurait également ramassés ? Un tas de questions de cet acabit avaient agité l'esprit d'Erlendur au fil de la nuit. Il allait devoir gravir le versant nord de cette montagne. Il ne le ferait pas forcément en quête d'ossements, du reste il n'avait aucune idée de l'endroit précis où Daniel les avait trouvés ou de la manière dont ils étaient arrivés là. Il irait là-bas pour des raisons connues de lui seul.

La boîte à la main, il descendit de voiture et prit la bêche restée à l'arrière de la petite jeep depuis qu'il était rentré de Djupavogur. Cette fois, il n'aurait pas besoin de creuser aussi profond, il lui suffirait de pratiquer une petite entaille sur la tombe de sa mère.

Il alla jusqu'à la sépulture de ses parents, demeura longtemps immobile dans le vent glacé et pensa à toutes ces années qui avaient passé depuis l'époque où ils vivaient tous à la ferme, depuis la tragédie. Sa mère s'était bien adaptée à l'agitation et à la circulation de Reykjavik après leur déménagement. Son père ne s'y était jamais senti à sa place, il trouvait cette ville aussi déplaisante que bruyante. À cette époque, on construisait de nouveaux quartiers qui étaient aujourd'hui anciens et arborés. Et on avait continué à en bâtir d'autres, occupés par des gens venus des campagnes, qui s'adaptaient à leur nouvel univers avec plus ou moins de bonheur. C'est ainsi que les années s'étaient écoulées, le temps avançait vers un avenir incertain, délaissant un passé oublié.

Tout comme son père, il ne s'était jamais réellement adapté à ce lieu nouveau, il ne s'y sentait pas à sa place et n'avait jamais réussi à s'y ancrer, pas plus qu'à vivre vraiment avec son temps. Tout ce qu'il savait, c'est qu'à un moment de son existence, le temps s'était arrêté et il n'était jamais parvenu à le remettre en route. Il n'avait ressenti aucune joie lorsqu'il s'était retrouvé avec ces ossements au creux de la main, cette joie qu'il aurait dû éprouver parce que son calvaire touchait à sa fin et qu'il obtenait les réponses aux questions qui le hantaient depuis la disparition de son frère. Même la perspective de cette joie avait disparu.

Erlendur leva les yeux vers les montagnes. Il neigeait sur les pentes.

Il balaya du regard le cimetière, les tombes et les croix. Né. Mort. Inhumé. À mon épouse. Regrets éternels. Béni soit ton souvenir. Repose en paix. La mort était partout.

La mort au fond d'une petite boîte.

Il regarda les os et son cœur lui disait qu'il avait trouvé les restes de son frère. Pendant des années, il s'était efforcé d'imaginer sa réaction dans cette situation. Il obtenait maintenant l'esquisse d'une réponse. La torpeur, l'engourdissement. Le vide. Ces fragments ne répondaient pas à toutes ses questions. Il était impossible de dire au juste à quel endroit son frère était mort. La manière dont ces ossements étaient arrivés sur le flanc nord de Hardskafi était également une énigme. Elle le resterait pour toujours. Rien ne changerait jamais ce qui avait été : son frère était mort dans une tempête déchaînée à l'âge de huit ans. La découverte de ces ossements ne changeait rien à cette vérité dans l'esprit d'Erlendur. Elle n'était que la confirmation de ce qu'il savait déjà. Après toutes ces années, il obtenait enfin une certitude sur la manière dont les choses s'étaient achevées, mais c'était bien peu. Ne subsistait en lui que ce sentiment de vide, plus fort et plus envahissant que jamais auparavant.

Son regard passait d'une tombe à l'autre, d'une croix à l'autre, et quelque part dans sa tête, une date et une année se fondirent peu à peu avec un événement qu'il connaissait, un événement familial. Il regarda à nouveau les croix et les pierres tombales en se demandant quelle était cette intuition qui l'envahissait. Ses yeux tombèrent alors sur l'année 1942.

Il s'approcha de la sépulture. Une pierre de granit usée reposait à environ un mètre au-dessus de la neige qui couvrait le sol. Cette année-là, une certaine Thorhildur Vilhjalmsdottir, née en 1850, était morte de vieillesse. Erlendur calcula mentalement. Elle était décédée à quatre-vingt-onze ans. Née le 7 septembre au beau milieu du XIXe siècle et morte le 14 janvier 1942, en pleine guerre.

Il regarda à nouveau l'année. C'était à cette époque que Matthildur avait disparu. Il regarda à nouveau le jour du décès. Le 14 janvier. Thorhildur était morte une semaine avant la grande tempête qui avait coûté la vie à plusieurs soldats de l'armée d'occupation britannique. Une semaine exactement avant la disparition de Matthildur.

Il fixait la tombe. La pierre avait sans doute été posée un certain temps après son décès, peut-être même des années plus tard. Il était impossible de se prononcer. En revanche, on imaginait aisément qu'il ne s'était pas écoulé plus d'une semaine entre le décès et l'inhumation. Mais peut-être la tempête du 21 janvier avait-elle retardé l'enterrement, même s'il était possible que Thorhildur ait été mise en terre avant que le mauvais temps ne touche la région.

Erlendur s'attarda un moment devant la tombe, pensif, les yeux rivés sur la date. Janvier. 1942. Il pensait à cette tempête qui s'était abattue lorsque Matthildur était morte. Il pensait à Ezra. Mais il pensait surtout à Jakob et à la solution qu'il avait dû trouver pour cacher le corps de Matthildur. Il comprit qu'il devait aller consulter le registre de la paroisse.

Il reprit sa voiture pour aller à la station-service où on lui donna l'adresse du pasteur. Il s'y rendit immédiatement et sonna à la porte. Une femme âgée d'une cinquantaine d'années vint lui ouvrir. Il demanda à voir l'homme d'Église. L'hôtesse lui expliqua qu'il était parti à Reykjavik et qu'il serait rentré d'ici deux jours.

– Sauriez-vous à quel endroit je pourrais consulter les registres paroissiaux datant de la Deuxième Guerre mondiale ? demanda-t-il en s'efforçant de dissimuler son impatience.

— Les registres paroissiaux ? Eh bien, je ne sais pas vraiment. Les vieux, dites-vous ? Je suppose qu'ils sont conservés aux Archives régionales, à Egilsstadir. Enfin, j'imagine. Mon cher Runar pourrait sans doute vous orienter s'il était ici.

Erlendur la remercia, retourna à la station-service, appela les Archives où on lui confirma que les registres de la paroisse d'Eskifjördur étaient effectivement conservées dans ce service et que, s'il le désirait, il pouvait venir les consulter. Il avait pris note des renseignements figurant sur la pierre tombale de Thorhildur. Il remonta dans sa jeep et traversa une nouvelle fois la vallée de Fagradalur en direction d'Egilsstadir.

L'employé des Archives lui proposa son aide dès qu'il formula sa requête. C'était lui qui avait répondu au téléphone. Il lui indiqua une table où il pourrait consulter les documents en toute tranquillité et alla chercher le registre de la paroisse d'Eskifjördur qui couvrait la période de la guerre.

Erlendur le feuilleta jusqu'à trouver l'année 1942. Il n'y avait eu qu'un seul enterrement entre le début de janvier et le mois de mars. Il se souvint qu'Ezra lui avait dit avoir croisé Jakob dans le cimetière environ deux mois après la disparition de Matthildur, sans doute en mars. À ce moment-là, Jakob était occupé à creuser une tombe.

L'enterrement de Thorhildur avait eu lieu le 23 janvier, deux jours après la grande tempête. Neuf jours après qu'elle fut décédée.

L'observation que le pasteur d'alors avait griffonnée dans la marge ne surprit nullement Erlendur.

Tbe. cr. Jak. R.

Tombe creusée par Jakob Ragnarsson.

56

Deux heures plus tard, Erlendur se tenait à nouveau devant la tombe de Thorhildur Vilhjalmsdottir. Ayant déjà creusé la terre pour atteindre un cercueil, il n'était pas certain d'être prêt à réitérer l'expérience. Il devrait cependant s'y résoudre s'il voulait vérifier ses soupçons. Il était quasi sûr d'avoir raison après avoir réfléchi à la question en revenant d'Egilsstadir.

Il était également persuadé que, cette fois, il n'aurait pas à creuser très profond et ne pensait pas devoir dégager l'ensemble du cercueil de Thorhildur pour découvrir ce qui se trouvait en dessous. Jakob s'était sans doute facilité la tâche, le temps lui manquait et, surtout, il n'y avait presque aucun risque que quelqu'un aille exhumer le corps d'une femme âgée de plus de quatre-vingt-dix ans. Plus il s'attardait devant cette tombe, plus il était convaincu qu'il n'aurait qu'à ôter la mince couche d'herbe qui couvrait la terre et qu'il suffirait ensuite de creuser sur un demi-mètre environ.

Le jour déclinait. Il décida d'attendre la tombée de la nuit. Il retourna s'asseoir dans la jeep et mit le chauffage. La radio diffusait un morceau de jazz contemporain qu'il ne connaissait pas, mais qui lui plaisait bien. Il tentait de trouver une forme d'apaisement, de ne pas penser à Ezra, à Matthildur, à Jakob ou à son frère, à cette boîte qui contenait deux os et à tout ce qu'il avait découvert en l'espace de ces quelques jours passés dans les fjords de l'est. Il n'avait pas pensé aux siens et à Reykjavik, tant il était plongé dans l'enquête sur Matthildur. Cette histoire touchait en lui une corde sensible, il avait déjà plus d'une fois envisagé de s'y intéresser de près, mais c'était sa rencontre avec Boas qui l'avait conduit à le faire vraiment. En réalité, il n'avait pas eu besoin de réfléchir à deux fois lorsqu'il avait rendu visite à Hrund. Il était en quête de réponses. Il voulait identifier les causes. Quelqu'un lui avait dit que c'était inutile, tant d'années avaient passé, le temps avait accompli son œuvre assassine et il était désormais tout à fait vain de chercher des réponses. Cela ne changerait rien aujourd'hui, tout cela ne concernait presque plus personne. Le danger était écarté. Il n'y avait pour ainsi dire plus aucun intérêt personnel en jeu. Mais Erlendur pensait le contraire. S'agissant des disparitions, le temps ne changeait rien à l'affaire. Certes, il finissait par endormir la douleur, mais il en faisait la compagne quotidienne de ceux qui restaient en la rendant plus profonde, plus sensible, délicate, d'une manière qu'il ne s'expliquait pas vraiment.

Il pensa à sa fille et à leur dernière entrevue, celle où elle lui avait dit qu'elle lui pardonnait de l'avoir quasiment abandonnée pendant des années après avoir divorcé de sa mère. Il pensa à son fils qui n'exigeait jamais rien de sa part, à Valgerdur qui s'efforçait de lui rendre la vie un peu plus légère, à Marion Briem et à sa mort solitaire. Il pensa à ses collègues, Elinborg et Sigurdur Oli, aux enquêtes qu'ils avaient menées ensemble, aux années pendant lesquelles ils avaient travaillé en équipe.

La nuit tombait vite. Dès qu'elle lui sembla assez sombre, il descendit de voiture pour remonter au cimetière avec sa lampe-tempête et sa bêche. Il fut soulagé de voir qu'il n'y avait pratiquement personne dans cette partie du village alors qu'il rejoignait la sépulture de Thorhildur. Il posa sa lampe sur le sol et commença par dégager la neige qui recouvrait la tombe. Puis, ayant découpé une épaisse plaque d'herbe, il atteignit la terre.

Erlendur ne se pressait pas. Il réfléchit un moment à ce qu'il répondrait si quelqu'un le surprenait, mais ne s'en inquiéta pas beaucoup. Il pourrait toujours prétexter qu'il était inspecteur de police en cas de nécessité. Certains s'offusqueraient sans doute de le voir se livrer à des investigations privées, mais le but qu'il poursuivait était, en tout cas, honorable. Il ne faisait que dévoiler un crime commis dans un passé lointain. Voilà pourquoi il se permettait d'explorer l'ultime demeure de Thorhildur.

Sa lampe était posée au bord du trou, il creusait sans rencontrer le moindre obstacle. Il prit la lanterne pour éclairer le fond, mais ne remarqua rien qui éveillât sa curiosité. Il se redressa pour s'étirer. Les lumières du village éclairaient le port et les pentes qui surplombaient les maisons les plus en altitude. Comme nombre de bourgades des fjords de l'est, Eskifjördur se résumait à un assemblage de quelques maisons construites autour du port et à une rue principale qui longeait la mer. Mais les lieux étaient chargés d'une longue histoire et les gens qui vivaient ici avaient vu la société se transformer. La plus grande et plus radicale de ces mutations était la construction du gigantesque barrage dans les terres inhabitées et de la fonderie d'aluminium dans le fjord voisin. D'une manière irréversible, le passé allait une nouvelle fois disparaître pour céder la place à des temps nouveaux.

Il continua de creuser la terre, jetant par intermittence quelques regards alentour afin de vérifier qu'il n'y avait personne, qu'on ne risquait pas de le surprendre et de venir lui poser des questions. À chaque fois qu'il regardait, les lieux étaient déserts.

Il enfonça vigoureusement la bêche. Le trou n'était pas très profond, tout au plus un demi-mètre.

Il releva la bêche, la planta à nouveau dans le sol et sentit qu'elle butait sur ce qui devait être une pierre. Il entendit un petit bruit métallique au fond du trou.

Il reposa la bêche, éclaira le trou, mais, ne voyant rien, se remit à creuser et perçut clairement une résistance. Il gratta un moment, puis reprit la lampe-tempête et éclaira à nouveau la fosse.

Il distinguait un objet qu'il ne parvenait pas à identifier et qu'il libéra en faisant levier avec la lame de la bêche. Il reposa l'outil, attrapa l'objet et l'approcha de la lumière. N'ayant aucune idée de ce qu'il venait de trouver, il ôta la terre qui l'entourait jusqu'à ce que ce dernier lui apparaisse. C'était un couteau. La lame était rouillée, le manche en bois, vermoulu. Erlendur se souvint de ce qu'Ezra lui avait dit. Jakob avait caché le corps de Matthildur avec un objet qui l'accuserait. Il supposa que ce couteau appartenait au vieil homme.

Il le reposa, reprit la bêche et se remit à creuser. Dès la première pelletée, il perçut à nouveau une résistance.

Il ne vit d'abord rien, mais en examinant la terre avec plus d'attention, une forme lui apparut peu à peu. Il distingua des lignes familières, une image qu'il reconnaissait. Il s'inclina et tendit la main vers ce qu'il venait de trouver pour nettoyer la terre. Un peu d'eau s'était accumulée dans le fond, il n'y avait aucune trace de planches ni de cercueil.

Il prit sa lampe et découvrit alors ce qui surmontait l'ultime demeure de Thorhildur Vilhjalmsdottir. La vieille dame n'était pas seule dans sa tombe, mais en compagnie d'un invité inattendu, arrivé ici contre sa volonté et dont quelqu'un s'était débarrassé en vitesse à la faveur de la nuit.

Ce qui lui apparut en premier, à demi immergé dans l'eau sale, était une rangée de dents. Puis, il distingua le crâne, la mâchoire inférieure et les molaires. Erlendur savait qu'il venait d'exhumer les restes de Matthildur Kjartansdottir, dont tout le monde pensait qu'elle avait disparu alors qu'elle marchait vers les failles de Hrævarskörd pendant la grande tempête de l'année 1942.

57

Il ouvre les yeux. À nouveau, cette question.
– Je sais qui vous êtes, dit-il.
– Oui, répond le voyageur.
– Un jour, vous êtes venu chez nous et vous avez parlé à Bergur.
– Ah, vous vous en souvenez.
– Vous avez dit que nous ne le garderions pas longtemps auprès de nous.
Le voyageur ne répond rien.
– Parce qu'il avait une belle âme. C'était vous. Je me souviens très bien de vous. Qui êtes-vous? Que faites-vous ici?
L'homme ne lui répond toujours pas.
– Où sommes-nous?
Il a l'impression d'être allongé sur sa couche dans la ferme abandonnée et se dit que cet homme est venu lui rendre visite. Or, c'est impossible car il a quitté les lieux. Il n'est plus dans cette maison où il a laissé toutes ses affaires. Il a garé sa voiture, puis a gravi les pentes de la montagne sans rien emporter, en direction de Hardskafi, par le flanc nord. Bien qu'il ne soit conscient qu'à de très brefs moments et que le froid le tue peu à peu, brouillant ses pensées, il lui semble être certain de ces données-là. Il est impossible qu'il parle à cet homme dans la ferme abandonnée car il n'y a plus personne là-bas et il n'y est pas non plus.
– Vous ne le savez donc pas? interroge le voyageur.
– D'où venez-vous?
L'homme ne lui répond pas.
– Où suis-je? demande-t-il.
À nouveau, il perçoit que le voyageur qui est passé un jour à la ferme de Bakkasel et qui a profité de l'hospitalité de

288

ses parents n'est pas seul. Il est accompagné d'un être qui se cache, un être qu'il ne voit pas, mais dont il n'a jamais aussi fortement senti la présence.

— Qui donc est avec vous ? demande-t-il.

— Qui ?

— Celui qui vous accompagne ? Qui est-ce ?

— Vous n'avez rien à craindre de lui.

Un silence.

— Vous pensez que le moment est venu de le rencontrer ?

— Qui est-ce ?

— C'est vous qui le tenez à distance. Mais, au fond de vous, vous savez qui il est. Vous connaissez celui qui m'accompagne. Il m'a dit que vous n'aviez rien à craindre. Vous le croyez ? Vous le croyez quand il vous dit que vous n'avez rien à craindre ?

Un silence.

— Vous savez qui il est.

— Ce n'est pas…

— Vous le tenez à distance.

Au moment où le voyageur disparaît, il lui semble entendre la voix d'un enfant. Elle est faible, lointaine, et il ne distingue pas les mots. Il sait à qui elle appartient et il sait maintenant qui accompagne le voyageur. Il y a une éternité qu'il a entendu cette voix et il pensait que plus jamais il n'aurait l'occasion de l'entendre.

Il revient à lui l'espace d'un instant, dans l'unique but de sentir que le froid a encore resserré son emprise.

Puis, il tombe à nouveau inconscient.

58

Il avait retrouvé les restes de Matthildur sans ressentir la joie du triomphe, il n'avait tiré aucune satisfaction de ce qu'il venait d'accomplir, mais s'était plutôt senti envahi par une grande tristesse et par le besoin impérieux d'aller voir Ezra au plus vite pour couper enfin court à toutes les questions qui le hantaient. Erlendur reboucha le trou en toute hâte et replaça la plaque d'herbe sur la tombe avant d'y jeter quelques pelletées de neige en espérant que personne ne remarquerait que les lieux avaient été dérangés. Il reprit sa bêche et sa lampe, puis se dépêcha de retourner à sa jeep.

Il faisait nuit noire lorsqu'il arriva chez Ezra. Les phares éclairèrent la façade, il les éteignit et descendit de voiture. Il ne voyait aucune lumière dans la maison et l'ampoule au-dessus de la porte était cassée. Erlendur l'avait remarqué à sa première visite, quelques jours plus tôt, et il s'était fait la réflexion qu'il faudrait qu'il en parle à Ezra. Le vieil homme avait besoin d'un éclairage convenable devant chez lui.

Il frappa à la porte, mais personne ne vint l'accueillir. Il la poussa, elle s'ouvrit et il entra.

— Ezra! cria-t-il. Vous êtes chez vous?

N'obtenant aucune réponse, il alla jusqu'à la cuisine, trouva un interrupteur, l'actionna, mais la lumière ne s'alluma pas. Il tenta sa chance plusieurs fois, en vain.

— Ezra! cria-t-il à nouveau.

Sans doute le vieil homme s'était-il absenté. Le compteur avait peut-être disjoncté, peut-être avait-il dû sortir pour remettre l'électricité. Debout au milieu de la cuisine, Erlendur attendait que ses yeux s'habituent à l'obscurité. Il n'y voyait pratiquement pas et devinait à peine les contours de la table. Il se rappelait que l'évier était derrière lui.

— Ezra! appela-t-il pour la troisième fois.

Il entendit un craquement dans un coin de la cuisine.

Il baissa les yeux vers le fauteuil en osier et vit les contours d'une silhouette sombre qui se levait.

— Ezra ? murmura-t-il.

Il vit la silhouette s'approcher de la fenêtre qui donnait sur la lande, elle fit un pas sur le côté, puis un autre et il sentit qu'on lui plaçait un objet froid sous le menton. Il perçut une odeur de métal et de poudre, rejeta sa tête en arrière sous la pression de l'objet qu'il supposait être un fusil.

— Vous êtes venu pour m'arrêter ? chuchota une voix dans la nuit.

— Non, répondit Erlendur.

— Sortez de chez moi.

— Ezra ? murmura Erlendur.

— Je ne veux plus vous voir. Sortez avant que je fasse une bêtise.

— Je suis venu pour... Ezra, je l'ai retrouvée.

— Que me voulez-vous ?

— Je viens de vous le dire.

— De quoi parlez-vous ? Vous avez retrouvé quoi ?

— Je l'ai retrouvée, elle, répondit Erlendur. J'ai retrouvé le corps de Matthildur. Je sais où il est.

— Comment ça ?

— Je sais à quel endroit Jakob l'a cachée. Ezra, je sais où il a caché sa dépouille.

La tête rejetée en arrière à cause de la pression exercée par le fusil, Erlendur voyait à peine le vieil homme dont la silhouette sombre se détachait sur la fenêtre.

— Vous vous moquez de moi ?

— Je crois pouvoir vous prouver ce que j'avance, répondit Erlendur. Vous pourriez allumer la lumière ?

— Me le prouver ? Comment ?

— J'ai trouvé un objet à côté de son corps et je crois qu'il vous appartient.

— Un objet ? Quel objet ?

— Il faut que vous allumiez la lumière, répéta Erlendur.

— C'est impossible, répondit Ezra.

— Vous n'auriez pas une lampe de poche ?

Ezra ne lui répondit pas.

— Je ne peux pas vous montrer ça dans le noir.

— Il y a une lampe de poche, là, sur la table, finit par dire Ezra.

— Apportez-la jusqu'à l'évier, demanda Erlendur. Je dois le nettoyer

Ezra ne lâcha pas son fusil tandis que les deux hommes avançaient vers l'évier. Il prit la lampe, l'alluma et la braqua sur Erlendur qui fut un instant ébloui.

— Ezra, ne faites pas de bêtise.

— Je vous avais dit de me laisser tranquille, marmonna le vieil homme.

Erlendur avait emballé le couteau trouvé sur le squelette de Matthildur dans un sachet en plastique qu'il avait dans sa voiture et qu'il sortit précautionneusement de sa poche. Il le déballa, ouvrit le robinet, passa l'ustensile sous l'eau froide en grattant la terre qui y était collée. Ezra l'éclairait avec sa lampe de poche et le couteau apparut bientôt.

— Vous le reconnaissez ? demanda Erlendur.

Ezra ne lui répondit pas immédiatement.

— Reconnaissez-vous ce couteau ?

Un silence.

— Il était sur le squelette de Matthildur, précisa Erlendur. Jakob ne vous avait pas menti. C'est l'objet qu'il a enterré avec elle afin de pouvoir vous accuser du meurtre. Je suppose qu'il lui en a donné plusieurs coups après l'avoir étranglée. Est-ce que c'est le vôtre ?

— Oui, il m'appartient, répondit Ezra, plongé dans l'obscurité, derrière le faisceau de la lampe.

— Il vous l'a sans doute volé en venant chez vous pour vous prévenir que Matthildur était partie dans la tempête.

— Où est-elle ? demanda Ezra.

— Au cimetière, répondit Erlendur. Elle repose au cimetière. Jakob était fossoyeur. Il a dû creuser la tombe d'une vieille femme qui a été inhumée au moment de la disparition de Matthildur. Je suppose qu'il a gardé le cadavre chez lui et que, lorsqu'il avait à moitié recouvert le cercueil de la vieille dame, il est allé chercher le corps et l'a déposé au-dessus.

– Au cimetière ?

– Oui.

– Comment avez-vous compris ça ?

– En voyant la date du décès de cette vieille femme, j'ai fait le rapprochement. Il m'a suffi de creuser un peu pour trouver le squelette. J'ai trouvé les ossements de Matthildur. Ezra, je l'ai retrouvée. Vous savez maintenant la vérité.

Le canon du fusil était toujours posé sous le menton d'Erlendur.

– Elle ne reviendra pas. Ezra, elle est partie pour toujours et à tout jamais, reprit Erlendur. Elle est morte. J'ai vu son squelette.

– Comment pouvez-vous être sûr que c'est bien elle ? interrogea le vieil homme.

– C'est elle, Ezra.

– Qu'est-ce qui vous permet d'en être aussi sûr ?

– Croyez-moi, répondit Erlendur. J'ai retrouvé Matthildur. Ce couteau était à côté d'elle. Ezra, c'est bien elle.

D'abord étonné par la réaction d'Ezra, Erlendur comprit ensuite la raison pour laquelle il hésitait à le croire. Lui-même avait été envahi par le même sentiment en voyant les deux petits os dans la boîte de Daniel. Il avait compris qu'il avait rompu une sorte de statu quo qui avait force de loi. En le rompant, il avait remis l'existence en mouvement. Il imaginait qu'Ezra avait besoin d'un certain temps pour mesurer l'ampleur du changement qui venait de se produire dans son monde. Cela, on ne le faisait pas en l'espace d'un instant.

– On ne pourrait pas allumer la lumière ? demanda Erlendur.

– Non.

– Ezra, que comptez-vous faire de ce fusil ?

– Vous avez vraiment retrouvé Matthildur ?

– Jakob l'a mise dans une tombe au cimetière, reprit Erlendur. Ça ne lui a pas été bien difficile. Cette tombe était encore assez récente quand vous l'avez croisé là-bas, deux mois plus tard, et qu'il vous a laissé entendre certaines choses. Peut-être qu'il trouvait ça drôle de vous dire tout ça justement à cet endroit. Il était certain que jamais on ne la retrouverait. Il avait sans doute déjà creusé la tombe lorsqu'il a tué Matthildur. Il s'est servi de la tempête pour inventer ce mensonge sur le voyage de Matthildur et il a attendu le moment propice pour la mettre dans la tombe. Il ne peut s'agir que d'elle, et de personne d'autre. Il n'a pas eu besoin de l'enterrer bien profond. Elle est à environ cinquante centimètres de la surface.

Le canon pressa un peu moins fort sur le menton d'Erlendur.

— Quelle ordure ! murmura Ezra.

— Jakob savait très bien ce qu'il faisait.

Erlendur attrapa le fusil et l'ôta sans effort des mains du vieil homme qui recula et trébucha. La lampe de poche tomba par terre et s'éteignit. Erlendur reposa l'arme sur le sol.

— Pourquoi on ne peut pas allumer la lumière ? s'agaça-t-il.

— Le compteur a disjoncté, répondit Ezra.

— Que faisiez-vous dans le noir avec ce fusil ?

— Est-ce que vous me mentez ?

— Non, je vous dis la stricte vérité.

— Qu'avez-vous vu ?

— J'en ai vu assez. C'est à vous de décider ce que vous ferez.

— Il l'a mise dans une tombe qu'il venait de creuser, déclara Ezra. C'était le fossoyeur. J'aurais dû m'en douter. Ça semble évident, une fois qu'on le sait. Évidemment, il l'a cachée dans le cimetière. J'étais certain qu'il l'avait jetée en pleine mer en lestant le corps. Ou qu'il l'avait mise au fond d'une faille. Mais ça ne m'est jamais venu à l'idée qu'il l'ait enterrée dans le cimetière.

Ses paroles furent suivies d'un long silence.

— Ça apporterait quelque chose de lui offrir un vrai enterrement ? interrogea Ezra.

— Vous avez toujours peur d'être découvert ? demanda Erlendur. Peur que votre histoire d'amour n'éclate au grand jour et que toute la région soit au courant ?

— Ce n'est pas à moi que je pense, répondit Ezra. Je suppose que je devrais vous remercier pour tout ce que vous avez fait. Je n'ai... je n'ai jamais rencontré quelqu'un d'aussi buté et têtu que vous.

— Je ne dirai rien de ce que je sais, vous pouvez me faire confiance, promit Erlendur. C'est à vous de décider de la suite. Maintenant, vous savez où elle est, vous avez le fin mot de l'histoire et vous pouvez lui faire vos adieux après toutes ces années. Peu importe la manière dont vous choisirez de le faire.

— Je devrais… je devrais sans doute vous remercier, répéta Ezra.

— Ne vous inquiétez pas de ça.

— Excusez-moi pour l'accueil que je vous réserve à chaque fois que vous venez ici, je…

— Je vous comprends, interrompit Erlendur. Ce n'est pas très drôle de recevoir la visite d'une plaie de mon espèce. Je suis bien placé pour le savoir.

Il vit dans la pénombre qu'Ezra s'appuyait sur la table de la cuisine.

— Vous voulez que je vous y emmène tout de suite? interrogea Erlendur. Certes, il est un peu tard.

— Merci beaucoup, j'accepte avec joie. Évidemment, j'ai toujours su qu'elle était morte, je ne me suis jamais laissé aller à rêver qu'il puisse en être autrement. Mais… c'est bon de savoir où elle est. C'est bon de savoir qu'elle est à cet endroit.

59

Erlendur conduisit Ezra au cimetière à travers la nuit. Il avait tout son temps. Les deux hommes n'échangèrent pas un mot de tout le trajet. Voûté, Ezra était assis à l'avant, et Erlendur s'interrogeait sur ce qu'il s'apprêtait à faire avec ce fusil à la main dans sa maison plongée dans l'obscurité. Il lui avait demandé s'il pouvait appeler quelqu'un pour lui tenir compagnie. Ezra avait catégoriquement refusé, trouvant qu'il allait un peu trop loin. Erlendur n'en avait plus parlé. Il se demandait ce que ressentait le vieil homme après avoir obtenu la réponse à des questions qui le hantaient depuis des dizaines d'années, depuis toute une vie. Il était bien sûr soulagé, mais éprouvait aussi une profonde tristesse face au destin de Matthildur, et ce chagrin allait sans doute à nouveau se déverser sur lui. L'histoire lui apparaissait maintenant dans sa totalité, mais elle n'en était pas moins cruelle malgré les années écoulées.

Erlendur se gara à côté du cimetière et coupa le moteur. Ils restèrent dans la voiture sans dire un mot pendant un long moment jusqu'à ce que Erlendur rompe le silence.

– Eh bien, on y va ?

Ezra semblait ailleurs.

– Ezra ?

– Oui, répondit le vieil homme.

– On y va ?

Ezra le regarda. Erlendur vit qu'il luttait pour retenir ses larmes.

– Je… je ne suis pas sûr d'en avoir la force, répondit-il.

– Non, je comprends. Je peux vous ramener chez vous. Vous pourrez revenir demain. Ou quand vous le voudrez. Comme je vous l'ai dit, c'est à vous de décider de la suite. Vous pouvez parler de cela à qui vous voulez.

Ils restèrent silencieux, assis dans la voiture. Les épais nuages s'étaient écartés, laissant un moment apparaître la lune qui éclairait le cimetière de sa lueur pâle. Le clair de lune semblait avoir conduit Ezra à se décider. Il avait longuement observé le cimetière où se trouvaient les croix et les pierres tombales de ceux qu'il avait connus au fil des ans. Il en avait accompagné certains jusqu'à leur dernière demeure sans même imaginer que Matthildur pût être si proche.

– Allons-y, déclara-t-il finalement en ouvrant sa portière.

Ils descendirent de voiture. Erlendur l'accompagna dans le cimetière jusqu'à la tombe de Thorhildur.

– C'est là qu'est enterrée Matthildur, déclara-t-il. C'est moi qui ai fait ces petits dégâts.

Les yeux baissés sur la pierre, Ezra essayait d'en déchiffrer les inscriptions au clair de lune. Il lut le nom de Thorhildur et la date de son décès. Puis il regarda la terre et s'agenouilla.

Erlendur se détourna pour le laisser se recueillir et marcha vers la tombe de ses parents. Il lui restait une tâche à accomplir, une chose qu'il avait prévu de faire avant la nuit. Il observa de loin le vieil homme agenouillé auprès de la tombe de la femme qu'il avait tant aimée, il y avait si longtemps. Erlendur avait réussi à les réunir même si la mort les avait séparés. Il avait réussi à avoir le fin mot de l'histoire d'Ezra et de Matthildur.

Ezra se leva et fit un signe de croix sur la tombe. Erlendur le rejoignit.

– Vous pouvez me ramener chez moi ? lui demanda-t-il.

– Bien sûr. J'imagine que c'est un moment difficile pour vous.

Le vieil homme leva les yeux vers lui.

– Je le mérite sans doute, après ce que j'ai fait à Jakob, répondit-il.

Vous vous souvenez de cette Thorhildur ? interrogea Erlendur.

Ezra hocha la tête.

– Je me rappelle bien l'avoir vue marcher dans les rues du village, vieille comme Hérode. Je ne la connaissais pas vraiment, mais c'était une brave femme. Matthildur... Matthildur est entre de bonnes mains.

— Vous allez la laisser ici ? s'enquit Erlendur.

— Qu'en pensez-vous ?

— Puisqu'elle est entre de bonnes mains…

— C'est bon de savoir où elle est, répondit Ezra. C'est un soulagement… un énorme soulagement de savoir enfin où elle se trouve.

— J'imagine.

— Je crois que je n'ai aucune raison de la déplacer, poursuivit Ezra. Je pense que ça ne servirait à rien.

— Très bien, observa Erlendur. Très bien.

— Il vaut sans doute mieux que tout le monde croie qu'elle a disparu dans la tempête et qu'elle a péri, là-haut, sur la lande, conclut Ezra.

Ils retournèrent chez lui en silence. Les nuages cachaient à nouveau la lune.

— Eh bien, voilà, déclara Erlendur en se garant devant la maison.

— Oui, voilà.

— Comment vous sentez-vous ?

— Je m'en tirerai, répondit Ezra en lui tendant la main. Merci pour tout ce que vous avez fait.

Erlendur le salua.

— Que faisiez-vous, tout seul, dans le noir, avec ce fusil ?

— Vous tenez vraiment à le savoir ?

— Si vous ne voulez pas me le dire, alors je n'en ai pas envie, répondit Erlendur. Je ne veux pas m'immiscer dans votre vie.

— Dans ce cas, voilà.

— Parfait.

— Vous savez à quoi je pensais tout à l'heure, quand j'étais agenouillé auprès de sa tombe ? reprit Ezra. Maintenant que je l'ai enfin retrouvée, après toutes ces années. Vous savez ce que je pensais ?

Erlendur secoua la tête.

— Je me suis dit que, maintenant, je pouvais mourir en paix. Plus rien ne me retient ici. Plus rien ne m'empêche d'aller la rejoindre.

Erlendur pensa au fusil posé sur le sol de la cuisine. Il dévisagea longuement Ezra. Le vieil homme le regardait d'un air suppliant.

— Et que deviendra le chat? interrogea Erlendur.

— Il se débrouillera.

Les yeux d'Erlendur se perdirent un long moment dans la nuit.

— J'ai été heureux de vous connaître, déclara-t-il.

— Moi de même, répondit Ezra.

Erlendur vit le vieil homme disparaître à l'intérieur de sa maison. Il alluma une cigarette, puis fit demi-tour et quitta les lieux.

Il se gara devant le cimetière, prit sa bêche et la petite boîte qu'il avait trouvée dans le hangar de Daniel. Il avait dû repousser le moment de la placer en terre à cause de cette date qu'il avait vue sur la tombe de Thorhildur. Il voulait que rien ne vienne troubler cet instant.

Il attrapa la bêche, gratta la fine couche de neige sur la tombe de sa mère et plongea l'outil dans la terre. Il retira la plaque d'herbe et creusa sur une vingtaine de centimètres. Il prit la boîte, s'agenouilla et la plaça doucement au fond du trou qu'il venait de faire.

Il reboucha la petite tombe, la tassa précautionneusement et remit l'herbe par-dessus, laissant les lieux presque intacts.

Ce petit enterrement était terminé.

Il leva les yeux vers Hardskafi, regarda longuement dans la direction de la ferme abandonnée de Bakkasel, plongée dans la nuit.

Puis, il marcha vers les pentes de la montagne.

60

Il entend une voix d'enfant venue de loin, et qui s'approche. Le voyageur a disparu et, avec lui, l'angoisse, la douleur, le froid. Il ne reste plus que cette voix et la lumière qui en émane.

Ils marchent ensemble le long de la rivière par un matin ensoleillé. L'air est immobile, le ciel est clair, le soleil le réchauffe. Bergur le précède, il s'arrête, plonge sa main dans l'eau et la goûte. Il sent la fraîcheur de la rivière sur son visage brûlant et regarde son frère, agenouillé sur la rive. Il a le cœur étrangement léger.

— Tu es prêt ? demande son frère en se levant.

— Oui, répond-il.

— Ne crains rien, je reste avec toi.

— Je sais.

Derrière eux, la maison vibre sous la chaleur de l'été. Devant eux, la lande est accueillante, elle sent bon l'herbe et les plantes. Il lève les yeux vers le rocher d'Urdarklettur et les failles de Hrævarskörd, parés d'un air estival.

Il attrape la main de Bergur. Puis tous deux longent la rivière et entrent dans le matin limpide.

Cet ouvrage a été composé par
Atlant'Communication
au Bernard (Vendée)

Impression : CPI Firmin Didot à Mesnil-sur-l'Estrée
N° d'édition : 2817001 - N° d'impression : 114613
Dépôt légal : février 2013

Imprimé en France